ediciones carena

GUSTAVO RIFFO C.

INQUISICIÓN Y LIBERTAD

EVOLUCIÓN METAFÍSICA HUMANA

Primera edición: abril de 2019

© Gustavo Riffo C., 2019
gustavoriffozen@gmail.com

© Ediciones Carena, 2019

Ediciones Carena
c/ Alpens, 31-33
08014 Barcelona
T. 934 310 283
www.edicionescarena.com
info@edicionescarena.com

DISEÑO DE LA CUBIERTA: Sandra Jiménez

MAQUETACIÓN: Adrián Vico

CORRECCIÓN: Graciela Olave

COORDINACIÓN: Jesús Martínez
www.reporterojesus.com

DEPÓSITO LEGAL: B 10839-2019
ISBN 978-84-17852-04-7
Impreso en España - Printed in Spain

A todos quienes,
a pesar de sus sombras psíquicas,
intuyen la Luz

PRÓLOGO

Me gusta encontrarme con obras sólidas, sugerentes y esclarecedoras que poder prologar. Hoy en día hacen más falta que nunca en el terreno de la búsqueda interior y la espiritualidad, dado que abundan las obras insustanciales o incluso rebuscadas al respecto y que no solo no aportan nada, sino que confunden o simplifican el tema hasta lo casi grotesco. Desde luego, en las antípodas de ese reduccionismo tan perjudicial, está la obra de Gustavo Riffo C., que es de una llamativa profundidad y sugerente mensaje, hasta tal grado que invito a leerla no una sola vez, sino por lo menos a releerla y así podrá el lector sacar sus propias conclusiones, contrastando con las que de manera tan seria y sentida nos brinda el autor tras muchos años de exploración en el tema de la consciencia y su posible ulterior evolución.

Desde muy antaño, muchos seres humanos se han sentido como secuestrados y, por supuesto, limitados en su organización psicosomática, pero intuyendo y anhelando la posibilidad de quebrar parte de esas limitaciones e ir más allá de la consciencia ordinaria, aspirando a un tipo especial, por tanto, de cognición y percepción, mucho más reveladoras y transformativas que las comunes y que reportan muchas veces un esclerótico enfoque que no permite captar la realidad que se oculta tras las apariencias. Son innumerables las personas que están en un estado de consciencia semidesarrollada o crepuscular, pero también un alentador número de personas que aspiran a un entendimiento más claro, penetrativo y revelador, consiguiendo darle otro sentido y propósito a su vida, un más alto significado que nos aboca a ese trabajo interior que no consiste en seguir aprendiendo, sino más bien en desaprender y recuperar esa zona de nosotros mismos a la que damos la espalda y que en lugar de luz, proyecta sombras. Pero como dijo Buda, con su inteligencia extraordinaria, "algunas personas habrá que no tengan la consciencia tan empañada y puedan comprender la Realidad".

Y es hacia esa Realidad que apunta el autor de esta obra, indagando en lo profundo no solo de la evolución material, sino de una evolución mucho más prometedora y sublime y que es la de la consciencia. Nos va mostrando diferentes ángulos que terminan por ser complementarios, pero que sobre todo no se resignan a la mera evolución material tal y como se ha entendido, sino que abre despejadas veredas espirituales hacia otro tipo de consciencia, que en el ámbito espiritual, sobre todo oriental, se ha denominado la supraconsciencia, o incluso no-mente, porque se sitúa más allá de la consciencia que se estrella contra las apariencias y que más entraña oscuridad y distorsión que claridad y precisión. Pero saltar fuera de la propia sombra no es nada fácil, y en este sentido el autor vuelve a aportarnos claves no dogmáticas para que podamos despojarnos de la petrificada mente vieja y poder aspirar a una mente nueva.

La evolución es exasperantemente lenta, pero podemos poner los medios, enseñanzas y métodos para acelerar la evolución consciente y encontrar "el ojo de buey" que nos aproxime al infinito y nos permita conquistar una consciencia no-egoica y por tanto infinitamente más fiable.

Leer, releer y sobre todo asimilar la obra de Gustavo ya es en sí mismo un yoga o ejercitamiento que va ensanchando la comprensión y amplificando la consciencia. Yo he dicho muy poco en este prólogo, pero el autor dice mucho en su obra, a la que deseo el mayor de los éxitos, tanto por el autor como por el lector. Hay obras serias y válidas y otras que no lo son. Esta es una obra fiable y que estimula la reflexión y la intuición. Léase con calma, ¡pero con diligencia!

RAMIRO CALLE
Madrid, enero de 2019

EL ORIGEN

Nunca había pensado escribir un libro, menos aún un ensayo de esta magnitud, pero algo especial ocurrió hace varios años atrás. Desperté en forma súbita a medianoche en un estado de gran alerta, como si algo hubiese cambiado de manera imprevista. Percibí el espacio a mi alrededor y todo estaba silencioso y tranquilo, cuando entonces descubrí que el cambio se había producido dentro mío, específicamente en mi esfera mental, en cuyo interior circulaba un torrente de ideas y discursos que se mezclaban sin cesar. Me concentré en ese cúmulo de contenidos y observé que se trataba de planteamientos sobre la conciencia humana, el origen del sufrimiento, la injusticia, las inquisiciones con toda su crueldad y fanatismo, las relaciones entre la mente y la evolución y muchos temas más. Parecía que se hubiese abierto una compuerta y liberado desde alguna parte un flujo inagotable de energía que quedó circulando dentro de mi campo mental.

Al otro día sentí el fuerte impulso de visualizar más claramente esos contenidos y la necesidad de convertirlos en texto y redacté un documento con las principales ideas. Después de un cierto ordenamiento, pude ver que todo estaba relacionado entre sí y que tenía en mis manos la estructura básica, el núcleo de lo que parecía ser una visión original sobre el ser humano, su comportamiento y evolución, que incluía precisamente los grandes temas que siempre me habían motivado y que constituyen un desafío a mi comprensión sobre la naturaleza humana.

Vislumbré que lo esencial para entender esa complejidad conductual debía ser necesariamente una clave evolutiva. Ahí estaba presente el inquisidor y su fanatismo, el ególatra y su narcisismo, el instinto animal y nuestro drama existencial, junto con nuestros sentimientos e ideales más nobles, integrados en lo que sería una visión original sobre nuestra evolución como Humanidad.

Este libro es producto del desarrollo completo que hice a partir del núcleo de ideas matrices que surgieron en ese instante, el fruto de varios años de lectura, reflexión y profundización de esa visión hasta conformar un ensayo muy particular sobre la naturaleza humana y su evolución. Los contenidos están vinculados entre sí, reflejando todas las relaciones de los temas originales, integrados en un enfoque alternativo a la ciencia oficial que podría resultar atractivo para quienes se sienten motivados por comprender nuestra desconcertante complejidad psicológica.

ADVERTENCIA

Este texto brinda una exposición libre y espontánea de una visión evolutiva original, bastante ajena a la formalidad académica. Esta es la razón del estilo de redacción utilizado, basado en la plasmación directa de ideas alejadas de una erudición y elaboración intelectual compleja, planteando una visión sencilla respecto a la naturaleza humana y su evolución. He hecho mi mejor esfuerzo por lograr una comunicación clara que refleje fielmente los planteamientos, expresando con fluidez aquellas ideas y relaciones que considero fundamentales. Tampoco contiene desarrollos complejos ni recursos estilísticos propios de un escritor profesional, pero eso no ha sido un obstáculo para transmitir el impulso y la convicción de los postulados.

No es un *tratado* de psicología o evolución, ni es la apología de alguna corriente ideológica, científica o filosófica; mucho menos corresponde a un tratamiento académico o erudito sobre el origen del hombre. Más bien, es un ensayo libre que contiene enfoques originales sobre nuestra condición humana, que nacen espontáneamente sin el objetivo premeditado de apoyar o rechazar alguna doctrina o manipular información para justificar dogmas o intereses creados.

Como todo ensayo, plantea una visión original como eje orientador de la obra, pero siempre se va a privilegiar la observación simple y directa y la información de respaldo será presentada dentro de ese contexto, pues en todo momento nos mantendremos alejados de la saturación conceptual. Los argumentos se basarán en ejemplos propios del comportamiento animal y humano, como fuentes válidas para respaldar nuestros postulados.

Fue escrito pensando en todos aquellos vinculados o no con la literatura académica, pero que tienen inquietudes humanistas absolutamente legítimas que surgen *inevitablemente* frente a las violentas contradicciones de la sociedad actual. Esa ha sido la gran motivación para escribirlo, y si logro comunicar su esencia al lector, el texto revelará su inspiración original. Si pudiéramos sacarnos de la cabeza todas las vestiduras académicas e intelectuales, todos los títulos, reconocimientos, doctrinas, creencias y dogmas, ¿cuál sería el estado de nuestra mente y de nuestro cerebro? ¿En qué se apoyarían para justificar sus decisiones? ¿Cómo se orientarían? Estas interrogantes las considero un gran desafío, y este documento también es una aproximación a ello.

INTRODUCCIÓN

Durante miles de años, hemos sido testigos impotentes de un flujo interminable de odio, violencia y crueldad que provocan angustia y desesperación en el corazón de la Humanidad, mientras los grandes cerebros teóricos del planeta brindan toda clase de explicaciones y crean más y más modelos dentro de su analítico universo mental. Afuera, en el mundo real y concreto, la barbarie continúa. Las masacres históricas no son conceptos, no tienen nada de intelectuales. El sufrimiento atroz de los quemados en la hoguera, de los torturados y exterminados en campos de concentración o calcinados por radiaciones atómicas, no son una teoría ni una hipótesis. Estos son los hechos, *nuestra dramática realidad histórica.* ¿Podría alguien soportar todo ese sufrimiento si tan solo por un instante, en una visión instantánea de la realidad, adquiriera conciencia súbita de esta barbarie? ¿Qué ocurriría con la psiquis humana al experimentar las destructivas consecuencias de nuestra intolerancia? Y si siempre ha sido así, ¿no es lógico que seguirá igual? Además, ¿cuál es el origen de toda esta violencia?

La historia muestra una naturaleza humana profundamente contradictoria que ha dado lugar a millones de víctimas por conflictos políticos, morales, religiosos y raciales. Nos urge saber si este comportamiento violento es el resultado de algún proceso determinado, si tiene alguna explicación que ayude a entender una conducta destructiva completamente original y ajena al reino animal. ¿Corresponde acaso a algún mecanismo evolutivo de selección del más apto? ¿Cómo conciliamos la barbarie humana con los monumentales avances intelectuales? En última instancia, ¿a qué se debe esta grotesca contradicción conductual?

Cada vez nos sentimos más decepcionados con las explicaciones y análisis teóricos que intentan explicar la más patética contradicción del género humano: por un lado, este futurista mundo científico-tecnológico y por el otro, toda la miseria y angustia de millones de desnutridos, desterrados y esclavizados. Nos han saturado de modelos que intentan explicar la creciente debacle política, social y moral, incontables hipótesis girando en la mente de los nuevos analistas de turno; interminables especulaciones con argumentos viciados. Sin embargo, la confusión aumenta, y también el miedo y la desesperación.

La gigantesca maquinaria del *establishment* se esfuerza por convencernos de seguir el juego y que sigamos empujando esta pesada rueda de piedra, mientras se resquebraja la esperanza y nuestras opciones de una vida mejor. La rueda sigue girando y no cesa, como un monstruo lento y poderoso que está semiatontado, pero infunde temor. Muchos sienten ser manipulados abiertamente y piden explicaciones en un intento por comprender las profundas contradicciones que violentan su conciencia. Pero no hay respuestas. Debemos seguir aplacando al monstruo con nuestro sacrificio mientras se destruye el planeta y la inocencia humana, y la corrupción y el fanatismo siguen en forma sostenida acumulándose en la base de este sucio y maloliente edificio.

Con un triunfalismo casi romántico, avanzamos desesperadamente en medio de chirridos de fierros, tornillos, motores y grandes urbes con olor a cloaca y gasolina. Son los nuevos estímulos que llenan nuestro cerebro después de la Revolución Industrial. Empezamos a producir en serie de forma frenética. Ya no vale preguntarse qué está ocurriendo, porque pareciera que todo ha sido resuelto de antemano. La gran maquinaria del progreso material satisface todas las necesidades, pero la contaminación comienza a acumularse frente a nuestros ojos, junto a millones de hambrientos y moribundos excluidos del sueño material. La situación se vuelve peligrosa y comienzan los gritos de protesta. Es el momento en que entran en escena los analistas e intelectuales intentando calmar los ánimos y brindar alguna explicación lógica sobre las groseras contradicciones que surgen de los modelos políticos, sociales y económicos en boga.

Los maquiavélicos *amos de la caverna* nos prometieron un paraíso terrenal, diciendo que desaparecería la pobreza y las enfermedades, siguiendo con una larga lista de utopías divulgadas por doquier. Los modernos ideólogos con sus sectarias doctrinas se transformaron en brutales dictadores después de fanatizar a generaciones enteras, aplastando en unos cuantos años el largo sueño de libertad y justicia de millones, sueño que yace sepultado entre toneladas de huesos de anónimos cadáveres arrojados a fosas comunes. Nos engañaron y nos engañamos. Los teóricos del hiperdesarrollo material fracasaron. Aquellos que vieron a la Humanidad dentro de un progreso material lineal e interminable estaban completamente equivocados. Y cuando vamos despertando dentro de esta caverna de ignorancia, aún retumban los ecos de los aparatos de propaganda que luchan por sus intereses, mientras observamos atónitos de qué manera los hechos se encargan de contradecir a los teóricos y especuladores, a los brillantes sociólogos que se lamentan por los hechos consumados, a los astutos políticos que van cambiando sus postulados según los acontecimientos, a los grandes economistas que ya no pueden justificar tanta miseria. Es la más violenta y cruel contradicción frente a nuestras narices, el fracaso de los modelos políticos, económicos y sociales.

Los optimistas vaticinios de fines del siglo XIX pronosticaban un siglo XX incomparable, una era pletórica de oportunidades y realización, en que el ser humano llegaría al pináculo del desarrollo social e industrial. Todavía se respiraban las dulces y encantadoras melodías de la *Belle Epoque* que ilusionaron a millones y presagiaban un nuevo mundo libre de miseria y enfermedades. Se respiraban nuevos aires de libertad y optimismo. Había un nuevo sueño… que dio paso a la pesadilla de la Primera Guerra Mundial. Entonces nos dimos cuenta de que nada había cambiado *realmente*, que la historia seguía su fría lógica, independiente de los cientos de volúmenes de psicología, antropología o sociología escritos hasta entonces. La vida misma nos mostró casi sin misericordia lo que éramos, lo que hacíamos, cómo nos seguíamos odiando, matando y descuartizando con armas mucho más elaboradas que las de antaño. La idea era que las bombas fueran más destructivas, que los ataques fueran más devastadores, teníamos que progresar en ese sentido… ¡y lo logramos con creces!

Ni los cientos de millones de seres humanos sacrificados en guerras globales y regionales, ni el espanto provocado por las bombas atómicas de Hiroshima y Nagasaki pudieron eclipsar el optimismo y la fe en la Humanidad, tampoco los 60 millones de muertos durante la Segunda Guerra Mundial, dos tercios de ellos civiles, ni el violento y cruel fanatismo de las guerrillas y el terrorismo internacional. Nuestro optimismo logró superar uno de los siglos más brutales de la historia, en que las dictaduras ideológicas y teológicas sembraron el planeta de genocidio, tortura y campos de concentración, transformándose en abultadas estadísticas y estudios sociológicos sobre nuestro peculiar comportamiento. Pero aquellos que sufrieron en carne propia la persecución y el abuso de los tiranos de turno con sus crueles ideologías no tuvieron tiempo de reflexionar sobre la extraña naturaleza humana. Solo ha quedado el eco de esas atrocidades retumbando en nuestras conciencias y moviéndonos a buscar el origen de toda esa barbarie. En este momento resulta inquietante que ninguna organización proyecte un siglo XXI como aquel promisorio siglo XX que vaticinaron los grandes optimistas a comienzos de la centuria pasada.

Hemos convertido a la Tierra en un ser enfermo, sucio y maloliente, un planeta cuasiagónico que reclama a gritos un giro en los acontecimientos. Ahora las voces de los nuevos analistas no son triunfalistas ni románticas, pues nos dicen que estamos al borde de un cataclismo planetario. ¿Quiénes son los responsables de los millones de hambrientos que agonizan por doquier, de las cadenas multimillonarias de pornografía infantil, de la explotación masiva y el comercio de esclavos, de las impresionantes cifras de angustia, depresión y suicidios en nuestras tecnológicas e industrializadas sociedades?

No puedo dejar de citar extractos de las sabias palabras del jefe Seattle de la tribu de los Suwamish escritas en 1855 al presidente de Estados Unidos Franklin Pierce, en respuesta a la oferta de compra de territorios indios:

> El apetito insaciable del hombre blanco irreparablemente devorará la tierra, dejando detrás de sí un desierto solitario y triste.
>
> Porque todo lo que le ocurre a los animales, muy pronto también le va a ocurrir al hombre.
>
> Cuando los hombres escupen en el suelo, se escupen a sí mismos.
>
> Esto lo sabemos; la tierra no pertenece al hombre, sino que el hombre es quien pertenece a la tierra.
>
> El hombre no es quien teje la red de la vida. El hombre es solo una hebra de ella…
>
> Tal destino es un enigma para nosotros, aún cuando ya estemos presintiendo lo que va a ser la tierra cuando los búfalos hayan sido exterminados, cuando los caballos salvajes hayan sido domados, cuando hasta los recónditos rincones de los bosques exhalen el olor a muchos hombres y cuando la vista hacia las verdes colinas quede cercada por un enjambre incomprensible de alambres parlantes.
>
> ¿Dónde está el bosque espeso? Nos preguntaremos. ¡Desapareció!
>
> ¿Dónde está el águila? ¡Desapareció!
>
> ¡Así es como se termina la vida y se comienza a sobrevivir![6]

Palabras verdaderamente proféticas. Esa es la consigna y nuestro más cercano objetivo: *sobrevivir como cualquier animal*, destruir o ser destruido por nuestros supuestos enemigos. Es la lógica de la violencia física y psicológica que ha sido la compañera inseparable del hombre durante su evolución. Entonces no puedo evitar preguntarme cuál es la raíz de esta barbarie inagotable que pareciera eclipsar nuestros sentimientos más nobles.

Y en medio de toda esta crisis, nosotros, que observamos incrédulos cómo intentamos destruirnos en defensa de principios dogmáticos que se han traducido en la aniquilación sistemática de diferentes facciones políticas, raciales y religiosas a través del mundo. Constatamos atónitos la frialdad empleada al momento de exterminar a quienes osan oponerse a los dictámenes de los tiranos de turno. Hitler y Stalin, dos de los más grandes genocidas de la historia humana, son una patética demostración de esa realidad. ¿El resultado? Millones de explotados, hambrientos, esclavizados y moribundos que sienten que no vale la pena vivir, que hay algo que no concuerda con las teorías políticas, sociales y económicas. Los diversos líderes mundiales tiemblan ante esta pesadilla y se niegan con vehemencia a encarar esta dramática verdad. Entonces percibo su inquietud ante el peso abrumador de los acontecimientos, su miedo y desconcierto al vislumbrar la posibilidad del error o tener que asumir responsabilidades morales, y prefieren atrincherarse en sus rígidos dogmas y prejuicios.

Se ha generado una incertidumbre generalizada ante el vertiginoso acontecer de hechos impredecibles, signos inequívocos de una barbarie que se creía superada. Ese temor es una reacción visceral e *instintiva* frente al peligro de perder nuestras convicciones, certezas, influencia y liderazgo. Ha sido la *mente lógica y mecánica* la que ha creado un universo de conceptos, opiniones y trincheras ideológicas; ha sido el *miedo* el que ha fosilizado nuestra conciencia en nichos mentales llenos de intransigencia y rechazo a planteamientos que *amenazan* con desestabilizar esta gran arquitectura intelectual que alimenta la intolerancia de todas las sectas políticas, económicas y religiosas que viven calculando sus cuotas de poder, control e influencia social.

Sensibilizados por Vietnam, el Movimiento *Hippie* y la *New Age*, comenzamos finalmente a despertar y a sacudirnos la pereza espiritual después de un siglo de barbarie, y al igual que en la alegoría de la caverna de Platón, descubrimos que estábamos contemplando y manipulando ilusorias imágenes conceptuales del mundo reflejadas en nuestra pantalla mental; habíamos tomado por objetos reales meras imágenes y conceptos sobre nosotros y el universo. ¡Estábamos confundiendo la realidad con un modelo mental!

Entonces comienzo a observar con claridad esta gran *simulación virtual* que ha creado la mente, a sentir en carne propia una brutal contradicción que no cesamos de observar en todo instante, esto es, el empuje incesante de la ciencia y la tecnología por un lado y la catástrofe moral y social por el otro. Súbitamente descubro la disociación radical entre hombre y universo y toda la violencia indiscriminada que planea sobre el mundo. Veo en un atisbo de conciencia cómo se ha violentado a la naturaleza y hemos llegado al borde de un abismo. Observo la mente de sociólogos y analistas y percibo cómo continúa trabajando sin parar, elaborando modelos virtuales en una correa sin fin, mientras la barbarie continúa por doquier y los políticos se descalifican mutuamente.

Y vuelven a mí las proféticas palabras del viejo jefe Seattle, aquel anciano que se crio entre praderas y montañas, riachuelos y cielos estrellados. Entonces siento que en algunos momentos hemos logrado vivir en armonía con el Universo. Pareciera que en esos instantes actúa un principio de unidad esencial y las barreras conceptuales se diluyen como fantasmas, momentos especiales en que tenemos la libertad de expresar el impresionante potencial de nuestra humanidad.

"Lo que le suceda a la tierra, le sucederá irremediablemente a los hijos de la tierra. ¡Lo sabemos!". Nosotros también, sabio jefe Seattle… ahora. Los verdes bosques de tu infancia te enseñaron el respeto por la vida, y cuando bebías en las cristalinas aguas después de una agotadora jornada de cacería agradecías por tener ese manantial puro, el bosque perfumado, o te quedabas dormido bajo las estrellas sintiendo que te envolvía una gran Energía, una gran Fuerza Natural ajena a todo comentario o explicación. Entonces se podía vivir y morir con dignidad…

PRIMERA PARTE

EL ANIMAL RACIONAL

La pasión de dominar es la más terrible
de todas las enfermedades del espíritu humano

VOLTAIRE

LA MENTE DISOCIADA

Cuando vemos a los monos y los chimpancés saltando de un árbol a otro entre sonoros chillidos después de millones de años y observamos, a su vez, el explosivo desarrollo cultural humano en los últimos 100.000 años de evolución, podemos advertir un cambio profundo en la dinámica de la conciencia. Ahora vivimos plenamente en una nueva dimensión de experiencia que hemos incorporado como Humanidad y que posee una cualidad sorprendente: la *creación y procesamiento abstracto de imágenes, lenguajes, símbolos y conceptos mentales que representan e interpretan al Universo y a nosotros mismos.* Ya no somos simplemente ese animal condicionado y bastante mecánico cuya vida gira en torno al mero instinto de supervivencia animal. Ahora nos movemos espontáneamente dentro de una *dimensión mental, conceptual y simbólica* en que la conciencia percibe e interpreta la vida desde una nueva perspectiva.

La mente, en equilibrio con el cerebro como su soporte físico (*sistema cerebro-mente*), está generando millones de imágenes virtuales de la realidad, las que han contribuido de manera crítica a la formación de nuestra propia identidad como seres racionales inmersos en un universo subjetivo repleto de información. Y son precisamente estas imágenes las que han servido de base a todos los procesos abstractos denominados lógica, deducción, análisis, diseño, reflexión, evaluación, fantasía, imaginación y tantas otras funciones y propiedades que constituyen una verdadera *fisiología mental*, una dimensión de experiencia ajena a patrones puramente instintivos, pues surge un nuevo nicho de conciencia creativa asociada a variables intangibles abstractas y complejas. Estas imágenes, integradas a todos los procesos cognitivos, incentivaron a la mente a elaborar conceptos sobre la realidad y a *diseñar modelos explicativos* que le brindaran algún grado de certeza, comprensión y seguridad frente al mundo. Leemos en *Nuestros Orígenes*:

> Harry Jerison, de la Universidad de California, en Los Angeles, ha realizado un estudio especial sobre la evolución del cerebro en el mundo animal, también en el de los humanos. Y llega a la conclusión de que fue la capacidad creciente del lenguaje la responsable de la triplicación del tamaño del cerebro durante la evolución humana; y esa mayor capacidad lingüística fue el resultado de nuestra

necesidad de construir *modelos mentales*, y no solo un medio para comunicar mejor.

Por lo tanto, lo que produce el cerebro es una especie de modelo mental del mundo, un sistema para manejar la información recibida a través de los órganos sensoriales y poder generar respuestas adecuadas. La integración y articulación de los datos sensoriales es crucial para controlar el mundo "exterior" y para crear un modelo de él "aquí dentro". Este "aquí dentro" se convierte en el mundo real tal como un individuo animal lo experimenta.[14]

Toda la información procesada por la mente se fue transformando en abstracciones subjetivas que generaron en la conciencia la sensación de conocimiento y comprensión del universo mediante el desarrollo de conceptos, creencias, opiniones y todos los demás productos de la actividad racional. Esto no hubiese sido posible sin la imaginación, facultad *evolutiva* bastante ajena a los monos y uno de los principales fundamentos de la inteligencia humana. Estas imágenes, emanadas del contacto de la mente con el universo, son portadoras de información capaz de ser analizada por la razón, permitiendo la creación de conceptos gracias a un procesador central que observa, evalúa y mide el universo. Este incesante procesamiento de millones de unidades virtuales, unido además a una poderosa memoria evolutiva como Humanidad, es una gran correa sin fin donde la mente analiza, relaciona, compara y clasifica la naturaleza a través de un prisma mental que ha descompuesto la Luz Original en múltiples rayos, generando un complejo modelo intelectual basado en creencias, hipótesis y especulaciones, verdaderas representaciones virtuales para poder comprender la naturaleza y desarrollar así más y más modelos dentro de su analítico y polarizado universo mental.

La mente proyecta, entonces, una *representación virtual* de la realidad en base a estas imágenes y todos los procesos racionales asociados, conceptualiza y clasifica su experiencia cognitiva gracias a una abstracción intelectual compleja. Pero fue tanto el caudal de información generada, que la conciencia comenzó a diseñar modelos que le permitieran ordenar ese gigantesco flujo de datos proveniente de millones de años de procesamiento racional dentro de este supercomputador virtual. El cerebro-mente no pudo evitar comenzar a *programarse* a medida que maduraban las múltiples funciones intelectuales, dando lugar a un cerebro original altamente especializado que sirviera de sostén a las complejas y sutiles facultades de esta nueva entidad racional.

Las relaciones entre cerebro y mente constituyen un verdadero enigma. Ya sea que se considere a la experiencia cognitiva como una mera función de la actividad cerebral o bien como una verdadera *dimensión mental* cuyo origen no se encontraría necesariamente en la fisiología cerebral, la mente es un enigma en cuanto a su naturaleza y las variables que explican su dinámica. Es una original y maquiavélica entidad que *siempre está justificando lo que hace* en base a modelos y supuestos que ella misma ha diseñado, integrada a una masa encefálica altamente organizada y unida íntimamente a los procesos racionales, formando un complejo cognitivo que funciona como una unidad material y virtual.

Todo este proceso transformó a la mente humana en una verdadera *cámara holográfica*, llena de imaginativas representaciones que reflejaban visiones parciales de la realidad y que construyeron en conjunto un *universo virtual subjetivo* dentro de nuestras cabezas, un complejo holograma personal fruto de esa masa de imágenes y modelos desde el cual la mente observa, analiza e interpreta el mundo a través de constructos virtuales, los cuales acepta como necesarios para poder establecer un modelo utilitario y validar su relación con él al definir su lugar en la naturaleza, fijar límites a la realidad y establecer categorías, procesos y relaciones. La mente comienza a desarrollar así su propia *identidad* a medida que interactúa desde esta nueva plataforma imaginativa y conceptual. Fruto de ello, se van a fortalecer todos los conceptos que ha creado en su seno, produciendo una revolución psicológica gracias a su capacidad para *definir intelectualmente al mundo*, debido a ese procesamiento virtual de la realidad.

Con estas cualidades se hizo inevitable clasificar todo, mediante innumerables sistemas ordenadores de la gigantesca masa de información disponible. Mientras los computadores continúan perfeccionándose, disminuyen las diferencias entre ellos y nuestros cerebros mecánicos, pues son una proyección de este procesador mental que se viene *autoprogramando* desde hace milenios y creando bancos de memoria con todas las creencias, dogmas, conceptos, especulaciones, opiniones y prejuicios que ha formado, y que nos viene diciendo lo que debemos creer o no creer, pensar o no pensar, aceptar o rechazar, controlando nuestras decisiones y entregando marcos de referencia para que sigamos definiendo, sintiendo y pensando de determinada manera y terminemos por *convencernos* totalmente de nuestras opiniones personales ¡sin que nos demos cuenta! Surge en la evolución una mente compleja, programada y llena de antagonismos y contradicciones, identificando miles de fenómenos que desea estudiar, pero siempre necesita más tiempo, más información, métodos cada vez más elaborados y complejos para procesar una cantidad gigantesca de datos. ¡Es nuestro computador virtual!, la pragmática maquinaria mental que forma su *holograma personal del mundo*.

Con una corteza cerebral repleta de información, la mente empezó a creer que había esclarecido casi todos los enigmas de su existencia gracias a este complejo holograma racional, una proyección virtual que actúa como supremo modelo referencial para explicar el universo e interactuar con él. Había surgido en la evolución un nuevo órgano mental que comenzó a buscar explicaciones a todo, incluyendo su propia existencia, recurriendo a sus mejores aliados: el intelecto, la imaginación y la lógica. Por primera vez se movía sobre la superficie de este planeta una *entidad virtual* con una inmensa curiosidad y deseo de conocimiento y manipulación de la naturaleza y que sentía la necesidad de interactuar y comunicarse desde una dimensión simbólica, imaginativa y conceptual, un hecho inédito y revolucionario, un *salto cuántico* en la evolución de la conciencia que modificaría drásticamente la vida en este planeta.

Este universo subjetivo ha evolucionado de múltiples formas, acumulando innumerables clasificaciones, doctrinas, creencias y dogmas que la mente crea para poder entender el universo. Estos ladrillos fundamentales de la imagen, la palabra y el concepto se encuentran en el origen de nuestra evolución racional y nos definen perfectamente como seres mentales inmersos en una gran realidad virtual que quedó finalmente *aislada de la Naturaleza*, siendo el germen inevitable de toda forma de *disociación intelectual*. Ahora existía una representación virtual *opuesta* a la naturaleza, el fruto holográfico de su análisis, observación, manipulación y control… Había nacido una entidad virtual que no se sentía integrada al universo, pues se había convertido en un *sujeto en oposición a un objeto*, que toma distancia y define la realidad a través de su intelecto saturado de hologramas desde los cuales analiza e interpreta el mundo 'exterior'. *La Naturaleza Real había sido proyectada finalmente como naturaleza virtual*. Esa fue la disociación esencial, generando un ambiente subjetivo lleno de contrastes dentro de un complejo holograma mental disociado. Habíamos caído en la lógica conceptual de la aparente *dualidad intrínseca* entre el ser humano y el universo y una visión opuesta a otra.

Como escenario de toda esta dinámica cognitiva, la mente se transforma así en una especie de *salón de espejos*, creando un mundo interior en oposición a la realidad exterior. Fuimos perdiendo así la unión con la naturaleza y nos encontramos inmersos en un gran laberinto mental donde se confunde lo virtual y lo real, sin poder distinguir ya los reflejos de la realidad. Nos vemos proyectados en un gigantesco caleidoscopio saturado de innumerables imágenes y perdemos la percepción directa de la unidad de la conciencia dentro de este laberinto de espejismos lleno de abstracciones y subjetividad conceptual. Surge así un juego de efectos especiales de luces y sombras y empezamos a sentirnos llenos de contradicciones e incertidumbre. Es el mundo psicológico en el cual nos encontramos inmersos, un ambiente inestable, efímero, engañoso, paradojal, lleno de vaivenes y contrastes, como una proyección de nuestra propia condición mental disociada.

Nuestra memoria evolutiva se encuentra registrada en esa mente ancestral. Nosotros somos constructos mentales, el producto de ese registro de experiencia subjetiva que viene acumulando información y procesando datos a través de millones de años y que ha generado una *mente mecánica programada y concreta* que se termina reconociendo a sí misma como una entidad absolutamente real, autónoma, que razona, delibera, emite juicios y opiniones. Hemos terminado así por *reconocernos* en la evolución en esa psiquis esencialmente polarizada que siempre está analizando y sistematizando la información y que la clasifica en distintas categorías o bien la acepta o la rechaza, exactamente como lo hace cualquier cerebro o núcleo procesador de información, lo cual es simplemente la proyección de una mente mecánica sumida en una profunda disociación existencial.

Estos millones de constructos virtuales empezaron a proyectarse hacia la naturaleza y la Humanidad, desencadenando la parcelación virtual a una escala infinita. Todas las categorías, creencias y especulaciones fueron fragmentando la realidad a un grado inverosímil. La mente comenzó a *implantar* límites virtuales para comprender y analizar el mundo proyectando sus conceptos, supuestos y modelos a todos los seres vivos, creando así un universo cada vez más desintegrado que destruyó el flujo espontáneo de la Vida que siempre se quiere manifestar con plena libertad. La entidad racional empezó a llenar el universo de muros delimitadores que interrumpieron la unidad de la Vida manifestada, creando así fragmentos virtuales rígidos fruto de un diseño intelectual disociador, lo que tendría una serie de consecuencias para la evolución de los individuos y las sociedades humanas.

De esa forma, la conciencia proyectó múltiples visiones de la realidad y empezó a aceptar sus propias creaciones e ignorar o rechazar aquellas que mostraban un fuerte contraste con su propia visión particular. Nacía así el germen de la oposición y el conflicto, la incomunicación entre un ser y otro, saturados de contradicciones conceptuales y morales. Los muros virtuales se irían expandiendo y fortaleciendo cada vez más mientras proseguía la evolución de la mente disociada que llevaría inexorablemente a un aislamiento existencial, fruto de un mundo repleto de barreras y exclusiones que serían la semilla de toda la violencia y la desolación de la conciencia inmersa en un universo saturado de conflictos inagotables.

La máquina mental viene esquematizando la realidad desde su origen, y ocurre que nos hemos ido encerrando entre estos límites teóricos, construyendo así nuestros propios muros conceptuales, abstractos y dogmáticos, y esta mente mecánica que evolucionó durante millones de años se ha convertido finalmente en una verdadera camisa de fuerza, pues hemos quedado atrapados, paralizados, impedidos de actuar y comprender con libertad al quedar programados por visiones personales disociadas. Mientras tanto, la mente sigue justificando su conducta, modificando y ajustando los modelos y conceptos que le permitan seguir elucubrando y planteando hipótesis dentro de un universo virtual inagotable de nuevas teorías, y hemos tenido que sufrir en carne propia esta profunda disociación intelectual.

La mente humana lleva procesando información y elaborando conceptos y modelos teóricos desde hace milenios en un intento por armar un complejo rompecabezas de la realidad, por sistematizar un caudal impresionante de datos en base a observaciones parciales e incompletas, gérmenes de todas las *visiones sesgadas* que se disputan la hegemonía de la verdad y del poder. Pero *los conceptos no son la realidad*, son tan solo una elucubración mental de ella, una *imagen* referencial, virtual e hipotética. Y hemos creado estas poderosas murallas conceptuales subjetivas que casi no nos dejan observar de manera libre y directa, impidiendo una visión integradora del ser humano y de la naturaleza. Así terminamos plenamente convencidos de esta disociación intrínseca y la mente prosigue su trabajo virtual dividiendo, polarizando, generando tensión, conflicto, mutilando la realidad, la vida y la conciencia.

Podemos comprender entonces la mecánica de la mente holográfica y ver cómo vive discriminando y sacando conclusiones en base a un *sistema binario disociador de pares de opuestos* fruto de esa desintegración virtual de la Realidad, fortaleciendo una perspectiva completamente atomizada de la Naturaleza. La mente se sumergió en un gran constructo de categorías virtuales y un listado interminable de oposiciones que constituyeron la base de su estructura cognitiva, creando *antagonismos conceptuales y morales* como real-irreal, amigo-enemigo, bueno-malo, justo-injusto, verdadero-falso, inocente-culpable… más un listado interminable de conceptos polarizados propios de una mente fragmentada sumida en apariencia en una perpetua contradicción vital. Esta línea de evolución mental iría generando con el curso de los acontecimientos una permanente polarización y atomización de la realidad, una gran oposición conceptual y múltiples visiones enfrentadas entre sí. Llegó el momento inevitable en que la mente fue incapaz de percibir la *unidad* de la Vida, ya no pudo integrar la totalidad de la experiencia a su conciencia y fue quedando aferrada en forma progresiva a una determinada visión muy particular, siempre sesgada y fragmentada, encontrando su respectivo opuesto y generando así interminables conflictos y oposiciones que llegarían a comprender prácticamente todas las áreas de la experiencia humana.

Hemos quedado finalmente comprometidos y profundamente unidos a esta realidad virtual disociada. Los distintos hologramas han comenzado a programar y *controlar* nuestra propia conciencia, pues hemos empezado a tomar decisiones en base a modelos, especulaciones, creencias y dogmas superficiales, con muy poca *certeza* y comprensión profunda. Gracias a esta evolución holográfica, hemos generado una verdadera *cultura virtual* que se refleja en todos los modelos políticos, científicos, económicos, psicológicos, filosóficos y sociales, pero sacrificando la unidad de la conciencia al ser desplazada por hologramas rígidos saturados de conflictividad, y al vernos enfrentados a visiones y diseños distintos a los nuestros, los hemos interpretado como una contradicción, una verdadera *amenaza* a nuestra estabilidad mental, despertando así conflicto y resistencia. Ahí ya se encuentra el germen del futuro enfrentamiento, el rechazo, la violencia y la intolerancia, consecuencias inevitables de esta disociación y confrontación esencial entre una perspectiva y otra, fortaleciendo así *la ilusión de un sujeto enfrentado al mundo*.

Planteamos entonces una verdadera evolución mental basada en este procesamiento virtual de la realidad que generó todas las visiones intelectuales que comienzan a interactuar, explicar y definir el mundo desde una disociación esencial entre el modelo y la naturaleza. De esta forma se generó la mente práctica moderna, una entidad concreta, contradictoria y propensa al conflicto y que tiene una base funcional completamente polarizada que fragmenta la conciencia y la disocia de su unidad fundamental con la vida. Es una mente profundamente confrontacional, porque siempre está en oposición entre una alternativa u otra, inmersa en un laberinto de luces y sombras que además desarrolla una gran capacidad de cálculo, siempre con la tendencia a evaluar ventajas y desventajas en términos de un posible *beneficio personal*; básicamente, es una mente egocéntrica y calculadora que vive inmersa en una eterna dicotomía de *aceptación y rechazo*.

Perdimos así cierta *inocencia* cuando comenzamos a razonar y profundizar la vía del conocimiento analítico-racional, a llenar el cerebro-mente de información y a comprender intelectualmente al mundo. Fue entonces que empezó a cargarse este pesado *software* mental disociador que *condiciona* nuestro cerebro y comportamiento y hace que la mente mecánica comande nuestra efímera existencia en este planeta, diciéndonos lo que debemos pensar o creer sobre ciencia, arte, filosofía y religión, impulsándonos a preferir una determinada secta política o religiosa y a *rechazar* a las otras, sin temor de recurrir a la violencia si la situación lo amerita. Este condicionamiento obedece a una fragmentación infinita de la realidad que comenzó hace millones de años y se fue perfeccionando con la experiencia. De tal manera que dentro de nuestras cabezas se acumulan toneladas de visiones subjetivas que se traducen en miles de sectas religiosas, raciales e ideológicas, las que periódicamente entran en pugna y vienen generando desde hace siglos oleadas históricas de violencia fratricida *en nombre de la verdad, la justicia y la libertad*.

Llevamos tanto tiempo sobre la Tierra con un patrón disociador que, al ir escogiendo una alternativa y rechazando otras, la mente ha generado infinitas bifurcaciones que han significado perder una especie de *percepción o sensibilidad holística*, pues ha ido creando infinitos nichos intelectuales, fragmentando y dividiendo de manera cada vez más profunda a la naturaleza y a la propia Humanidad, inmersa en una contradicción perpetua. Hasta el día de hoy la ciencia, el arte, la filosofía y la mística no han podido aún integrarse y protagonizan interminables conflictos sociales y culturales después de milenios de atomización, aunque la mente intuye que todas las vertientes del conocimiento se encuentran relacionadas entre sí.

La presencia de la actividad mental disociada tuvo un impacto crítico en el devenir de la evolución que todavía no lo podemos apreciar en su totalidad, y si no consideramos esta dimensión en la génesis de todos los conflictos sociales, simplemente perderíamos una clave fundamental para comprender nuestra propia evolución como Humanidad.

EL YO PERSONAL

Lo que fue surgiendo inevitablemente en nuestra evolución mental fue una progresiva y creciente *identificación* con ese universo virtual disociado que se fue llenando de supuestos, opiniones, categorías, creencias, prejuicios, clasificaciones y valoraciones, profundizando así toda una experiencia individual. Este proceso nos brinda realmente nuestra propia *identidad* como seres racionales tal cual nos definimos actualmente, y es simplemente eso: vernos reflejados a nosotros mismos en una especie de espejo mental y autodefinirnos como entidades racionales subjetivas *diferenciadas*, debido a una fuerte *adhesividad inconsciente* por nuestro constructo mental disociado.

En *La Práctica del Zen*, Chang Chen-Chi comenta:

> La forma humana de pensar es 'adhesiva'. Este punto toma en cuenta la innata tendencia de la mente humana a adherirse a lo aparentemente "existente" o "sustancial" en el objeto. También observa que los pensamientos humanos tienen un carácter "rígido y fijo". La adhesividad se refiere a una manera de aferrarse al lado "existente" de los objetos, a los cuales se los tiene por *reales y definitivos*, como si poseyeran sus propias naturalezas.
>
> Todos los pensamientos humanos se derivan, o surgen, de la idea fundamental de identidad, que es esencialmente arbitraria, terca y fija. Si penetramos hasta el fondo de esta idea de identidad nos damos cuenta que no es más que una "adhesión" colosal y profundamente arraigada.[7]

Los hologramas se adhieren a la conciencia al actuar como verdaderas fotografías mentales que subyacen a todo concepto, creencia, dogma o aseveración, visiones subjetivas incompletas y disociadas de la realidad que rigidizan el flujo de actividad mental y precipitan finalmente una *entidad personal* programada con todas sus creencias, dogmas y prejuicios y que se instituye como el nuevo controlador y manipulador de información, lo que se verá traducido en una gran rigidez conceptual y moral, intolerancia, testarudez y violencia psicológica, el caldo de cultivo de todos los comportamientos egocéntricos y mecánicos propios de un ser disociado que puede volverse frío, cruel, censurador e implacable.

La adherencia a visiones mentales sesgadas fue generando fuertes contradicciones entre una perspectiva y otra. La conciencia contemplaba cómo iban en aumento todas las paradojas y oposiciones imaginables y tuvo que empezar a cargar con ese antagonismo y a optar por una conclusión u otra, tratando por todos los medios de asumir esta visión completamente atomizada de la realidad. Y fue precisamente esta poderosa identificación con visiones rígidas la que dio origen al *conflicto* interior, el cual nació cuando nuestras limitadas perspectivas personales las elevamos a valores universales, y al vernos enfrentados a planteamientos que aparentemente contradecían esos criterios, no supimos reaccionar con imparcialidad ni asumir el momento crítico de la contradicción al no poder liberarnos de nuestras creencias, lo que finalmente terminó por *violentar* la conciencia porque estaban remeciendo viejos esquemas y certezas personales saturadas de prejuicios, y al estar tan identificados y comprometidos con esa visión en particular, terminamos por sentirnos agredidos, atacados, *en peligro*. Así surgiría la violencia como mecanismo de defensa al vernos *amenazados*, despertando una conciencia ancestral que llevaba evolucionando millones de años sobre el planeta fortaleciendo sus conductas de supervivencia.

La mente comenzó a absorber diversas corrientes de pensamiento saturadas de contradicción, lo que fue condicionando su función y haciendo que la conciencia se identificara con muchos planteamientos esencialmente conflictivos. Este sería el origen del compromiso ciego que el sujeto establece con todas sus visiones sesgadas y fanáticas. Con el paso del tiempo, la acumulación de creencias y dogmas fortaleció una intransigencia individual que se proyectó a nivel colectivo, y en el ser humano moderno ya observamos una tremenda carga de conflictos morales y sociales donde las diversas facciones tribales, políticas y religiosas se vienen enfrentando en luchas fratricidas francamente crueles y destructivas, lo que ha generado una visión casi apocalíptica respecto a nuestro futuro como Humanidad.

Como resultado, la conciencia terminó por identificarse plenamente con sus creencias y conclusiones personales, comenzando a aceptar sus creaciones virtuales como interpretaciones *válidas* de alguna supuesta realidad o verdad, generando un constructo mental particular que dio origen finalmente a un *yo personal* disociado y deliberante encerrado en su propia cámara de subjetividad virtual, condicionado por esos millones de unidades de información que permiten crear elaboradas representaciones de la realidad, un ego *autorreflexivo y programado por su propia creación mental*, y que ha dilucidado en apariencia los principales enigmas sobre el ser y la existencia. Este largo proceso subjetivo de identificación y asimilación conceptual constituye la base de la evolución mental humana y el surgimiento de un ser que se autoconcibe y autodefine intelectualmente como *separado y distinto a la naturaleza*, proceso que marcó una diferencia profunda respecto a la evolución de los animales.

Esta experiencia sacó al ser humano de la vida en manadas, dando origen al ente racional consciente de sí mismo, un ser individual y autónomo que se percibe intelectualmente aislado frente al mundo y toma conciencia de su propia realidad. Este yo mental autoconsciente que reflexiona y observa el universo desde su holograma virtual disociado fue un cambio verdaderamente revolucionario, con un potencial evolutivo realmente sorprendente.

La identificación mental llevó a la formación concreta de una entidad que se sintió por primera vez *separada* de los demás individuos de la especie. Surgía un hombre primitivo que lograba diferenciarse del "alma grupal" propiamente animal y que comenzaba a tomar sus propias decisiones, que gozaba de cierta autonomía que le permitía observar conscientemente la naturaleza y que establecía límites muy definidos entre un individuo y otro. Ese fue el momento preciso en que el egoísmo y la ambición echaron fuertes raíces en la naciente especie humana, el momento inevitable en que esa incipiente mente disociada comenzó a controlar la conciencia y a orientarla en sus decisiones dirigidas a la *satisfacción del deseo y el provecho personal*.

En su ya clásica obra, *El Poder del Ahora*, Eckhart Tolle comenta:

> La identificación con la mente crea una pantalla opaca de conceptos, etiquetas, imágenes, palabras, juicios y definiciones que bloquean toda verdadera relación. Esa pantalla se interpone entre tú y tú mismo, entre tú y tu prójimo, entre tú y la naturaleza… crea la ilusión de separación, la ilusión de que tú y el "otro" estáis totalmente separados.
>
> Estáis identificados con el pensamiento, lo que significa que deriváis vuestro sentido de identidad del contenido y de la actividad de vuestra mente. *Porque creéis que si dejaseis de pensar, dejaríais de ser* […] El ego es tu actividad mental y solo puede funcionar mediante el pensamiento constante […] me refiero al falso yo, creado por una identificación inconsciente con la mente.[20]

La identificación mental en nuestra evolución psicológica podría guardar relación con el famoso mito griego de Narciso, aquel ser bello y libre que vivía en una especie de Jardín del Edén y que en algún momento contempla su imagen en un espejo de agua y se enamora de su propio reflejo. Al observarse, inmediatamente se identifica con esa belleza, la quiere poseer y a partir de ahí comienza un ciclo oscuro de dolor, frustración y muerte. Existe una similitud entre esta identificación con nuestra creación mental y Narciso enamorado de su imagen.

Cuenta el mito que, al contemplarse en el agua, Narciso se transforma y queda hechizado por la belleza de su propio reflejo, absorto en esa contemplación que lo hace olvidar su propia vida y la realidad. Finalmente muere lanzándose a las aguas, tal vez *ilusionado* por consumar su deseo, dando a ese reflejo la categoría de un ser real y factible de ser conocido y amado. La contemplación de su reflejo desencadenaría un proceso psicológico de olvido de sí mismo y una transferencia de conciencia hacia una proyección ilusoria sustituta. Ese Narciso subyugado por su propia imagen es como el ser humano hechizado por el reflejo de su propia creación mental debido al principio de identificación, enamorado de su mundo virtual.

Podemos llegar a estar tan profundamente absortos e identificados con toda nuestra complejidad intelectual, procesos analíticos y abstracciones conceptuales que tarde o temprano vamos a quedar sumergidos en una gran *ilusión virtual* de la cual terminamos por enamorarnos y deseamos perpetuar y fortalecer el vínculo. Vemos en este amor superficial e imposible la identificación con toda nuestra creación mental que nos llena de orgullo. Es la condición del ego disociado inmerso en la ilusión del conocimiento intelectual que tarde o temprano llevará a la muerte del Ser, al olvido de nuestra Naturaleza, la inmersión ciega y suicida en la inconciencia y la vanidad intelectual.

La génesis de egos mentales personales, o *individuación*, fue un proceso evolutivo crucial en el origen de la Humanidad, porque ahí nace el individuo, ahí está el germen de la persona humana y todo su *aislamiento existencial*. Es la separatividad desde una conciencia animal colectiva al nacimiento de entes racionales individuales, un yo autoconsciente de su propio mundo interior lleno de ideas, discursos, deseos e iniciativas, su propia experiencia, reflexión e impulso egotista. Se conformó así una estructura mental aislada con procesos complejos y elaborados, con una serie de características y propiedades cognitivas que en definitiva permiten reconocernos como *seres mentales* propiamente tales, que es una de las diferencias básicas con los animales.

Surge así un yo programado que crea su propio universo virtual, su propia *atmósfera mental personal*, un yo propiamente tal que ha adquirido vida independiente y se ve reflejado en su propia creación, la cual se constituye en una realidad *per se*. Esa parcela de subjetividad, ese amasijo de opiniones, creencias, análisis, juicios y valores empieza a deliberar infinitamente sobre todo y va fortaleciendo cada vez más sus convicciones y su personalidad, gracias a millones de archivos de información generados en la evolución mental. Se va constituyendo así en una entidad virtual con todo un discurso de creación racional que al final se convierte en un yo absolutamente real *enfrentado al mundo,* con una poderosa memoria que lo proyecta en el espacio y el tiempo. Este es el germen de la disociación esencial entre el yo y su realidad *externa*, un ego personal cargado de premisas y conceptos que se fue encerrando cada vez más dentro de su holograma particular, hasta llegar a creer que su visión era realmente la *verdad*, sin percatarse inicialmente del hecho de que otros universos virtuales encerrados en otras parcelas mentales probablemente no iban a coincidir con su personal cosmovisión.

Había nacido así un ser autoconsciente *segregado intelectualmente* de la unidad universal, con su propia experiencia virtual desde la cual comenzó a analizar y a explicar el mundo, fortaleciendo así una dualidad esencial entre el yo y el universo, entre lo interno y lo externo, lo subjetivo y lo objetivo; un yo analítico, discursivo y autorreferencial que desarrolló un proceso mental de disociación de la realidad, el cual no tardaría en verse *enfrentado* a esquemas y planteamientos surgidos de otros enfoques dualistas, dando lugar a un ambiente de creciente conflicto y desencuentro. El ente racional se fue *aferrando* cada vez más a sus particulares creencias y opiniones, desarrollando un egocentrismo que cristalizó una visión fragmentada del universo, contribuyendo poderosamente al nacimiento de una conciencia mecánica que se autoconcibe como disociada de las otras formas de vida que le rodean gracias a esta generación de *egos autodeclarados independientes entre sí*.

La identificación de la conciencia con su creación mental aglutinó todo el conjunto de creencias, dogmas, opiniones y prejuicios personales. La condensación de esa productividad racional dará lugar en la evolución a una entidad virtual que se percibe a sí misma tan real como la propia naturaleza, independiente de otras unidades de conciencia, un ego que guarda esa semilla de dualidad que lo llevará inexorablemente a un enfrentamiento con otras realidades virtuales, la oposición entre un sujeto y los demás millones de egos con su propia experiencia subjetiva, profundizando el conflicto perpetuo en las relaciones humanas. Esa disociación de la conciencia va a llevar en definitiva al aislamiento del individuo frente a un mundo lleno de contrastes, la raíz de toda forma de violencia, racismo, discriminación, enfermedad y locura, el olvido de nuestra Unidad verdaderamente humana.

El ego que nace de ese constructo disociado se va a manifestar con vehemencia, agresividad y un alto grado de conflictividad, especialmente entre aquellos seres humanos más primitivos con bajos niveles de autoconciencia y desarrollo cultural y que actúan impelidos ciegamente por esta mecánica disociadora que genera un yo bipolar que divide a la Humanidad entre amigos y enemigos, buenos y malos, justos e injustos, fuertes y débiles, inocentes y culpables, ganadores y perdedores, malditos y benditos… y establecerá la base para un estado permanente de inclinación al conflicto, la segregación, el racismo y la brutalidad, generando además un estado interior de una perpetua sensación de soledad fruto de esa disociación basal, la semilla del sufrimiento que acompañará a la Humanidad como su sombra.

Sujeto y objeto

En síntesis, la identificación psicológica contribuyó a generar una conciencia individual que fue la base evolutiva del ego disociado tal cual lo conocemos hoy, un ser subjetivo y contradictorio que aprueba o rechaza, cree o no cree, premia o castiga, absuelve o condena, libera o reprime, defiende o ataca, un yo sumergido en su mundo polarizado entre el bien y el mal y que se siente separado del universo "externo", al que observa como un objeto digno de estudio o bien una amenaza, una fuente de conflicto o de recursos explotables. Esta dualidad fundamental de la razón humana generó el *paradigma sujeto-objeto*, convertido en el modelo básico para toda la actividad racional desarrollada hasta el día de hoy.

En su gran clásico *Budismo Zen*, D. T. Suzuki advierte:

> Las cosas de este mundo están caracterizadas por la polaridad, en la medida en que son siempre interpretadas en relación al sujeto que las percibe y valora.

Jamás podemos escapar a esta oposición entre sujeto y objeto… Pero a menos que escapemos a este dualismo fundamental, nunca podremos estar en paz con nosotros mismos, pues dualismo significa finitud y limitación. Todas las ansiedades, miedos y tribulaciones que padecemos son la maquinación de una mente finita.[19]

La mente disociada llevó a la división irreconciliable entre el yo y la naturaleza y se encuentra en los cimientos mismos del quehacer científico, el cual se orientó a una investigación material externa y redujo lo interno a la existencia de las vísceras, siendo el cerebro la más importante. El sistema sujeto-objeto se consideró indispensable para obtener conocimiento, el cual se fue concentrando cada vez más en el objeto, dejando al sujeto *desamparado y moribundo*. Esta polarización de la conciencia resultó fundamental, además, en la génesis de toda nuestra intolerancia e intransigencia, un proceso evolutivo inevitable, pues la aparición de una mente mecánica significó la desintegración intelectual del mundo, la semilla de toda la soledad, miseria y sufrimiento que el ego provocará a la Humanidad.

Esa atomización es la resultante natural de una sumatoria de creencias, experiencias, decisiones y sentimientos personales que se fueron orientando en determinado sentido, el que resultó ser opuesto al sendero escogido por otros. Es como una gran fatalidad nacida de nuestra subjetividad emocional y mental, que nos impulsa a aceptar una determinada creencia y a *rechazar otra*, lo que nos va volviendo excluyentes, intolerantes y prejuiciosos, hasta que la acumulación gradual de esa intransigencia puede alcanzar a veces un punto crítico de no retorno en que se produce la desestabilización psicológica colectiva y los conflictos estallan a nivel social, liberándose toda la energía mental y emocional negativa propia de una mente intolerante que puede terminar por destruir todo vínculo humano.

Se consolida así un yo escindido del universo y plenamente identificado con su modelo disociador sujeto-objeto. Aquí surge realmente la diferencia evolutiva con el comportamiento puramente instintivo, porque el animal está *integrado* a la naturaleza, no está disociado intelectualmente entre un sujeto y un objeto pues permanece unido a la Vida de la cual forma parte, inmerso dentro de un gran equilibrio ecológico que nunca se rompe o se ve amenazado. Pero en la evolución humana, al surgir este proceso de identificación mental, se va a fortalecer un núcleo basal de profunda subjetividad que va a ir generando todas las bifurcaciones y fragmentaciones de la realidad gracias a un poder de análisis subjetivo *frente* a la realidad objetiva. Este mecanismo intelectual potenció además a un sujeto muy emocional que rechaza, desprecia y finalmente violenta a la propia Humanidad, pues necesita descargar su ira contra sus supuestos enemigos, siendo el origen de todo el drama moral que nos ha llevado a un estado de conflicto permanente. Es el yo disociado enfrentado al universo y saturado de dogmas que han desencadenado la barbarie entre todas las sectas, tribus y corrientes ideológicas y teológicas que han intentado *imponer* a los demás su visión personal del mundo.

De esta forma, la historia humana refleja una drástica fluctuación del péndulo de la conciencia entre miles de actitudes extremistas y conceptos antagónicos de un ego sumido en su paradigma sujeto-objeto. Es como si los dos hemisferios cerebrales entraran en pugna y comenzaran a considerarse enemigos y se olvidaran por completo que entre ambos se logra la unidad de cuerpo, mente y conciencia. Hace tiempo perdimos esa unidad esencial dentro de nosotros; *lo externo es tan solo un reflejo de esa disociación, traducida en violencia, miedo y contaminación.* Pero la vida misma se encarga de hacernos recordar nuestros orígenes, cuando no éramos complicados, pues la mente era incapaz de eclipsar nuestra espontaneidad vital y no tejíamos una red teórica dentro de nuestras cabezas. Entonces los árboles eran seres vivos que podíamos abrazar y siempre nos protegían, y los elementos eran fuerzas naturales que nos comunicaban un mensaje, pues todo estaba lleno de vida y lo percibíamos por doquier. A veces lo recordamos con nostalgia y nos sorprendemos con la simpleza y naturalidad de los niños y sentimos que algo se *mueve* dentro de nosotros, algo que nos recuerda un mundo perdido…

En el niño vemos una actitud natural perfectamente integrada a todo su ser que no lo separa de la naturaleza ni le impide compartir y vivir la experiencia directa y total del momento. Es precisamente este impulso espontáneo no discriminatorio el que le permite una comunicación fluida no intelectual y así poder participar de la vida con todo su ser instante tras instante. La violenta contradicción entre niños y adultos se la debemos a una mente egoísta, disociada y calculadora, la que nos impulsa incesantemente a obtener conclusiones apresuradas y erróneas, a matricularnos en una secta que vive enfrentada a otra, a *legitimar el odio y la violencia* como estrategias conducentes a un fin. Todo ese odio racial, político y religioso impacta la sensibilidad de los niños, quienes nos miran con miedo y angustia.

Hemos fortalecido así una mente rígida y prejuiciosa, una especie de parásito psicológico que se alimenta de nuestros miedos y conflictos y que pareciera debilitar la manifestación de nuestras más nobles virtudes. Es entonces que recordamos lo que fuimos o pudimos ser en algún momento de nuestra vida, cuando había ideales de fraternidad y la *Búsqueda de la Verdad* era nuestra estrella matutina. Pero ahora nos sentimos asfixiados en un mundo contaminado, violento y deprimido. ¡Es obvio que nos equivocamos! Y estamos sufriendo las consecuencias de ese error...

2

EL ANIMAL RACIONAL

¿Qué proceso esencial permitiría vincular entre sí todos los comportamientos destructivos humanos? ¿A dónde deberíamos acudir para poder comprender a cabalidad nuestro historial de odio, fanatismo y violencia?

Podríamos mirar al reino animal, donde observaremos claramente la presencia de resentimiento, agresión e incluso venganza y podríamos concluir que toda esa brutalidad hunde sus raíces en nuestra herencia animal; incluso podríamos concluir que resulta inevitable, pues *nosotros* también seríamos animales en última instancia, pero una variedad mucho más compleja. De hecho, la ciencia *nos ha clasificado como tales* y pareciera ser que, a fin de cuentas, estaríamos obedeciendo simplemente a patrones de comportamiento propios de cualquier animal, donde siempre es necesario luchar para poder imponerse dentro de un medio hostil, peligroso y muy competitivo, donde la muerte acecha a cada instante.

Este enfoque presenta dos fuertes inconsistencias: aunque los animales presentan diversas conductas agresivas, siempre se dan dentro de un contexto de supervivencia y *equilibrio ecológico*. Todos los patrones de defensa-ataque propios del reino animal están vinculados a situaciones donde se arriesga la vida para conquistar algo o bien para defenderse frente a una amenaza mortal, de forma tal que podemos observar una agresividad que no representa realmente un peligro serio para otras especies ni genera procesos de aniquilación masivos. La otra situación que no se ajusta a un comportamiento puramente instintivo consiste en la presencia de formas de agresión ajenas al reino animal, como el genocidio, la tortura y el fanatismo religioso.

Nos encontramos frente a un nuevo escenario evolutivo que exhibe una violencia sofisticada profundamente destructiva y *planificada intelectualmente a gran escala*, que puede abarcar incluso varias generaciones y destruir a comunidades completas. Es una violencia llevada a grados extremos, vinculada al exterminio y la *limpieza racial*, un odio profundo de una parte de la Humanidad contra otra, procesos masivos de aniquilación sistemática de una secta, nación o ideología contra otra, formas de racismo y crueldad inimaginables dentro del reino animal. Entonces nos empezamos a dar cuenta de que toda la barbarie humana no se puede explicar realmente en base al puro comportamiento animal, ni siquiera podríamos explicar la conducta vengativa, que sería fruto de la violenta intervención humana. Como veremos más adelante, el perfil vengativo propio de los grandes mamíferos guarda directa relación con la crueldad ejercida contra ellos desde hace siglos y nos podremos dar cuenta que no suele ser parte de su comportamiento bajo condiciones naturales de vida.

Los animales no cometen genocidio, no desarrollan complejas técnicas de tortura ni poderosas armas tecnológicas para destruir a millones en forma anónima y cobarde; tampoco juran vengarse a lo largo de varias generaciones ni utilizan la violencia y el terror como herramientas políticas para someter a pueblos enteros. Resulta obvia la presencia de una nueva variedad evolutiva que viene ejerciendo desde hace milenios diversas formas de violencia ausentes en el reino animal; había surgido en la evolución una *violencia no animal* de carácter complejo. Por lo tanto, tendremos que buscar una explicación a toda esta barbarie que nos permita comprender de mejor forma los comportamientos destructivos que han remecido la conciencia moral de la Humanidad.

Entregaremos nuestra visión sobre este proceso evolutivo que dio origen a una variedad muy particular de ser humano que ha integrado en su conducta una combinación compleja de inteligencia y crueldad. Desde ya advertimos sobre otros perfiles psicológicos dentro de nuestra evolución como Humanidad, pero comenzaremos explorando la posible génesis evolutiva de la variedad más elemental.

Sostenemos que la combinación inevitable y progresiva en el curso de la evolución humana entre esa novedosa mente disociada y el fuerte instinto heredado del reino animal dio origen a un tipo de ser humano con un perfil psicológico muy particular, caracterizado por una *mente disociada y a la vez saturada de instinto animal,* que fragmentó la Naturaleza y la conciencia en infinitas parcelas contradictorias, las que adquirieron vida en la forma de entidades virtuales en eterno conflicto existencial. La evolución había generado así a un ser individualista, egocéntrico, agresivo, astuto, ambicioso, territorial y jerárquico, en cuya personalidad surgía un impulso racional de alcances insospechados, pero saturado con toda la conducta instintiva de nuestros ancestros animales. A mi entender, este *híbrido instintivo-mental* sería el auténtico *Animal Racional* propiamente tal, que correspondería al estado de conciencia más primitivo que reconocemos en la evolución humana y que ha sido el principal protagonista histórico de nuestra intolerancia, el cual abordaremos ahora con mayor detalle.

La fusión mente-instinto generó el perfil psicológico básico de todo animal racional, y ahora veremos las consecuencias evolutivas de la penetración sistemática del instinto dentro de la esfera mental y el impacto de la mente disociada en la conducta animal. Ambos procesos se dieron en forma simultánea y en la práctica es muy difícil separarlos, siendo la causa original que dio vida a la psiquis propia del animal racional, como fruto evolutivo inevitable de esa interacción. Así nació el perfil psicológico de una mente elemental muy saturada de animalidad y a su vez se verificó el *procesamiento racional básico del instinto,* lo que permitió cierta planificación intelectual y manejo de los impulsos primarios, aunque aún demasiado incipiente, pero que será la base para la posterior consolidación evolutiva de seres racionales propiamente tales.

Por primera vez surgía un ser *individual* autoconsciente que se sentía con la autonomía y voluntad necesaria para *imponer* sus propias condiciones. La inteligencia saturada de impulsividad animal ahora podía procesar racionalmente la fuerza bruta aplicando crueldad, venganza y aniquilación *planificadas*, focalizar la reactividad emocional en contra de los competidores o enemigos y utilizar la violencia como herramienta psicológica represiva para sembrar el terror en casos extremos como estrategia política para controlar, neutralizar o eliminar las potenciales amenazas a su ambición y hegemonía. Esa sería la base, por ejemplo, de lo que más adelante se llamaría *Terrorismo de Estado* en todos los sistemas dictatoriales. Esa mente ancestral era una entidad disociada, mecánica e inestable saturada de instinto animal, arrastrada a la acción violenta por una inercia *condicionante* de millones de años que la obligaba a actuar con una brutalidad original en la evolución, dando origen a una criatura potencialmente muy peligrosa, un ser mezcla de instinto y razón, consciente de su poder terrenal y su capacidad de planificación. Había nacido el animal racional, la forma más primitiva y egoísta de ser humano, la más emparentada con el reino animal y con los grandes mamíferos sociales en particular.

La presión instintiva fue originalmente tan poderosa que llegó a gobernar casi en su totalidad a los nacientes procesos racionales, pues las raíces animales penetraron masivamente en la mente inmadura y lograron comandar la incipiente conciencia humana. El nuevo pero débil nicho evolutivo de naturaleza mental fue inundado por la fuerza agresiva de un ser arcaico que animalizó la conciencia y terminó *programando* al cerebro-mente para dar origen a un auténtico y darwiniano animal racional, un ser disociado que empezó a recrear conductas básicas de defensa y ataque, placer y dolor, euforia y depresión, que no dudaría en imponerse por la fuerza y sacar provecho de las especies más débiles en la lucha por el poder y la conquista de nuevos territorios, una nueva especie que utilizaría toda su astucia y ambición en la defensa de sus intereses y la satisfacción de sus deseos o necesidades personales, lo que tarde o temprano llevaría al abuso y explotación masiva de todo tipo de recursos, incluido el *recurso humano*.

Así comenzó además la explotación indiscriminada de la naturaleza con un fin meramente utilitario, con las consecuencias que todos conocemos. Esa actividad *depredadora* dejaba en evidencia la presencia de un ser de escasa fuerza moral, que ahora miraba a la naturaleza como un simple depósito de recursos naturales explotables y fuente de *enriquecimiento personal*. El yo mental disociado sería transformado por el instinto y surgiría en la forma de un ente personal concreto que proyectaría toda su ambición material sobre el mundo, un ego muy territorial que desarrolló diversas estrategias de explotación de recursos naturales en distintas zonas críticas en disputa. Fue el origen de gran parte de la violencia de una secta contra otra compitiendo por el control material y social, la génesis de casi todas las guerras tribales y la devastación que el ser humano ha generado sobre este planeta, especialmente durante aquellos períodos oscuros de la Humanidad en que los animales racionales han logrado establecer un fuerte control político y económico.

Mirado así, no nos debe extrañar la larga historia de conflictos e intolerancia humana, la cual se pierde en la noche de los tiempos. En algún momento de la evolución surgió o se manifestó la actividad racional y la conciencia del yo. Estas nuevas entidades venían saliendo de un estado puramente animal de millones de años de antigüedad, con instintos fuertemente arraigados y poderosos, al tiempo que las facultades mentales aún eran débiles y vacilantes. El poder racional tenía que sucumbir ante la fuerza del instinto y las emociones más burdas, donde la fuerza bruta es algo habitual como sistema de resolución de disputas. No resulta novedoso que los animales se agredan o que incluso se maten entre sí por una presa o un territorio; ni mencionar los combates a muerte en defensa de las crías o en periodos de celo. Todo lo gobierna el instinto y la selección natural, en un ambiente hostil lleno de depredadores en que solo sobreviven los más aptos.

La fuerza bruta está fuertemente unida a la vida animal del nacimiento a la muerte. Pero esta conducta, absolutamente necesaria para sobrevivir, está exenta de odio y violencia *intelectual*, de *deseo* de destrucción, ni siquiera en los casos documentados de venganza presente en algunos mamíferos. No observamos premeditación y alevosía, tan frecuentes en la mente criminal y sectaria de todo tipo de fanáticos, simplemente porque los animales no premeditan sus actos ni realizan elaborados cálculos mentales. Tampoco existe un yo consciente que evalúa moralmente su comportamiento y el de los demás. Pero con el advenimiento del yo mental disociado surgió la *racionalización* de la fuerza bruta, dando paso a la violencia psicológica planificada, decididamente patológica y extremista en ausencia de formación moral, generando un ser egoísta y calculador estimulado por una gran ambición y un intenso deseo de poder y control. La combinación de instinto animal y disociación mental generó así una psiquis propensa al conflicto, la manipulación y la violencia, la cual heredó además un cuerpo de emociones básicas de ira, miedo, pánico, rencor, tristeza, depresión, frustración y euforia, es decir, toda una batería de emociones que ya se manifestaban claramente en la evolución de los grandes mamíferos jerárquicos, siendo el chimpancé uno de los mejores ejemplos.

En *Buda, el Príncipe de la Luz*, Ramiro Calle identifica esta mente primitiva:

> Los tres grupos de trabas que encadenan la mente humana son: el grupo de las opiniones e ideologías a las que nos aferramos, sean falsas o no lo sean, y que nos embriagan de tal modo que, por ellas, podemos llegar a herir o matar a los otros. La constituyen todos esos puntos de vista personalistas, juicios y prejuicios y, en definitiva, aquellos conceptos narcisistas que embotan la mente y pueden sacar de nosotros lo más cruel y salvaje. Por un puñado de conceptos los hombres se torturan y matan entre sí y han cubierto la tierra de horrores y errores.
>
> El segundo grupo de trabas e impedimentos lo conforman los venenos de la mente, los sentimientos y pensamientos basura: celos, avidez, aversión, miedos, odio, ira, envidia… Estas trabas (algunas de las cuales vienen dadas por la evolución de la especie, es decir, *son códigos evolutivos, muchos de ellos obsoletos*)

se intensifican en el ser humano debido al pensamiento confuso y malevolente que lo caracteriza.[3]

Fue precisamente esta mente mecánica, inundada de reactividad emocional, la que despertó al animal que lucha contra la adversidad, dotado de un poderoso instinto de supervivencia y control territorial, totalmente condicionado a combatir a muerte contra los invasores de su espacio y que se sintió amenazado por sus nuevos enemigos. Había nacido en la evolución humana el germen del enfrentamiento, el odio y la violencia. La mente mecánica disociada sería el fundamento de toda forma de intolerancia, y su mejor representante evolutivo sería el animal racional, que corresponde a la forma *más arcaica* de ser humano debido a su fuerte carga instintiva, la cual logró *controlar* las decisiones y procesos del naciente yo mental y que lo condiciona a un comportamiento cercano al de los grandes mamíferos sociales. La conciencia se vio así sobresaturada de impulsos animales, y esta poderosa fuerza ancestral debió en muchas ocasiones anular o controlar a este débil e incipiente órgano mental y hacerlo reaccionar con una violencia y egoísmo inusitados.

El animal racional está inmerso en una gran ilusión que lo hace sentirse agredido, perjudicado o amenazado, activando una poderosa memoria evolutiva que lo lleva a un pasado remoto de inconciencia, un estado de oscuridad mental sin mayor capacidad de reflexión sobre la realidad, pues simplemente se actuaba en base a patrones básicos de supervivencia. Por eso experimenta una sensación de amenaza o peligro permanentes, que en casos extremos puede llevar a cuadros de franca paranoia. La ilusión viene dada por la dualidad intrínseca a la actividad cerebral y mental, generando una entidad que observa el universo y la vida como esencialmente conflictivos. El yo disociado se convence que está dentro de una gran dicotomía de vida y muerte, bien y mal, guerra y paz, amigos y enemigos, una ilusión que lo tiene absolutamente convencido de que su percepción personal debiera ser seguramente la realidad de toda forma de vida en este planeta, asumiendo su eterna disociación y conflicto interior como algo *inevitable*.

El animal racional heredó el impulso bélico que los mamíferos habían desarrollado durante eones de evolución. Esa actitud combativa era absolutamente necesaria en un medio hostil lleno de depredadores que se tradujo al final en diversas estrategias de defensa y ataque como camuflajes, colmillos, corazas, venenos y garras, toda una batería de tácticas necesarias para sobrevivir. Este perfil fue heredado en gran medida por los humanos más primitivos y así nació el animal racional, reconocido por sus impulsos belicistas, su comportamiento agresivo y territorial, sus estrategias de camuflaje y también su miedo, euforia y rabia como herencia de la emocionalidad propia de los grandes mamíferos, pero *potenciados y distorsionados* por una naciente inteligencia humana. Este espíritu ancestral de disociación defensa-ataque generó un mundo polarizado entre amigos y enemigos, fuertes y débiles, héroes y villanos, ganadores y perdedores, vencedores y vencidos, en un contexto fuertemente *tribal*.

La conquista y dominación de un territorio y de otros seres humanos generó el placer narcisista de la victoria, el triunfo, el control y el liderazgo, generando la adicción al poder. De esta forma, el animal racional fue sembrando el planeta de beligerancia y desarrollando armas cada vez más sofisticadas, devastadoras, anónimas y cobardes. El producto final de ese proceso fue un planeta arrasado por conflictos comandados por líderes sedientos de poder, ambición, venganza y aniquilación, obsesionados con el control territorial, económico, ideológico y teológico. Era la lógica de la defensa y el ataque, la lucha darwiniana por la supremacía animal, potenciada por un ser astuto, cruel y jerárquico.

Estas reacciones son la consecuencia inevitable de un estado de violencia interior propio de una mente saturada de impulsos animales. La lógica de la guerra, de los bandos en pugna que descubren que la única solución en un determinado momento es el enfrentamiento fratricida se debe a ese verdadero callejón sin salida que genera la mente oscura y *programada* del animal racional, una entidad reactiva saturada de ira, fanatismo y crueldad. Fueron millones de años de evolución que programaron la mente con un fuerte instinto animal, desencadenando *reacciones extremas* y clasificando a los demás en dignos e indignos, justos e injustos, inocentes y culpables y en su egocentrismo decidió aplicar su personal sentido de justicia que lo puede llevar incluso a cometer genocidio. Nacía así el *ajusticiamiento tribal* en la evolución social, una justicia semi-animal en que la venganza y el ajuste de cuentas son herramientas habituales de un ser iracundo y narcisista herido en su orgullo, dignidad y autoridad.

Podemos postular entonces que el animal racional es el ser humano más elemental, donde la fuerza del instinto domina por sobre las facultades racionales y morales y comienza a gobernar las acciones y la toma de decisiones. Después de millones de años de evolución, es el principal heredero de una inmensa carga instintiva que se va a manifestar claramente en su perfil psicológico y sus costumbres, saturando la propia esfera de conciencia racional. Su comportamiento siempre podrá delatar, de una forma u otra, sus raíces animales profundas. Dará origen en la evolución a todas las variedades de seres humanos tribales, ya sea en un contexto histórico (clanes y tribus antiguas) o bien en las grandes urbes actuales, encarnado principalmente en mafias, dictaduras y cualquier persona u organización que ambiciona control político y poder material.

Se le reconoce fácilmente por su agresividad, astucia y egoísmo. Siempre busca la manera de sacar provecho personal en todo tipo de situaciones y no tiene mayor remordimiento cuando sus decisiones hacen sufrir a otros. Disfruta el poder material y acepta con naturalidad la explotación de los indefensos o necesitados en pro de sus intereses. Los débiles no tienen cabida en esta lucha por la supervivencia y su único destino es desaparecer. En muchas ocasiones, utiliza a masas humanas sometidas por la ignorancia, la necesidad y el miedo, e irremediablemente terminará destruyéndolas.

Planteamos que el motor impulsor de ese egoísmo fue una nueva *sensación de poder personal*, que en los animales corresponde al vigor y fuerza dominante de una especie sobre otra, estableciendo un dominio territorial o jerárquico donde los fuertes triunfan y los débiles sucumben. Pero este dominio nunca ha sido una amenaza para el reino animal, pues se encuentra en perfecto equilibrio natural. El desequilibrio provino de esta original variedad evolutiva en que la interacción mente-instinto había mutado la conducta de dominio en sensación e impulso de poder, el que ahora podía ser ejercido por *cada individuo* de acuerdo a sus posibilidades y sin límites espacio-temporales. Resultó evidente que la mente mecánica y condicionada por el instinto no advirtiera este proceso y se terminara *identificando* con este impulso controlador, que buscaría ser saciado o satisfecho por todos los medios posibles a su alcance. Y aquí tenemos la esencia del egoísmo humano: un ser egocéntrico que tiene como primera meta la satisfacción de su ambición desmedida, un ser individual que se siente *separado* de la naturaleza y de sus semejantes y que comienza a utilizarlos para satisfacer sus deseos, aislado en su paradigma disociador que lucha contra cualquiera que pudiera llegar a oponerse a sus intereses, desarrollando estrategias para imponer sus condiciones y triunfar en la lucha por la supremacía jerárquica; un ser que controla, domina, somete, castiga, corrompe, violenta, manipula y ajusticia.

El deseo de poder es el eje orientador de su vida, el que se traduce en una fuerte carga de astucia y *olfato* para aprovechar las oportunidades, especialmente materiales. Se siente seguro y realizado en su feudo con servidores fieles y sumisos. Organiza y financia todo tipo de estrategias, generalmente bélicas –en el sentido material y psicológico- para ganar más poder e influencia sobre los demás, los que son potencialmente sus competidores o enemigos. Ser altamente desconfiado, siente que está en una perpetua lucha por la supremacía en un campo de batalla donde solo los fuertes y crueles tienen posibilidades y son dignos de tener en consideración. Manipula a todos aquellos que muestran debilidad con el fin de lograr sus objetivos. Su astucia lo transforma en el rey del *camuflaje* para infiltrarse en todos los lugares con recursos explotables y poder ser considerado y aceptado en distintos ambientes. Corresponde al clásico *lobo con piel de oveja* que sabe esperar y aprovechar las oportunidades. Su deseo es insaciable, el que lo vuelve peligroso para sus semejantes, pues inevitablemente terminará abusando tarde o temprano de aquellos que queden bajo su influencia. Se burla de la fraternidad y no entiende el espíritu de sacrificio desinteresado, el que considera una farsa o una estupidez. Su mirada atenta y astuta es la del felino, la serpiente o el águila, siempre al acecho, presto a la defensa o el ataque.

Se fortaleció así una *inteligencia mecánica disociada de la Naturaleza y de la Humanidad*, amiga del oportunismo, la explotación y la manipulación, lo opuesto a una inteligencia ecológica en armonía con la Vida. Así es la mente mecánica, propia de una conciencia inmersa en su holograma personal utilitario, el fruto de una psiquis sin sensibilidad, armonía, belleza ni amor, contaminando a la naturaleza y a la Humanidad de múltiples formas.

En el plano físico va a generar millones de productos químicos sintéticos tóxicos y cancerígenos, residuos industriales destructivos sin nobleza ni valor ecológico, trayendo enfermedad y muerte a los ecosistemas mediante millones de toneladas de basura y chatarra tecnológica frutos de una mente inconsciente y ambiciosa.

En el mundo psicológico surgirán emociones destructivas asociadas a pensamientos disociados egoístas deshumanizantes, una contaminación emocional, mental y moral que tiene al mundo saturado de psicópatas, hedonistas y fanáticos llenos de odio y brutalidad con mentes insensibles y ajenas al sufrimiento de la Humanidad.

En el plano metafísico, el dominio de la psiquis mecánica llevará a una falta de sentido, profundidad, orientación e inspiración, el vacío interior, el olvido de nuestra riqueza espiritual.

Son los frutos inevitables de la mente mecánica del animal racional, saturada de deseo, violencia y crueldad.

EL EGO ANIMAL-RACIONAL

En el reino animal, desde las criaturas más simples a las más complejas, la evolución del sistema nervioso muestra una progresiva integración anatómica que se traduce en un cerebro cada vez más desarrollado que va logrando un mayor equilibrio y complejidad funcional gracias a un alto nivel de organización, especialmente en mamíferos que viven en sociedades jerarquizadas como elefantes, chimpancés, gorilas, leones y zorros. Dentro de estas comunidades comienzan a surgir verdaderos *individuos* que van adquiriendo características psicológicas particulares y que tienen una *personalidad* propia claramente distinta a la de otros especímenes.

Un buen ejemplo son los chimpancés, pues muestran conductas que permiten asignarles nombres propios como lo hacemos con cualquier persona. Logran diferenciarse del colectivo social gracias a características psicológicas particulares que permiten reconocerlos con claridad. Se pueden distinguir hiperactivos, agresivos, depresivos, egoístas, narcisistas. Los investigadores descubren que en la evolución de los chimpancés brotan atributos que permiten reconocer verdaderos egos personales. Nace un individuo con cierta autoconciencia que ya se percibe *separado e independiente de los demás*.

Así podemos entender los arrebatos de violencia del chimpancé común en su hábitat natural, incluso en ambientes familiares humanos. Su perfil dominante se potencia gracias a un ego manipulador que descubre todas sus posibilidades en un contexto social, y eso lo convierte en un ser muy peligroso, desarrollando una personalidad narcisista asociada al control, la manipulación y la violencia en grado superlativo. La gran mayoría de los ataques violentos son causados por machos jóvenes llenos de testosterona que han despertado a este nuevo mundo de poder y dominación y buscan la ocasión de demostrarlo. Ese estado transforma su comportamiento y desencadena fuertes impulsos de control territorial que suelen sorprender a los investigadores. Leemos en *Nuestros Orígenes*:

Durante 5 años, Luit estuvo maquinando para hacerse con el liderazgo de la colonia de chimpancés del zoológico Burgers, de Arnhem, en Holanda. De una edad intermedia entre Yeroen y Nikkie, sus principales rivales para el puesto dominante, era un espécimen físico elegante, musculoso, de pelaje negro y suave. Pero para conseguir su objetivo explotaba su ingenio, no su fuerza. Sopesando el equilibrio de poder primero con Yeroen y luego con Nikkie, a veces en franca competencia entre sí, Luit consiguió finalmente la posición de primer macho y con ella el acceso privilegiado a las hembras de la colonia. Pero el éxito acabó en desastre, y esta vez se impuso no el cerebro, sino la fuerza: Yeroen y Nikkie unieron sus fuerzas y atacaron brutalmente a Luit.

"Yo estaba trabajando en casa –recuerda Frans de Waal, que había estudiado la colonia de Arnhem durante años-. Era un sábado por la mañana. Sonó el teléfono y la noticia no pudo ser peor". Rápidamente, y muy angustiada, la ayudante de De Waal describió cómo había encontrado a Luit, apenas consciente y cubierto de sangre, con toda su carne desgarrada. Con profundos desgarrones en la cabeza, costados, manos y pies, Luit parecía agonizar. Y la mayor de las injurias: Yeroen y Nikkie le habían arrancado los testículos.[14]

Postulamos que la crueldad y violencia que manifiesta el chimpancé común (y otros grandes mamíferos) se debe a la presencia de un ego reforzado por niveles de testosterona muy elevados que lo vuelven territorial y jerárquico, acostumbrado a mutilar, descuartizar, practicar infanticidio y canibalismo sobre otros chimpancés y atacar también a seres humanos. Ese comportamiento es fruto de una psiquis con un elevado nivel de egoísmo y manipulación, facultades propias de los grandes mamíferos en términos de emocionalidad, territorialidad, sexualidad y lucha dentro de una jerarquía por conquistar posiciones. Esta combinación, asociada a un desarrollo moral casi inexistente, es la base evolutiva que va a generar un perfil psicológico personal que veremos *muy potenciado en el animal racional*.

La psiquis de los grandes mamíferos jerárquicos libera emociones intensas de agresividad, rabia, rencor, euforia, placer, miedo, depresión y pánico, las cuales conviven con una inteligencia básica pero muy práctica. De esa interacción nace la psiquis propia de los mamíferos superiores. Esa mezcla de emocionalidad y racionalidad sería el antecedente evolutivo directo para la futura psiquis del animal racional, un ser humano con una gran carga de emocionalidad e inteligencia primitiva. Esta fusión entre instinto, razón y emoción significó la *transformación del yo mental original en el ego disociado del animal racional,* el cual se percibió independiente de la naturaleza y claramente autorreconocible respecto a los demás, con una personalidad saturada de una poderosa memoria evolutiva y que se definió como un yo real y autosuficiente, una forma sofisticada del incipiente ego animal, pero con un peligroso componente racional que le permitió profundizar el análisis de la realidad y proyectarse en el espacio y el tiempo, fuertemente incentivado por su ambición inagotable de conquista, poder y liderazgo.

En términos evolutivos, el proceso originó un ego como centro natural de toda la actividad psicológica, un ser fuertemente *egocéntrico* que adquiere estatus de individuo gracias a un nivel elemental de autoconciencia, que puede comprender y evaluar su situación en un contexto social y que desarrolla estrategias dirigidas a obtener algún *provecho personal*, gracias a una inteligencia mecánica siempre orientada a conquistar beneficios concretos, tal como observamos con insistencia en el chimpancé común. Esta es la raíz psicológica de la ambición humana, fruto de un ego rígido profundamente disociado y saturado de deseo personal e incapaz de liberarse de su programación evolutiva.

Nace así un ser aferrado a su independencia frente a los demás. Esta *separatividad* esencial fomenta una psiquis que controla, censura y ajusticia y que dará lugar a todas las atrocidades cometidas por el animal racional. El responsable directo es el ego que ha tomado la decisión de torturar, esclavizar y eliminar a otros, condicionado por una reactividad inconsciente propia de su emocionalidad animal y una mente disociada que le plantea la disyuntiva de destruir o ser destruido, optando por eliminar las amenazas a su integridad o liderazgo dentro de la misma lógica de lucha por la supervivencia y fortalecimiento de su poder y dominación jerárquica. Son las reacciones de un ego aislado del universo con una altísima adherencia a su mundo personal, una entidad con ideas rígidas y arraigadas como manifestaciones de ciertos patrones animales y racionales vinculados a la manipulación, el orgullo y el deseo de control, pues lo que más lo tortura es llegar a sentirse una entidad efímera, anónima e intrascendente.

De esa forma, el ego llega rápidamente a la violencia al verse enfrentado a ideas diametralmente opuestas que desafían sus convicciones, pues está inconscientemente tan *identificado* con su posición que no percibe que es solamente una visión relativa, una creencia o un dogma a los cuales la mente vive aferrada. Mientras desarrollamos más creencias y doctrinas, mayor es el riesgo de volvernos intransigentes y dogmáticos y llegar a la violencia, pues entra en escena la mente ancestral que se siente agredida y el ego transforma la discusión en un enfrentamiento *personal*. Es como si estuviésemos en peligro frente a algún depredador o competidor que está invadiendo nuestro territorio y a partir de ese instante lo clasificamos como una seria *amenaza* a nuestra integridad psicológica y reaccionamos con dureza y agresividad.

Es el ambiente propio de un ego atrapado en su mecánica mental de aceptación y rechazo, donde la conciencia se sumerge en un mundo saturado de contradicción donde anida la amenaza, el miedo y el conflicto, una psiquis rígida y sin inspiración, una entidad que vaga de un lado a otro como un fantasma virtual enfrentado a una gran incertidumbre. Ese ambiente lleno de contrastes termina por despertar en el ego una gran sensación de intranquilidad, inmerso en una oscuridad donde pareciera que no hay amor, comprensión ni paz, sino más bien una eterna inquietud y angustia existencial. Eckhart Tolle agrega:

> En el sentido más amplio de la palabra, el ego es patológico, independientemente de la forma que adopte. Cuando analizamos el origen de la palabra "patológico" derivada del griego antiguo, descubrimos cuán apropiada es cuando se la utiliza para calificar al ego. Aunque normalmente se usa para describir una condición de enfermedad, viene de *pathos* que significa sufrimiento. Esa fue exactamente la característica de la condición humana que descubrió el Buda hace 2600 años.
>
> En su ceguera, el ego es incapaz de ver el sufrimiento que se inflige a sí mismo y que inflige a otros. La infelicidad es una enfermedad mental y emocional creada por el ego, la cual ha alcanzado proporciones epidémicas. Es el equivalente interior de la contaminación ambiental de nuestro planeta. Los estados negativos como la ira, la ansiedad, el odio, el resentimiento, el descontento, la envidia, los celos y demás, no se ven como negativos sino que se consideran totalmente justificados y además no se perciben como nacidos de nosotros mismos sino de alguien más o de algún factor externo. "*Te hago responsable de mi sufrimiento*". Esto es implícitamente lo que dice el ego.[20]

El ego sumido en ese ambiente lleno de contrastes, conflicto y violencia, nos recuerda la imagen del Minotauro de la mitología griega, la bestia semianimal alojada en el corazón del Laberinto. En la psiquis habita ese ser *antropófago* con cuerpo humano y cabeza de animal (al revés de la Esfinge…), que de algún modo se ha aclimatado a ese ambiente oscuro donde se esfuerza por mantenerse vivo, combatiendo por otorgarse una identidad propia. Es un estado evolutivo elemental, donde falta un componente humano esencial vinculado al amor, la belleza, la inteligencia, la intuición, la apertura de la conciencia al contacto con las estrellas, la vida interior, la luz de la conciencia superior. Es lo que podríamos llamar nuestro propio laberinto mental, una caverna psicológica saturada de contrastes donde nos extraviamos y sumergimos en el miedo, la angustia y la muerte del ser-conciencia, devorado por una bestia siempre sedienta de sangre humana…

El minotauro es nuestra memoria animal ancestral, un pasado evolutivo de inconciencia y emocionalidad primitiva habitando un laberinto mental donde hemos evolucionado en el proceso de humanización. Es el ego sin Vida real, inmerso en su mundo de fantasía lleno de sueños y delirios de grandeza, un mundo virtual en oposición eterna a la naturaleza, el amor, la sabiduría, la realización, atrapado en su laberinto de luces y sombras acostumbrado al conflicto y a su drama personal.

Como una fantasmal masa protoplasmática que se adapta a las circunstancias luchando por sobrevivir, el ego actúa como un animal astuto agazapado en algún rincón esperando la oportunidad de lograr algo que lo fortalezca, como un zombi que repta en los millones de escondrijos de la psiquis humana, perpetuando el miedo, la inconciencia y la ignorancia. Ese ego primitivo enquistado en la mente comenzará a combatir cualquier *amenaza* a su integridad, pasando de un segundo a otro de un estado de relativa paz a una condición irascible, cruel y vengativa. Cuando percibe cualquier forma de agresión, la mente mecánica libera una emoción muy intensa que transforma radicalmente su conducta de un segundo a otro. Es la fiera sumida en la dualidad instintiva defensa-ataque que siente que su vida peligra y recurre a formas de violencia extrema.

Es una entidad que se cree a sí misma real, pero es una ilusión psicológica carente de verdadera conciencia, incapaz de generar vínculos profundos con el resto de la Humanidad, encerrada en su propia atmósfera virtual, en su torre aislada y protegida contra los invasores de su espacio vital. Ese ser de apariencia real corresponde más bien a un *artefacto* de la evolución, y no puede sentir realmente amor por sus semejantes, lo que delata su superficialidad. Es una maraña de miedos y contradicciones, como un *fantasma* vacío de contenido que vaga dentro de nosotros intentando tomar decisiones que lo favorezcan y poder perpetuar su capacidad de sentir placer, odio, ira, venganza y crueldad. Así queda en evidencia su carácter efímero, su absoluta falta de trascendencia, como si fuese realmente un fatal accidente surgido durante la evolución humana.

Cuando decimos que el ego es un verdadero artefacto en la evolución, nos referimos a un producto artificial colateral que se forma con las diversas combinaciones y reacciones mecánicas de la conciencia en evolución. Es así que lo podríamos considerar como un gran agente distorsionador, pues su presencia genera una gran anomalía que contamina y deforma nuestra vida. Destruye los vínculos esencialmente humanos que permiten nuestra interacción como seres sociales y culturales, destruye la confianza, la paz, todo esfuerzo sano dirigido a profundizar nuestra humanidad. Ahí está esa presencia fantasmal, una gran cacofonía que no deja que el instinto animal sea realmente una expresión sana y natural y lo muta en una reacción destructiva, cruel y vengativa. También distorsiona al yo racional, la entidad pensante. Altera su condición natural y genera una mente paranoica, maquiavélica, con delirios de persecución y de grandeza, una grosera manipulación conceptual de la realidad con argumentos torcidos, un océano de ambición, dominación, narcisismo y sacrificio de la verdad. Su presencia distorsiona las emociones y genera ira, pánico, abuso y dependencias adictivas groseras. Destruye los sentimientos de nobleza, fraternidad, los sueños e ideales. Merodea como un fantasma, depredador y parásito, una monstruosidad anclada en toda la estructura emocional, mental y moral, generando enfermedad y sufrimiento, el olvido de nuestra dignidad humana, todas manifestaciones de esa gran distorsión evolutiva que reconocemos en el ego animal-racional.

El miedo

La acumulación de hologramas mentales generó en la evolución humana poderosos bancos de memoria, asociaciones y recuerdos vinculados a este naciente ego protohumano, fortaleciendo así todas sus creencias, dogmas y prejuicios. Eso contribuyó a generar una poderosa *identidad personal* basada en esa memoria que contiene todas nuestras experiencias y conclusiones sobre lo que supuestamente somos o no somos. Por ello, cuando nos enfrentamos a visiones que contradicen o desafían esas creencias, no podemos evitar sentirnos contrariados, amenazados, agredidos, generando el miedo a perder nuestra identidad y *seguridad psicológica*, llegando a establecer una relación conflictiva con aquellos que plantean una visión distinta u opuesta a la nuestra. Esto gatilló un mecanismo de defensa de autoprotección y rechazo, un patrón emocional animal potenciado por una disociación mental que juzga arbitrariamente las circunstancias bajo una dicotomía extrema de vida y muerte. Así terminamos absolutamente controlados por ese mecanismo evolutivo fortalecido durante miles de años y nos involucramos cada vez más en la protección de esa identidad mediante todas las reacciones violentas que el ego instintivo acepta como justas, válidas y necesarias como *actos de legítima defensa.*

La mente instintiva contiene un miedo visceral a ver destruida su *imagen,* estatus, memoria y patrimonio, porque se desestabiliza y experimenta *pánico y desorientación interna.* La mente mecánica contiene programas evolutivos que generan un elevado condicionamiento conductual y el animal racional comienza a ser controlado por estos códigos de protección frente a todas las amenazas que rodean su aparente equilibrio. El miedo es uno de los más potentes desencadenantes de todos los patrones de defensa y ataque vinculados a la supervivencia. Un animal con pánico recurre a la fuerza bruta y en los animales racionales observamos lo mismo, pudiendo desencadenar una violencia a gran escala gatillada por esa paranoia que esconde un miedo ancestral a perder su estatus, poder y dominio con los cuales se identifica y justifica su vida en este mundo.

Surge un miedo irracional a ver vulnerada su aparente estabilidad, activando mecanismos psicológicos de resistencia que imitan de cierta forma a los animales que se llenan de corazas, espinas y glándulas venenosas, diversas formas de protección que la evolución les brinda para poder sobrevivir en su lucha diaria por la vida y así poder sentir algún grado de seguridad dentro de un mundo muy impredecible rodeado de muerte y destrucción. Es la lógica animal de la defensa y el ataque. El animal racional recrea ese momento evolutivo y así se llena de muchas *corazas* de mentira, odio, engaño, frialdad y todas las deformaciones psicológicas que lo transforman en un ser reactivo lleno de ansiedad frente a todas las amenazas potenciadas en el seno de su mente disociada.

Externamente, es el miedo a perder su prestigio, su poder político y económico, su estatus social, su imagen, influencias y seguridad material, en fin, el miedo a perder todo lo que ha conquistado y le ha reportado tantos beneficios y así poder consolidarse dentro de una jerarquía de éxito y reconocimiento social. Internamente, es el miedo visceral al sentir amenazada la identificación con su propia estructura racional saturada de conceptos y prejuicios, su propio holograma mental. Esa relación ha generado un gran apego y al ver amenazado ese vínculo se siente en peligro, generando una sensación de profundo miedo nacido de esta vieja identificación con toda su rigidez e intransigencia dogmática asociadas, pues ve amenazada su propia integridad. Es el miedo a la muerte, a la aniquilación del ser-conciencia, una condición psicológica de esclavitud interior, atrapado por sus propios barrotes mentales y emocionales, encerrado en una camisa de fuerza que lo paraliza y aturde. Es el temor a no tener una identidad real. Es el temor a no tener una identidad real. Ese miedo se va a volver inseparable del ego, sumergido en una eterna incertidumbre frente a un universo en constante cambio, situación que siempre genera angustia existencial. Eckart Tolle observa:

> El ego se percibe como un fragmento separado en un universo hostil, sin conexión real con ningún otro ser, rodeado por otros egos que ve como una amenaza potencial o intentará manipular para sus propios fines. Los patrones básicos del ego están diseñados para combatir sus miedos más arraigados y su sensación de carencia. Son la resistencia, el control, el poder, la avaricia, la actitud defensiva, la agresividad.
>
> Todos los miedos pueden resumirse en el miedo del ego a la muerte, a la aniquilación. Para el ego, la muerte siempre está a la vuelta de la esquina. En este estado de identificación con la mente, el miedo a la muerte afecta a todos los aspectos de tu vida [...]- defender la posición mental con la que te has identificado se debe al miedo a la muerte. Si te identificas con una posición mental y resulta que estás equivocado, tu sentido de identidad, basado en la mente, se sentirá bajo una seria amenaza de aniquilación. Por lo tanto, tú, como ego, no puedes permitirte estar equivocado. Equivocarse es morir. Esto ha motivado muchas guerras y ha causado la ruptura de innumerables relaciones.[20]

Esa tensión lleva a la mente instintiva a clasificar a la Humanidad en amigos y enemigos, dentro de un campo de conciencia polarizado propio de la supervivencia animal, en que debe optar por aceptar o rechazar porque está en juego la vida. Ese constante estado de secreción de adrenalina vinculado a la supervivencia en un ambiente lleno de depredadores donde se puede morir con suma facilidad, es el que habría contribuido a generar una psiquis saturada de temor y ansiedad que el animal racional va a proyectar a toda su vida, siempre con ese germen de antagonismo que lo impulsa a combatir toda posible amenaza a su existencia.

El animal vive encerrado en su particular hábitat preocupado todo el día por las amenazas a su seguridad personal. La presión por la supervivencia es intensa y ha generado innumerables mecanismos de defensa necesarios para sobrevivir, los que fueron transferidos al campo de conciencia del animal racional, pero convertidos en *mecanismos de defensa-ataque psicológicos y tecnológicos*, recreando inconscientemente todo el universo de temor y ansiedad experimentado a través de millones de años de evolución animal. Por ese motivo, el ego instintivo vive siempre a la defensiva, como si estuviera bajo la constante amenaza de enemigos que pueden destruirlo. Al poseer riqueza material se vuelve especialmente paranoico, pues sabe que existen muchos que desean el botín y van a esperar el momento propicio para arrebatárselo. Por eso incorpora múltiples sistemas de seguridad, como guardias, perros rabiosos, cercos eléctricos, cámaras de vigilancia, rayos láser, ¡cocodrilos, tiburones y pirañas!, protecciones indispensables contra las amenazas que siempre rodean su vida.

Se creó así un estado adrenalínico de urgencia y riesgo vital y se incrustaron en su psiquis mecanismos de alerta frente a cualquier supuesta amenaza a su integridad, generando un perfil paranoico como delirio de persecución peligrosamente potenciado por una mente mecánica reactiva. La realidad se transforma así en una invención personal que transita desde una sana imaginación a una *fantasía* que se vuelve esencialmente patológica, propia de una mente alucinada desvinculada de la naturaleza, cuya consecuencia más evidente es el comportamiento paranoico, alterando todos los juicios, argumentos, visiones y conclusiones sobre la realidad.

Lo único que se puede esperar de eso es un gran quiebre de las relaciones humanas a todo nivel. Ahí donde aflora la mente paranoica aparece la sombra de la persecución, la sensación de amenaza y peligro y por ende la activación inevitable de un mecanismo de protección automático, pero ya no es la defensa natural que experimenta cualquier animal en su medio ambiente, que es de corto alcance y contextualizada, gatillada por una necesidad real y completamente *proporcional* y en equilibrio con la naturaleza. En su lugar se manifiesta una distorsión narcisista que genera un comportamiento patológico de defensa-ataque totalmente desvirtuado que se traduce en una reacción ciega y siempre *desproporcionada*, una nube mental oscura que genera comportamientos extremos, propios de una psiquis enferma agobiada por delirios y pesadillas. Ahí están las fantasías monstruosas vinculadas al genocidio, los instrumentos de tortura, las bombas atómicas, los servicios de inteligencia y todos los secretos de Estado, la persecución, represión, censura y control psicológico, la militarización y los gigantescos arsenales de armas cada vez más destructivas, todas ellas distorsiones grotescas de un impulso ancestral que ha sido totalmente desvirtuado por un ego paranoico y su disociación mental proyectada al infinito.

La proyección lineal

Debido a su original inteligencia y procesamiento racional de la realidad, el ser humano primitivo pudo modificar conductas que mantenían la vida dentro de un gran equilibrio, alterando los procesos biológicos que respetaban un orden natural acorde a los ciclos de la naturaleza. La conciencia mutó y liberó un torrente de fantasía e imaginación, expandiéndose hacia un nuevo universo aparentemente ilimitado, permitiendo la proyección racional mecánica en forma *lineal e indefinida a través del espacio y del tiempo*, rompiendo así el equilibrio ecológico de los ciclos naturales propios de la vida animal. Se verificó entonces una transformación crítica: el tránsito desde una evolución ecológica regulada a un proceso psicológico lineal desestabilizador, saturado de un *deseo y ambición inagotables* gracias a la proyección mental del ego animal-racional.

La conciencia joven e inmadura sin desarrollo ético ni visión profunda fue arrastrada además por una gran corriente de energía emocional elemental y se vio inevitablemente atraída por el encanto del mundo material, generando así un ego *materialista* con un apego y atracción irresistible por la naturaleza física, donde encontró abundantes recursos y el poder de actuar con libertad y ejercer diversas formas de control y manipulación… El ego personal disociado fue inundado por una fantasía descontrolada y vislumbró un mundo con recursos inagotables, surgiendo así el deseo furibundo de posesión y dominio, siempre motivado por la acumulación de riqueza y una sensación muy placentera de poder terrenal.

Comienza así una proyección lineal en que el ego experimenta una liberación sin ningún freno, traducida en un fuerte deseo de placer, poder económico y expansión territorial, generando la explotación de recursos aparentemente inagotables. Fue el hechizo material en todas sus formas, potenciado al infinito por una mente fantasiosa sin regulación natural, una transformación crítica que permite comprender el comportamiento del animal racional gracias a esa liberación de los ciclos y una mente egoísta y concreta.

El ego sintió entonces que su ambición y posibilidades de expansión no tenían barreras, que había superado las limitaciones propias de la vida animal y comenzó a expandirse mentalmente hacia todo el universo. Salía de su acotado territorio y equilibrio ecológico ancestral gracias a una metamorfosis psicológica que daría lugar a un ser humano muy impulsivo, con una poderosa autoproyección *egocéntrica* y dispuesto a utilizar todas las herramientas disponibles a su alcance para lograr sus objetivos de conquista y dominación. Se conformó así una mente invasiva con un brutal deseo de control, que comenzó a eliminar toda forma de amenaza a su anhelo de dominación universal, destruyendo la riqueza y diversidad de la cultura humana al intentar imponer por la fuerza un sistema de control represivo, absolutista y dogmático.

El deseo se proyecta a la naturaleza y entonces el ego la manipula y explota sin cesar, al igual que la Humanidad, a la que somete y esclaviza para poder satisfacer su sed inagotable de control y así perpetuarse y vivir su propio sentido de trascendencia. Es el perfil psicológico vinculado a las mil caras de un ego que anhela riqueza, jerarquía y autoridad, pues quiere ser admirado y respetado, ser el centro del Universo. Es el deseo narcisista de sobresalir, de ser reconocido y llegar a la cima por sobre sus competidores.

Es la ambición incontrolable de poseer y atesorar, una más de tantas ilusiones que lo deja magnetizado por el brillo del oro y las piedras preciosas. Por eso el animal racional ama la riqueza material, pues le permite lograr un estado psicológico de gran seguridad, fortaleza y control de la situación, mostrando toda la energía necesaria para defender sus posesiones y su derecho a ampliar o potenciar sus dominios.

Suele hacer demostraciones de fuerza y se vuelve exhibicionista, mostrando con orgullo y arrogancia toda la riqueza que lo ha llevado a convertirse en alguien destacado, respetado y temido, un líder dentro de la jerarquía social. La ilusión mental le hace creer que esa riqueza física y concreta es inseparable de su vida y *forma parte de ella*, y es otra faceta más del proceso evolutivo de identificación que generó la mente humana con su adherencia al mundo material. Ramiro Calle advierte sobre los peligros de este proceso psicológico:

Explorando sin descanso en sí mismo y en los fenómenos, [Buda] halló la razón del sufrimiento humano, que es la avidez, la codicia, el ansia, el aferramiento, el anhelo desmedido, la "sed". Es, en suma, la voracidad; una voracidad implacable y egocéntrica que somete al ser humano, le convierte en un animal extraordinariamente agresivo y peligroso, le hace avaro, corrupto, desleal e insaciable. Tal *insaciabilidad sin límites* es la causa del sufrimiento; esa "sed" descontrolada que produce el apego y la avidez humana es su origen.

El ser humano es pulsional y compulsivo, ávido y desmesurado. Tiene tan desarrollado su sentido de la posesividad y sus actitudes son tan egocéntricas, que trata siempre de incrementar, coleccionar, poseer y retener. No sabe soltar; no sabe desapegarse; no sabe liberar. A mayor apego, mayor sufrimiento; a mayor aferramiento, más miedo a perder, más incertidumbre, más dependencia mórbida, más dolor. Pues todo lo adquirido puede perderse; todo es transitorio, efímero, insustancial. En su desorbitada codicia, el ser humano busca gratificación en una y otra parte, a costa de lo que fuere, como un chacal sediento. Esta "sed", este anhelo neurótico, ofusca la mente y cierra el corazón. Buda entendió lúcidamente hasta qué punto esta avidez propia del ser humano genera dolor propio y ajeno y ha sido la causa de todas las desigualdades e injusticias sociales, de todas las disputas y reyertas, masacres y guerras desde la noche de los tiempos.[3]

Esa proyección inagotable terminó siendo una verdadera *anomalía* en la evolución de la conciencia, ya que la vida siempre se desarrolla en ciclos en equilibrio natural. Todos nacemos, crecemos, envejecemos y morimos, al igual que las civilizaciones, los reinos de la naturaleza, los universos, los procesos culturales, todo tiene un comportamiento cíclico como las estaciones. De esta forma, el ego con su ambición de crecimiento ilimitado es una verdadera distorsión evolutiva alejada de conductas sanas y naturales, que se traduce finalmente en una verdadera enfermedad, como un cáncer que solo busca crecer y termina finalmente destruyendo al organismo al generar una masa tumoral inconsciente y tóxica que solo entiende de una permanente expansión descontrolada, sin importar el daño que causa, sin percibir su carácter invasivo ni medir las consecuencias nefastas para la naturaleza u otros seres humanos al violentar los equilibrios ecológicos. El ego solo quiere crecer mecánicamente, por eso constituye una anomalía evolutiva.

Este proceso va a desencadenar una reacción opuesta para tratar de frenar el crecimiento descontrolado; es la naturaleza que intenta recuperar el equilibrio perdido y la armonía esencial que expresa la vida en toda su belleza y diversidad. El ego lo sabe, y tratará de vulnerar o derribar esas resistencias naturales apelando a diversas tácticas, con el único objeto de conquistar nuevos territorios y recursos para consolidar su poder, sin importarle mayormente el nivel de violencia y crueldad necesarias para lograrlo, pues en su mente *el fin justifica los medios dentro de un campo de batalla donde los fuertes triunfan y los débiles deben sucumbir.*

El resultado inevitable es un ego con una ambición enfermiza, un ser narcisista con sus sueños de grandeza y conquista material que se ilusiona con un crecimiento y expansión infinita, el sueño de la *inmortalidad material*, el constructo ilusorio megalómano esencial. Ese es nuestro cáncer evolutivo, el origen primordial de todas las formas de contaminación, destrucción e inconciencia alimentando la devastación y crueldad de conflictos interminables.

Esta ambición descontrolada impulsa invasiones territoriales en una lucha incansable por recursos y control geoestratégico, desencadenando todas las guerras tribales antiguas y modernas debido a la falta de autocontrol sobre los impulsos animales y el deseo adictivo de poder económico y político. El ego megalómano ha sembrado así el planeta de devastación, miseria, contaminación y violencia física y psicológica en todas sus formas, el sello inconfundible de todo ser primitivo sobre la Tierra.

Al no tener un mecanismo de regulación natural en su nueva condición evolutiva, el animal racional muestra un comportamiento extremista y solo piensa en propagarse e incrementar su poder y su esfera de influencia psicológica y social, incentivado por una poderosa competitividad. En ese contexto se desencadenan todos los conflictos tribales, que son la versión distorsionada de los combates que libran los animales en sus luchas territoriales, pero masificados y proyectados en el espacio-tiempo gracias a una mente depredadora incapaz de autorregularse y que no reconoce fronteras a su ambición desmedida, inmersa en una ilusión material que bloquea la expresión de valores verdaderamente humanos. Ese ego materialista se fortaleció gracias a la ausencia casi total de conciencia ética, y las consecuencias de esa visión deshumanizante inundaron todos los nichos culturales.

En el ámbito económico, generó un modelo basado en la explotación abusiva de recursos naturales, con elevadísimos costos materiales, humanos y ecológicos en base a un comportamiento altamente competitivo, monopólico y *depredador*, potenciado por un ego carente de toda conciencia valórica y sentimientos de fraternidad y respeto. La patología de ese ego ilusorio generó hace siglos un sistema comercial especulador y sediento de oro y poder interminables, encarnado, por ejemplo, en el clásico prestamista usurero, insensible y avaro, con una estructura comercial especulativa que dio origen a fuertes anticuerpos de rechazo violento a ese perfil abusivo, con toda la contaminación emocional, mental y moral asociadas debido al férreo control monopólico que los animales racionales han intentado imponer en todos los ámbitos económicos y financieros.

En el contexto ideológico, el animal racional generó corrientes de pensamiento y movimientos político-sociales focalizados esencialmente en procesos materiales cuantificables para fundamentar sus estrategias políticas, luchando por imponer un modelo social con un carácter *absoluto*. La proyección al infinito alimenta su megalomanía en la forma de un poder imperial que busca establecer un férreo control de la economía, la educación y todas las expresiones culturales, buscando la imposición de su visión material *monopólica y definitiva*. Es el ego antinatural que siente la necesidad de tener todo bajo control y eliminar cualquier posible amenaza a la eterna expansión de su modelo mental de dominación terrenal.

En el ámbito religioso surgieron todos los sistemas controladores que proyectaron al infinito el establecimiento de un poder teológico material concreto con un dogma *absoluto y eterno*, relegando toda la nobleza de los mensajes místicos a un segundo plano o bien decidieron su persecución y aniquilación, pues la mente materialista rechaza de plano cualquier planteamiento de naturaleza metafísica que atente en forma directa o indirecta contra ese poder inmutable, necesariamente disociado de la realidad espiritual y concentrado en su control cultural y social.

En el campo científico, la mente concreta se focalizó principalmente en la mecánica de todos los procesos naturales, desarrollando modelos para poder explicar en términos siempre materiales los fenómenos esenciales vinculados a la vida y su evolución. Surgiría así una cosmovisión materialista que redujo a la Humanidad a otra especie *animal* más, la que *debía* comportarse básicamente como cualquier animal y debía ser necesariamente comprendida en base a un modelo de comportamiento que terminó siendo el paradigma *absoluto y definitivo* de la evolución según Darwin. La ausencia casi total de parámetros metafísicos en el modelo dejó planteada una visión sesgada y plana de la vida y de la conciencia, reduciendo la vida interior a un cuerpo de simples *creencias* que fue identificado como propio de ignorantes, supersticiosos o fanáticos, siempre con una actitud peyorativa, sarcástica y superficial respecto a la experiencia trascendente, impulsando la producción y acumulación interminable de información material en un ambiente cada vez más exigente y competitivo.

La ciencia materialista engendró al *ego tecnológico*, una entidad concreta que proyectó en su holograma mental un mundo material inagotable, que comenzó a producir y acumular dispositivos y máquinas cada vez más sofisticadas, evolucionadas y complejas, una visión de la vida desde la creación tecnológica *proyectada al infinito*. En esa visión, la vida biológica comienza a ser reemplazada en forma creciente por una cadena de producción inagotable de nuevos dispositivos, máquinas y accesorios; una nueva forma de evolución que pretende reemplazar al ente biológico natural con la creación de sofisticados software, inteligencia artificial, microchips, androides, robots, cyborgs, replicadores de ADN, creaciones materiales proyectadas por doquier, todo un universo creado y controlado por nuevos dioses tecnológicos todopoderosos, disociados de toda forma de sensibilidad y consideración moral.

En síntesis, la mente concreta del animal racional saturó con su presencia todos los nichos culturales humanos, generando una proyección lineal interminable dentro del espacio-tiempo para consolidar un poder y control *ilimitados,* combatiendo todas aquellas conductas que, dentro de su disociación psicológica, representan una seria *amenaza* a su hegemonía.

El hedonista

Uno de los principales problemas que todo animal debe resolver es la supervivencia, un duro desafío que se libra todos los días. Esto hizo en la evolución que su percepción y conciencia siempre estén proyectadas hacia el mundo exterior para cubrir diversas necesidades. En consecuencia, los órganos sensoriales han evolucionado de múltiples formas y con una elevada sensibilidad visual, olfatoria y táctil. El animal racional va a heredar esta condición y sus sentidos físicos también van a estar volcados hacia el mundo exterior, que vuelve a ser el principal universo al cual se integra mediante la proyección concreta de su conciencia.

Este proceso permite comprender la facilidad del animal racional para reproducir diversas conductas instintivas. Le resulta bastante natural proyectar su vida a través del placer, la competencia, la agresión, la cacería o el control territorial, dejando muy poco espacio para una conexión *interior*. No ha tenido esa transformación que nos permite vivir como seres humanos *y reconocernos como tales*, pues aún se encuentra muy animalizado y su conciencia es muy pesada, densa, con una gran carga instintiva que la precipita y proyecta a través de los sentidos físicos. Las experiencias importantes en su vida siempre las encuentra afuera, en el sexo, la lucha jerárquica, el poder, el control territorial, el éxito económico y social, y en su interior queda una especie de vacío, un estado de desconexión y *oscuridad metafísica*; todavía no se hace la luz, aún no se enciende la chispa de conciencia que permite *generar ética y cultura*. Este es el proceso que vive el animal racional dentro de un contexto psico-evolutivo.

El impulso animal de placer y lucha por la supervivencia lo hace vivir cada vez más proyectado hacia afuera, siempre pendiente de depredadores y competidores, y cada vez más *desconectado* hacia adentro, desvinculado de su fuente natural de sabiduría, amor y paz interior. Esta lucha por la supervivencia ha enfermado al ser humano porque lo ha volcado hacia lo externo y ha dejado al *ser interior en un estado de soledad y abandono*, cada vez más aislado, silencioso, pero no es el silencio espiritual del místico que demanda el contacto interior, es más bien un silencio patológico, forzado, propio del moribundo, amordazado o paralizado, que no se puede expresar por su aturdimiento y estrés, por ese estado de shock interno que ha generado la alienación del materialismo actual.

El dominio sensorial favorece así una experiencia sensual muy concreta, física y abundante. Por eso el animal racional es sumamente práctico en relación al placer, no presenta ningún bloqueo o juicio moral y lo experimenta de la manera más natural posible como cualquier animal. Su práctica estará focalizada principalmente en la búsqueda de su placer personal, favoreciendo la promiscuidad por sobre el desarrollo del vínculo afectivo.

Convertirá al placer y el erotismo en un componente esencial de su vida, impulsado por una fuerte herencia hormonal que desarrolla una libido intensa y persistente que transforma al sexo en algo fundamental, favoreciendo todo tipo de experiencias que serán asumidas con absoluta naturalidad por un ego hedonista que proyecta su placer en forma inagotable, como si formara parte indisoluble de su identidad y *motivo de existir*. El placer se quiere reproducir, perpetuar, profundizar y siempre se atesora como una preciosa gema. Por placer se hacen mil cosas en este mundo. Se le busca y se indagan nuevas formas de experimentarlo o intensificarlo, cual potente y adictiva droga, en una constante reafirmación de la propia identidad, muchas veces en un contexto de clara promiscuidad, tal como se verifica a menudo en los mamíferos superiores.

Esa intensa experiencia sensorial se profundizó cuando la psiquis quedó liberada de la actividad sexual *cíclica* propia del reino animal. Fue entonces que la libido se potenció y proyectó linealmente al infinito, inundando la conciencia con un impulso erótico inagotable, lo que podría explicar la génesis de un *ego narcisista-hedonista* saturado de un deseo de sensación permanente, obsesionado con el placer y sus múltiples expresiones, pero que sigue experimentando dolor y sufrimiento, lo que lo hace diversificar sus fuentes de bienestar. El placer se convierte así en una fuente de energía vital que le permite renovarse, escapar al dolor y disfrutar su existencia, aunque eso signifique utilizar o destruir a otros, pues la psiquis mecánica inconsciente sostiene toda esta arquitectura narcisista, propia de una entidad inmersa en un océano de sensaciones placenteras que anhela perpetuar.

El animal vive en un universo sensorial muy vinculado a la dualidad fundamental de placer y dolor que proyecta a todo su mundo emocional y que asume como inevitable. Esta disociación esencial ha sido transferida al campo de conciencia del animal racional, creando una polaridad esencial dentro de su psiquis, la que siempre busca el placer y rechaza el dolor, pero este siempre vuelve como su sombra, como su contraparte inevitable. La gula produce placer, pero siempre surge el dolor asociado a posibles indigestiones, cólicos, infecciones, intoxicaciones, obesidad y cáncer. Placer y dolor se vuelven inseparables en todas sus manifestaciones. La vida del animal racional quedará controlada profundamente por esta dualidad sensorial, que es muy poderosa y constituye una referencia obligada de su comportamiento. Tal vez no podría entender la vida si le quitaran estos parámetros. Toda su existencia transcurre dentro de este mundo polarizado y contradictorio que impacta su conciencia una y otra vez.

El mecanismo de placer y dolor recuerda inevitablemente el sistema de recompensas y castigos que se aplica, por ejemplo, para crear reflejos condicionados en los animales. Esto es lo que tratan de hacer con nosotros en la llamada *sociedad de consumo*, pues este juego de recompensa y castigo se encuentra en la base de nuestro comportamiento como consumidores. El desear innumerables bienes materiales, gracias a la invasión publicitaria, también funciona como una droga que nos produce placer, y su pérdida, inevitable casi siempre, va a generar el consecuente dolor asociado, el cual intentará ser eliminado con una nueva dosis de placer.

Mientras más consumimos objetos apetecibles, exclusivos, hermosos o que aportan estatus social, vamos a sentir más deseo y placer al tenerlos, pero al mismo tiempo vamos a sentir más dolor y frustración al perderlos. Nos recompensan con cosas materiales, nos castigan quitándonos la opción de adquirirlas y este juego psicológico genera ansiedad y dependencia, lo cual muestra un claro paralelo con la experiencia animal. El modelo mercantilista que nos usa como *unidades de consumo* (consumidores) está activando un viejo patrón animal de recompensa asociado a la sensación de placer y la sensación de dolor, creando millones de adictos atrapados en su ilusión material gracias a gigantescas inversiones en publicidad que crea *niños consumistas-hedonistas cada vez más pequeños…*

Vemos una permanente manipulación psicológica a través de medios de comunicación masiva como periódicos, cine, radio y televisión. ¿Por qué, por ejemplo, se exacerba tanto la emocionalidad y brutalidad en las grandes superproducciones del cine actual? Aparece constantemente el odio, la venganza, el sexo, la crueldad y el miedo en seres controlados por impulsos bestiales, encarnados en vampiros, psicópatas, zombies, extraterrestres o pseudo héroes cada vez más grotescos y vengativos inmersos en un baño de sangre y devastación apocalíptica. Resulta ser un gigantesco negocio basado en un *shock* sensorial embrutecedor, deshumanizante y *adictivo*, controlado por unos cuantos dueños en el anonimato que se enriquecen con dinero fácil mediante cine-basura altamente contaminante, similar a la comida chatarra.

¿Quiénes son los que promueven y financian en última instancia toda esa serie de verdaderos *videojuegos* en pantalla gigante saturados de una violencia bestial, sexo, crueldad, terror y locura con efectos especiales cada vez más grotescos e *impactantes*? Hay un manejo psicológico de masas a través de la estimulación y el fortalecimiento de la emocionalidad animal, un control muy planificado en el diseño y la definición de contenidos en el cine mal llamado de *entretención*, apelando preferentemente a lo más brutal y bajo como estrategia de penetración psicológica a través de la hiperexcitabilidad sensorial y la secreción de adrenalina. Obviamente que detrás de eso existen astutos animales racionales que conocen muy bien el poder adictivo que genera la violencia, las drogas y el sexo y los explotan comercialmente en forma descarada y deshumanizada. Y estamos viendo las consecuencias psicológicas y sociales de esa masificación indiscriminada de adrenalina, violencia, inconciencia y miedo que *están comenzando a destruir la inocencia infantil.*

Entonces, la ruptura de los ciclos naturales modificó la sexualidad animal vinculada clásicamente al celo y los ciclos estrales, y la mente mecánica proyectó linealmente en el espacio-tiempo un anhelo de sexualidad abundante y eterna. Así se consolidó un ego hedonista vinculado al ideal del *placer perpetuo*, como una forma de enriquecer su propia existencia a través de esa experiencia intensa, involucrándose en su proyección de sexo y placer inagotables, pero el tratar de satisfacer ese ímpetu a toda costa va a llevarlo en forma inevitable a un mundo de excesos, enfermedades, abuso y también al desarrollo de la *adicción sexual.* La saturación instintiva genera una gran urgencia, la cual puede desencadenar diversos cuadros patológicos asociados a la obsesión y la imposibilidad de controlar el impulso. No debemos olvidar que en el mundo actual existe una constante estimulación sexual, la que nos ayuda a comprender en parte esa adicción, propia de seres en quienes el sexo se transforma en una verdadera obsesión, desarrollando una urgencia copulatoria que llega incluso al nivel de un chimpancé. Esta condición psicológica lleva a muchas personas a practicar las formas más duras de pornografía, transformando al sexo simplemente en una droga más dentro del mercado, en otro *producto de consumo* que puede generar conductas adictivas tratadas con terapias de desintoxicación sexual.

¿Por qué tantos problemas psicológicos asociados al sexo? Porque son proporcionales a nuestra gran complejidad emocional y un fuerte deseo de sensaciones, alimentado incesantemente por el ego hedonista y toda su fantasía mental, que potenció la práctica sexual a niveles de alta energía al liberarse de los ciclos hormonales y encontró en el sexo una nueva y poderosa fuente de estimulación vital. Al humanizarse, el sexo se potenció e inundó todo el campo psicológico, que es mucho más profundo y vasto que en el animal, y eso ya se percibe en toda la variabilidad de la cópula misma gracias al erotismo, que cuando no se desarrolla en forma sana y natural conforme a esa nueva estructura psicológica se generan múltiples enfermedades. Surge así el psicópata, el violador, el explotador y el abusador, debido muchas veces a una elevada impotencia y frustración.

Además, la permanente lucha por la supervivencia ha generado una psiquis llena de ansiedad y estrés, la que busca una reacción compensatoria en el placer. El estar todo el día inmersos en una atmósfera de tensión y lucha secretando adrenalina, debido a ambientes altamente competitivos donde nos insertan a la fuerza dentro de un modelo de vida materialista, ha activado comportamientos que han tenido un costo muy elevado debido a esa carga de estrés y agresividad que debemos soportar *dentro y fuera de nosotros*. Debido a eso, la psiquis busca una compensación a través del placer rápido, fácil y abundante, propio de un ser humano que ya ha sido embrutecido por la competitividad y que busca la evasión del placer intenso como liberación de su ansiedad. El animal racional vive sumido en ese estrés y la angustia de la lucha por la supervivencia, buscando además el alivio escapista que otorgan diversas drogas a través de sensaciones de relajación o euforia, un aturdimiento psicológico ofrecido en abundancia, *¡y a precios cada vez más competitivos!*

El ser humano moderno está llegando a límites verdaderamente patológicos debido a diversas formas de escapismo hedonista. De ahí, por ejemplo, la intensa demanda por prostitutas, en particular jóvenes, *incluso niños*. Al activar patrones animales y sumergido en la psicología deshumanizante del animal racional, el ego comienza a abusar de aquellos en condición vulnerable y se involucra cada vez más en el placer fácil y repetitivo, aumentando su demanda a través de la forma más evidente que es la pornografía y la prostitución. Se transforma así en un potencial *depredador sexual*.

El depredador puede surgir bajo determinadas circunstancias que favorecen su activación, especialmente cuando el ego detecta poblaciones débiles o indefensas a las que puede llegar a someter. Se desencadenan emociones violentas y se activa un ego oportunista que *huele sangre* e identifica a las potenciales víctimas. Su lógica narcisista lo llevará a desarrollar prácticas abusivas de sometimiento y control, como la explotación de menores y otras prácticas afines, sin importarle la destrucción moral que implica.

En la mente del depredador se activa una necesidad incontrolable, una sed insaciable de víctimas. Para ello pondrá en práctica todas las herramientas de manipulación de las cuales dispone, especialmente la imposición de un principio autoritario que le permita someter a sus potenciales víctimas, intentando por todos los medios doblegar su voluntad. Leemos en un periódico español:

Savile, un héroe nacional británico, abusó sexualmente de 214 personas

La mayoría de las víctimas tenían entre 13 y 16 años. El popular presentador es retratado por la policía como un "depredador sexual"

La conclusión es que la mayoría fueron "agresiones oportunistas, muchas de ellas en situaciones manipuladas por Savile", aunque otras fueron "planeadas". Los abusos... se produjeron en múltiples lugares, incluidas las instalaciones de la BBC y 14 hospitales, uno de ellos para enfermos terminales.

La Policía metropolitana de Londres hizo público ayer un informe en que define a Savile como un "depredador sexual" que actuaba con todo tipo de víctimas y en cualquier lugar. Sus investigaciones apuntan a que el presentador perpetró al menos 214 crímenes sexuales sobre personas de entre 8 y 47 años.*

*http://sociedad.elpais.com/sociedad/2013/01/11/actualidad/1357897415_349011.html

Aquí haremos un alcance al contexto eclesiástico. Tomando ejemplos muy actuales, se observa una gran cantidad de casos de pedofilia donde siempre hay un sacerdote con una fuerte personalidad que intenta influir en seres vulnerables -niños y adolescentes, por ejemplo-, les impone su autoridad, los manipula y presiona psicológicamente para que actúen *de acuerdo a su voluntad*, pues está acostumbrado a establecer un sistema de dominación y a utilizar su influencia para controlarlos en pro de sus intereses.

El pederasta teológico proyecta su ego narcisista y se va a desencadenar lo inevitable. En algún momento va a implementar diversas formas de control y va a llegar al abuso sexual, fruto de una psiquis con una libido que no ha sido bien canalizada y que siempre está latente. Por lo tanto, cuando encuentra alguna vía para exteriorizar esa energía, que en sí es una expresión de poder, lo hace sin contemplaciones, siendo los niños las principales víctimas debido a su gran vulnerabilidad. Esta sería una clave para poder comprender por qué los animales racionales terminan abusando de las poblaciones infantiles, pues recrean el oportunismo de los animales que siempre atacan a los más débiles e indefensos. Los depredadores sexuales son una de las figuras psicológicas más fuertes y dañinas que surgieron dentro de la particular psicología del animal racional, debido a una mente voluntariosa, cruel y posesiva.

Astucia y camuflaje

La mente saturada de instinto potenció el desarrollo de la astucia para lograr objetivos concretos, creando múltiples estrategias para anular a cualquiera que pudiese interferir en sus planes de expansión y dominio. Fue un fruto evolutivo directo de la combinación de inteligencia humana e instinto animal, buscando siempre alguna ventaja competitiva concreta sobre los demás. Ya se puede observar claramente en monos, zorros y otros grandes mamíferos, asociada directamente al engaño, la simulación y el oportunismo, *atributos propios de todo animal racional.*

La astucia favoreció la *manipulación,* uno de los comportamientos más aberrantes, dolorosos y destructivos para la Humanidad, que ha distorsionado toda nuestra evolución psicológica y social, expresada como abuso, mentira, engaño y explotación. Es evidente que si los animales racionales tuvieran más poder, profundizarían toda forma de manipulación, incluyendo la biológica-genética, y tratarían de programar a la Humanidad de acuerdo a su egoísta deseo mercantilista y de control social. Es por eso que resulta crítico para nuestra evolución impedir la instrumentalización de la vida humana, porque su destrucción estaría a la vuelta de la esquina. Desaparecería toda posibilidad de libertad y quedaríamos encriptados en nuevos códigos genéticos controlados a su antojo por los animales comerciales. Ya tuvimos un buen ejemplo con la manipulación del átomo…

El astuto es esencialmente un gran manipulador, siempre disociado de la ética y el respeto por la dignidad humana, buscando ventajas comparativas sobre sus supuestos competidores mediante toda forma de engaño, para obtener algún beneficio dentro de la lógica del oportunismo animal. Entonces, siempre está esa psiquis astuta y manipuladora, lista para *camuflarse y ocultar su verdadera naturaleza o intención.*

Su mente concreta se ha ido especializando en la *manipulación de la información,* porque ha descubierto que en las modernas sociedades es una estrategia crítica para poder adquirir mayores cuotas de poder social, económico o político. La puede ocultar o adulterar de mil formas distintas para lograr alguna ventaja sobre sus adversarios potenciales o reales. Esta actitud no le genera ningún conflicto ético, ya que en su egocentrismo y bajeza moral se siente con el pleno derecho de hacer lo que sea frente a quienes considera una amenaza a sus intereses, sus eternos *competidores.* La mentira surge así como una estrategia inevitable, propia de una mente esencialmente maquiavélica, ya que siempre el fin justifica los medios y dentro de esa visión la mentira es uno de los principales aliados en la lucha incesante por la supremacía jerárquica.

De acuerdo a la evidencia, la manipulación abundaría en el ámbito económico y financiero. Evolutivamente, el comercio es una actividad antiquísima y lo más probable es que haya sido desarrollada masivamente por animales racionales tribales con escaso desarrollo moral. En el mundo actual se refleja en el robo de información privilegiada, adulteración en declaraciones de impuestos, quiebras fraudulentas, falsificación, colusión, sobornos, especulación y muchas otras formas de manipulación tipificadas como delitos. Vemos una serie de actos deshonestos que aumentan en forma proporcional a la cantidad de dinero y poder económico en juego.

Se ha generado una atmósfera donde prima el engaño, la desconfianza, una lucha darwiniana por conquistar más terreno y más mercado, donde algunos sobreviven y otros son destruidos. Ese ambiente psicológico que detesta la luz de la verdad y la transparencia se va a proyectar a todo nivel, alcanzando las grandes transacciones y grupos económicos. Ahí es donde encontramos una concentración de todos los delitos, faltas éticas, jurídicas y normativas, la especulación más grosera, la violación de todos los códigos morales y culturales debido a la inmensa ambición de poder del ego primitivo.

Lamentablemente, vamos a observar lo mismo en el mundo político de las modernas democracias, donde los animales racionales llenos de ambición y enfrascados en una eterna lucha por el control recurren a múltiples formas de manipulación de la realidad con la esperanza de lograr algún beneficio. Esta ventaja competitiva que todos los *animales políticos* anhelan y esperan es la consecuencia lógica de una mente astuta sedienta de poder que ha transformado a la política en un nuevo y floreciente *mercado* lleno de hábiles operadores, especuladores, oportunistas y parásitos que esperan siempre alguna forma de rentabilidad concreta. Ese estado de corrupción permanente vuelve a reflejar la mente oscura y torcida del animal racional, quien se mueve en las sombras siempre atento a nuevas oportunidades.

El animal que mejor refleja ese perfil es el chimpancé, el cual vive aplicando toda su astucia para obtener alguna ventaja dentro de la organización social. En las comunidades de simios observamos con frecuencia cómo se engañan permanentemente entre sí, simulando para obtener algún beneficio, escalar en la jerarquía social o recibir favores sexuales, una conducta totalmente incorporada a su vida. El chimpancé es un animal inteligente, por eso su mente se encuentra saturada de astucia para lograr objetivos concretos, motivación propia de un ser egoísta. Leemos en *El Origen de la Humanidad*:

> Los primates son criaturas esencialmente sociales. Solo unas pocas horas en presencia de un grupo de monos es suficiente para tener la sensación de la importancia que la interacción social tiene para sus miembros. Las alianzas establecidas son constantemente puestas a prueba y mantenidas; las nuevas son exploradas; *hay que ayudar a los amigos, a los rivales hay que retarles…*
>
> Los primatólogos saben ahora que la red de alianzas que existe dentro de los grupos de primates es extremadamente compleja. Aprender las complejidades de una red así, tal como deben hacer los individuos si quieren tener éxito, ya es bastante difícil. Pero la tarea se hace enormemente más dura por el cambio constante de alianzas, a medida que los individuos tratan de mejorar su poder político. Siempre buscando la promoción de sus intereses propios y los de sus parientes más cercanos, los individuos a veces podrían encontrar ventajoso romper alianzas existentes y formar nuevas, quizá incluso con anteriores rivales. Por tanto, los miembros del grupo se encuentran a sí mismos en el medio de cambiantes patrones de alianzas y se exige un agudo intelecto para jugar el cambiante juego de lo que Humphrey llama el *ajedrez social*.[13]

El ego elemental, con su mente saturada de deseo de éxito y conquista, busca obtener alguna ventaja competitiva en su lucha por territorios, recursos, liderazgo y privilegios jerárquicos, siempre atento para ganar más dinero, posición social, prestigio o poder, o bien difamar por venganza o como estrategia política. Lo hace porque no ha desarrollado realmente una conciencia valórica y su mente astuta tiende al provecho personal, casi igual que el chimpancé. Esta manipulación psicológica termina por destruir toda relación humana y solo queda el usar al otro para lograr metas siempre egoístas. Y cuando realmente siente amenazada esa posibilidad, es cuando decide dar la batalla y luchar a muerte por sus intereses, sin importar a quien deba sacrificar…

Las coincidencias son tan evidentes, que el célebre científico Frans de Waal observa: *"Los humanos tenemos una cultura y un lenguaje más evolucionados, pero ahora vemos que nuestro sistema social es el sistema social de los grandes simios"*. De acuerdo, pero sin olvidar que este sistema social lo heredaron principalmente los astutos animales racionales, ya que en otros tipos humanos más evolucionados observaremos *variables éticas* que van debilitando gradualmente el instinto animal y posibilitan la generación de nuevas formas de expresión vinculadas a la cultura, por ejemplo, el investigador *amante de la verdad* ¡con un doctorado en comportamiento animal!

Una conducta muy propia del animal racional consiste en la generación de múltiples imágenes de sí mismo proyectadas utilitariamente frente a los demás, nacidas en su mente astuta que se ve enfrentada a un medio ambiente que evalúa como competitivo, cambiante y peligroso, pero lleno de oportunidades que despiertan su ambición y que es necesario explotar en beneficio propio. Esa imagen mental, diseñada gracias a su astuta inteligencia, es su gran *camuflaje*, una creación virtual que recuerda el desarrollo del mimetismo en el reino animal, herramienta exitosa ampliamente utilizada por muchas especies como estrategia de supervivencia.

La simulación fue transferida en la evolución, promoviendo así una capacidad de camuflaje muy diversificada, inspirada en el espíritu animal de aprovechamiento de las oportunidades y todas las estrategias para escalar dentro de la jerarquía social, proyectando diversas máscaras para ocultar a un ego siempre egoísta, manipulador, ambicioso y sediento de poder. De hecho, en monos y chimpancés ya observamos una clara tendencia hacia ese *camuflaje psicológico, tratando de aparentar lo que no se es*, siempre orientado a obtener algo material y concreto. Los animales racionales heredaron y profundizaron esta capacidad de mimetismo para penetrar dentro de diversos ambientes culturales y así lograr estatus social, control psicológico, poder económico o político, múltiples beneficios que lo llevan a desarrollar una táctica precisa y oportuna para lograr el objetivo.

El camuflaje se perfecciona y es mucho más sofisticado, generando múltiples caretas que proyectan un abanico de *personalidades distintas* que el animal racional utiliza gracias a su gran capacidad de mimetismo para lograr sus ambiciosas metas. Sin lugar a dudas, la habilidad de camuflarse y representar un cierto *papel* en conformidad con los cánones morales aceptados por la sociedad fortaleció la simulación en diversos contextos culturales en su eterna lucha por la supremacía y el éxito, perfeccionando disfraces y desarrollando su capacidad de *actuar* frente a los demás para ofrecer una imagen adecuada y generar apoyos que van a contribuir a fortalecer su poder e influencia.

Es así, por ejemplo, que se puede camuflar de persona generosa y altruista con la comunidad haciendo grandes donaciones, proyectando una imagen positiva de benefactor social para poder ser aceptado y penetrar libremente en todos los ambientes que despiertan su ambición, recurriendo a toda forma de simulación orientada a derribar los obstáculos que le impiden acceder a las fuentes de riqueza deseadas y lograr sus objetivos de poder y control. Se presenta como un filántropo, un gran humanista sensible al dolor mientras continúa en sus luchas soterradas de poder anulando o combatiendo a todos aquellos que podrían opacar su brillo personal.

En el mundo político y social, el animal racional se encarga de proyectar una imagen sólida frente a la opinión pública, ocultando toda información que pueda dañarlo y perjudicar su ambición ególatra. Se puede camuflar como un humilde y sacrificado servidor público que anhela la oportunidad de ayudar a otros mientras espera con ansias usufructuar de todos los beneficios que ofrece el sistema gubernamental y escalar dentro de la jerarquía de poder y liderazgo, ocultando astutamente toda su narcisista prepotencia, ambición y sed de reconocimiento personal al crear un mundo de ficción y grandilocuencia y prometer logros casi imposibles de alcanzar.

En el mundo legal, surgen ambiciosos abogados camuflados de legítimos defensores, pero que lucran descaradamente explotando las debilidades del sistema de justicia y se valen de astutas maniobras aprovechando los vacíos legales para usarlos en provecho propio, amasando fortunas sin el más mínimo sentido de justicia ni respeto por la verdad.

En el ámbito religioso se camufla como un devoto servidor de Dios que aspira a que los demás puedan vivir los postulados de su particular credo, mientras sigue escalando posiciones de poder dentro de la jerarquía eclesiástica y utiliza su autoridad para dominar, usar y adoctrinar a quienes le rodean.

En el campo militar se camufla como un héroe, visionario y gran servidor de la patria, mientras ambiciona honores y reconocimiento, anhela cuotas de poder o bien utiliza las jerarquías militares para favorecer intereses políticos y económicos de los poderes fácticos, de los cuales formará parte de un momento a otro o bien recibirá su bien merecida recompensa por los servicios prestados.

Esta capacidad de simulación es la que disocia al animal racional de la verdad y lo sumerge fatalmente en un mundo de falsedad, apariencias e ilusión. Es el mismo mundo que vemos en las campañas publicitarias donde se diseña una imagen para poder vender un producto de consumo masivo, normalmente desvinculado de la transparencia y la verdad. Se crea un objeto que busca ser comercializado en un mercado de alta rentabilidad, con un envoltorio-camuflaje muy atractivo. Por eso no nos extraña que los políticos gasten cifras millonarias de inversión en publicidad porque buscan precisamente crear una imagen que logre conquistar el necesario apoyo que requieren en las modernas democracias. Se busca vender un producto que pueda generar gran aceptación en la población y lograr el apoyo suficiente para poder tomar el control e imponer sus términos. Las agencias de publicidad reciben miles de millones de dólares anuales destinados a financiar campañas publicitarias para políticos y empresas, pues los astutos animales racionales ya han realizado un exhaustivo *estudio de mercado* y han calculado toda la rentabilidad futura en términos de prestigio y poder político o económico.

La venta de una imagen puede ser un gran negocio, que la publicidad ha masificado y llevado a todos los ámbitos donde pueda penetrar, fortaleciendo el paradigma de la sociedad de consumo para lograr metas de ventas en todos los mercados que ha generado. Pero cuando es descubierto y el camuflaje es destruido, vemos el verdadero rostro del ambicioso animal racional que hay detrás, un ser violento, vengativo y dominante que observamos a través de toda la historia de la Humanidad, que también puede camuflarse de un gran anonimato que le permite pasar totalmente desapercibido frente a nuestros ojos, como una entidad invisible imposible de reconocer que mueve los hilos detrás del escenario.

El éxito de la imagen logra metas muy deseadas, como estatus y prestigio social, considerados altamente *rentables*. ¡Cómo sacrificamos nuestra dignidad por proteger o fortalecer ese prestigio! ¡Cuánto se ha invertido, ocultado o sacrificado para proyectarlo frente a los demás! A mayor poder económico, político y social, mientras aumenta el éxito *vendiendo una imagen*, mayor es el sacrificio y el costo humano para mantener esa pantalla que el animal racional tanto valora, por la cual sacrifica la poca conciencia moral que pueda haber tenido en algún instante. La imagen se fortalece, pero la crisis humana se profundiza. Y cuando se descubre el camuflaje y su imagen se ve vulnerada o destruida frente a los demás, surge el inevitable drama para él y toda la comunidad involucrada. Es el fin de la burbuja de engaño, mentira y especulación, la eterna frustración y dolor que genera el comportamiento manipulador del ego animal-racional.

* * *

Podemos concluir entonces que el animal racional no ha desarrollado una ética verdadera. Se siente libre para distorsionar la verdad y aprovecharse de la ignorancia, la ingenuidad o el miedo, reflejando una mente maquiavélica saturada de egoísmo. Por lo tanto, lo único que ha podido desarrollar en la evolución es una moral básica y utilitaria casi al nivel de un chimpancé, *imitando* algunas costumbres, pero en ningún momento llega a desarrollar una conciencia ética *real*, la cual recién va a surgir en quienes comienzan a valorar la cultura y experimentar en la propia conciencia las ventajas evolutivas de desarrollar la Vida Interior y cultivar el respeto por la verdad. Es la moral artificial que el animal racional proyecta a la sociedad como un código de conductas que intenta imponer como norma social, con claros objetivos de abuso y dominación. Es la pseudomoral utilitaria que siempre está evaluando oportunidades en beneficio propio, una mente calculadora y siempre atenta al oportunismo y su bienestar personal, signifique o no *sacrificar a otros* con el fin de lograr sus objetivos.

Entonces, el animal racional sería un ser *inmoral*, pues, aunque no ha desarrollado en profundidad la conciencia ética, posee un nivel basal suficiente para saber *si está haciendo daño o no*. Habría que diferenciarlo así del animal propiamente tal, el cual, para este ensayo, sería más bien un ser *amoral,* porque la conciencia del bien y del mal no llegaría a constituir en ningún momento de su condición evolutiva un verdadero referente en su comportamiento y realidad psicológica. ¡En el animal no existen crisis valóricas ni dramas existenciales! ¡Tampoco sabemos de chimpancés con reflexiones sobre el origen de la maldad humana! Mucho menos existe un quehacer filosófico o trascendente, porque vive dentro de un molde de experiencia muy programada, con un núcleo de conciencia primitiva dirigida a la supervivencia y la conquista en una eterna lucha que no da tregua.

El animal racional no respeta la verdad, pues no logra dimensionar su trascendencia en la evolución y no va a dudar en sacrificarla una y otra vez al momento de fortalecer su poder material e influencia social. Su *desprecio* por la verdad contamina todos los nichos culturales. No puede haber una justicia natural si no podemos tener acceso a la verdad, sea cual sea su origen o naturaleza. En ese sacrificio de la verdad radica esencialmente toda forma de injusticia y corrupción a nivel individual y social. ¿Qué bien podemos esperar como Humanidad de alguien que esconde o distorsiona la verdad cuando no le favorece? Su único objetivo es ganar cada día más control, territorios y recursos para imponer sus términos en una eterna lucha por el éxito y el liderazgo.

La fatalidad de todo este proceso es que la verdad *siempre es la gran sacrificada,* terminando por debilitar y romper vínculos sociales esenciales. Vemos aquí el germen de toda la soledad, dolor y vaciedad que estamos experimentando masivamente gracias a la acumulación de millones de actos disociados de la verdad en quienes solo buscan la explotación de recursos y aprovechar toda circunstancia que incremente su prestigio, poder económico o político. Esta disociación es la que nos lleva en definitiva a esa verdadera esquizofrenia existencial que observamos hoy en día, un gran drama en que perdemos el sentido de nuestra propia vida sumida en las apariencias, subyacente a todos los conflictos y crisis humanitarias a nivel planetario que nos tienen al borde de un gran colapso humano.

3

EL INQUISIDOR

Llegó el momento crítico en nuestra evolución psicológica en que toda la abstracción y especulación racional nos terminó por apartar definitivamente de la naturaleza y el resto de la Humanidad y empezamos a perder la espontaneidad en nuestra interacción con la Vida como Realidad Vivencial, mientras el dogmatismo y los sistemas de creencias continuaban fortaleciéndose por medio de una creciente intransigencia, dando origen en la evolución a un *ego cada vez más rígido, conflictivo y disociado,* el cual se empezó a sentir amenazado por planteamientos que contradecían sus postulados y su particular sistema de valores, llenando su mente de rabia, incertidumbre y pánico, *petrificada* dentro de su ilusión virtual. Se generó así una trinchera, un núcleo de resistencia rígido que lucha por sobrevivir y perpetuarse, inconsciente de su separatividad y desvinculación interior de aquello que analiza y observa desde su holograma mental disociado.

Hemos desarrollado una personalidad rígida al identificarnos progresivamente con innumerables aspectos que les hemos dado un valor y carácter *inmutable*, gracias a un yo que establece parcelas de conocimiento e información sesgada, un híbrido instintivo-mental que se comporta como una unidad evolutiva real absolutamente identificada con su propia creación. Esta profunda identificación es la que inclina la conciencia a toda la violencia ideológica, teológica y racial. Cada vez que nos involucramos emocionalmente en un debate, nos sentimos agredidos en una discusión de carácter puramente verbal, o nos irritamos porque contradicen nuestros postulados o esquemas mentales, nos podemos dar cuenta de la inmensa rigidez que el cerebro y la mente fueron adquiriendo a lo largo de la evolución gracias a la identificación con nuestro sistema de creencias personales.

Se fortaleció así una mente condicionada por múltiples programas que transforman al animal racional en un ser altamente estructurado e inconsciente de su potencial *humano*. Esta fuerte herencia se transforma en una carga que condiciona todo su comportamiento y su visión del mundo, expresada en dosis elevadas de orgullo, agresividad, desconfianza, egoísmo y rencor, una mente limitada por una programación que la convierte en un conjunto de mera reactividad mecánica frente a diversas circunstancias que le toca vivir.

La mente disociada impactó directamente en todo el sustrato emocional, generando además una *rigidez y disociación emocional profunda*, haciendo que el ego reaccione con ataques de ira destructiva y estados eufóricos y paranoicos, es decir, todo un cuerpo patológico de emocionalidad extrema que refleja la nueva condición evolutiva del ego animal-racional, el cual se siente llamado a restablecer el equilibrio tomando la justicia en sus propias manos, quedando así incapacitado para perdonar, comprender y evaluar con objetividad. En cambio, se siente herido, agredido, traicionado, reaccionando con odio y resentimiento contra el supuesto culpable de su infelicidad. Así nacen las reacciones de rencor y venganza, porque siente que está cometiendo un acto de verdadera justicia que le permite recuperar su dignidad y sanar su orgullo herido.

Las emociones adquieren así un perfil puramente reactivo que inducen al ego a vivir en un mundo de muchos contrastes y crisis emocionales. Al ser arrastrado por ese impulso disociador, termina comprometiendo finalmente toda su conciencia, su estructura psíquica termina polarizada, absolutamente inmersa dentro de un universo desintegrado, contradictorio y confrontacional. A partir de ese instante van a existir solo amigos y enemigos, buenos y malos, justos e injustos. Esta polarización transmitida al cuerpo emocional induce al animal racional a apoyar o rechazar doctrinas, atacar o defender a personas, ideas, instituciones o movimientos sociales y al final se va a encontrar inmerso en una dualidad tan profunda que su propia vida va a terminar fragmentada, precipitada en un gran torbellino de reactividad inconsciente que caracteriza el perfil psicológico violento de todos los fanáticos ideológicos y teológicos. Este estado de disociación y rigidez psicológica es la fuente ultérrima de toda su impotencia, ira, amargura, frustración y soledad.

Ese estado de rigidez psicológica es el que denominamos *mente mecánica inconsciente*, siempre vinculada a un ego muy autorreferencial, donde el amor y la sabiduría desaparecen dentro de una psiquis llena de antagonismo, orgullo y violencia. Nace así la intolerancia, el odio, el racismo y todas las formas de fanatismo basadas en esta dicotomía forzada de la vida y de la conciencia, cayendo así en un profundo estado de ignorancia y sufrimiento que cargamos a cuestas desde hace milenios, como una dura camisa de fuerza que nos atormenta y asfixia. Cuando tenemos en un mismo plano a dos polos que disocian la realidad y nos sumergimos en esa dualidad entonces sufrimos, nos torturamos y enfermamos, porque estamos soportando una fuerte tensión entre una postura y otra, polarizados entre dos bandos irreconciliables enfrentados a muerte y esa tensión genera un gran desgaste emocional y mental.

Si crecemos en un ambiente de censura cultural, sin verdadera educación, manipulados, adoctrinados, contaminados por la violencia y sin desarrollo afectivo, la conciencia comienza a ser controlada por el instinto de supervivencia y una mente mecánica llena de resentimiento que activa parámetros ancestrales de comportamiento tribal. Es una mente *programada* que nos aplasta y precipita a un mundo oscuro de emociones animalizadas, el mundo embrutecedor del supuesto amor que de la noche a la mañana se transforma en odio, una realidad llena de emociones destructivas, venganza y crueldad. Ese mundo de profunda rigidez es el caldo de cultivo de toda la violencia, fanatismo e intolerancia que la Humanidad sigue viviendo hasta el día de hoy, el germen del sufrimiento que vemos actualmente a nivel planetario.

El escritor y filósofo Francesc Torralba reflexiona:

> El fanatismo es una patología del espíritu, una enfermedad del alma, una especie de tumor social. Es más viejo que el islam, que el cristianismo y que el judaísmo. Más viejo incluso que cualquier Estado, gobierno o sistema político. Más antiguo que cualquier ideología o credo del mundo. Como dice Amós Oz, "la semilla del fanatismo siempre brota al adoptar una actitud de superioridad moral que impide llegar a un acuerdo".
>
> El fanático se desvive por el otro, tiene muy claro a dónde quiere llevarle. Le falta la capacidad de autocrítica; no toma distancia de sí mismo ni de su mundo. No es capaz de percibirse como parte del Todo, ni mucho menos superar la dualidad que existe entre él y los otros. Se empecina en ver las diferencias, pero es incapaz de captar el fondo común, el sustrato que une a todos los seres. Identifica *su* verdad con la Verdad, *su* bien con el Bien, *su* ser con el Todo. Sufre una grave miopía espiritual.[22]

Así entendemos por qué el animal racional muestra un comportamiento tan inflexible; por eso es iracundo, cruel, autoritario, censurador y castigador. Su mecanicidad está reflejando un condicionamiento animal de millones de años de evolución que genera una mente reactiva que no tiene la flexibilidad necesaria para lograr superar esa estructura rígida que conforma toda su personalidad. Es un verdadero "animal de costumbres" y manifiesta ese mismo perfil psicológico a lo largo de toda su vida. Esa personalidad se impone en todas las formas en que interactúa con el mundo, basada en moldes preestablecidos de los cuales le resulta muy difícil escapar. Por eso es porfiado, intransigente en su visión de la vida o su escala de valores. La rigidez psicológica invade toda su conciencia e interacción social y lo deja anquilosado en su mundo monótono y repetitivo de modelos mentales inamovibles. La rigidez de la conciencia hunde sus raíces en esos millones de años de programación instintiva-emocional que no le permiten liberarse de sus moldes preestablecidos y comenzar a explorar la maravillosa versatilidad de la experiencia propiamente humana.

El gran drama de ese ego disociado que vive etiquetando a la Humanidad, de ese ser que lucha torpemente por combatir sus miedos y soledad es que ha quedado atrapado finalmente en un callejón sin salida, en una especie de ilusión virtual donde ha volcado su apoyo por una vertiente ideológica o religiosa en contra de otra y esta dualidad ha generado una línea de alta tensión psíquica entre dos grandes extremos nacida de esta oposición, creando una inmensa rigidez que cristaliza la mente y las emociones dentro de un patrón de antagonismo basal donde *debe* aceptar o rechazar, premiar o castigar, defender o atacar, censurar o apoyar a una secta contra otra. Ahora se encuentra inmerso dentro de un universo lleno de violentos antagonismos que han sido el germen de toda la intolerancia y la violencia física y psicológica nacidas de esta rigidez estructural y la intensa polarización de su mente y de sus emociones. *Así nacen todos los inquisidores.*

Esa mente mecánica se viene autoprogramando desde hace milenios, arrastrando la conciencia hacia un universo teórico completamente polarizado y confrontacional, ¡y esa es precisamente la manera en que funciona el ego animal-racional!, esa mente torpe y miope que nos hace equivocarnos y radicalizarnos en posturas intransigentes y altamente conflictivas que generan toda forma de violencia, una agresividad visceral que actúa sobre una masa de individuos y los transforma en manada sorda e inconsciente dispuesta a destruir al enemigo si fuese necesario a fin de conservar su integridad o expandir su territorio y su poder. Ese egoísmo brutal ha dividido la superficie del planeta en zonas con masas humanas que se sienten amenazadas por la proximidad territorial de sus vecinos, lo que lleva al animal racional a crear diversas estrategias de dominación, donde triunfan los más fuertes y crueles y los débiles son destruidos o sometidos a esclavitud.

¿Acaso no es esta la realidad en muchas regiones del planeta? Este brutal condicionamiento es el más pesado lastre que pretende hundirnos en las pretéritas aguas de nuestro pasado animal, una gigantesca *mecanicidad* que se transforma en fuerza de involución que quiere arrastrar a la conciencia humana a viejos derroteros tribales darwinianos.

Estamos violentando nuestra naturaleza a límites inconcebibles, y toda esa distorsión se traduce en el sufrimiento derivado de miles de años de agresión teológica y racial en el nombre de Dios, la justicia y la libertad. Las religiones están absolutamente fragmentadas, fanatizadas. De entre las innumerables sectas religiosas, ¿dónde se encuentra la religión original, el mensaje auténtico del Fundador? Y mientras nos hacemos estas preguntas, continúa la violencia fratricida y criminal en el nombre de Dios, de Alá y de Jehová; las mentes dogmáticas y violentas continúan combatiendo en una lucha sin cuartel, mientras las complejas teologías pretenden justificar un dogma estéril y moribundo. Los jerarcas de todos los colores no dan su brazo a torcer y se enfrascan en una guerra puramente *tribal*.

En la arena política, el panorama es igualmente desolador. Después de un desastroso siglo XX en que fracasaron estrepitosamente las grandes ideologías, entramos a un siglo XXI donde las distintas sectas siguen en su ciega lucha por el poder, mientras la frustración y el miedo se apoderan de la población. Ya nadie cree en los discursos que huelen a *marketing*, mientras las facciones políticas sacan cuentas y esperan ansiosas sus cuotas de poder.

Mientras tanto, este poderoso cerebro-mente con sus millones de hologramas y conexiones nerviosas sigue procesando más y más información. Continúa especulando y elaborando hipótesis y modelos que expliquen los fenómenos. Y si nos detenemos un instante y contemplamos el caos político, social y moral por el que atravesamos, nos dice que necesita más datos, manejar más variables, perfeccionar los modelos que interpretan la realidad. Nos pide más tiempo y paciencia, prometiendo que un buen día dará con un modelo exacto y perfecto que explique el comportamiento del hombre y del universo. Y le hemos hecho caso. Arrastrados por su mecánica dualista sujeto-objeto, hemos multiplicado las contradicciones y el conflicto en una espiral que parece no tener fin, mientras nos agredimos, odiamos y destruimos unos a otros. Y si intentamos recapacitar, ya ha elaborado sutiles explicaciones teóricas que justifican toda esta violencia *y la legitiman*. Entonces afloran todas las explicaciones intelectuales con las que han condicionado nuestro cerebro desde niños. Emergen desde el fondo de esta mente egoísta montañas de elaboradas teorías, doctrinas y dogmas que nos han metido a presión durante años en las salas de clases y centros de adoctrinamiento y que han condicionado y violentado nuestra interacción con el mundo, buscando controlar nuestra mente y nuestros sentimientos.

¿Y no es este, acaso, el fundamento de toda inquisición? ¿No es el inquisidor propiamente tal aquel individuo, institución o doctrina claramente dogmático que impone su punto de vista por la fuerza o el terror y que es esencialmente violento, manipulador y fanático? ¿No es el inquisidor aquel sujeto u organización que combate e intenta destruir a quienes son considerados una *amenaza a sus intereses*? Veo en este inquisidor precisamente a ese astuto ego animal-racional dominado por una mente rígida, instintiva y disociada que reacciona como una bestia acorralada que lucha por sobrevivir; un ego territorial, peligroso y ambicioso con emociones y razonamientos mecánicos que *justifican intelectualmente el odio, la venganza y la crueldad*. Es el tirano por antonomasia, el fundamentalista y fanático con su ambición sin fronteras que recurre a formas extremas de persuasión para tratar de *imponer* su personal cosmovisión en un intento por monopolizar y controlar y que no tolera las amenazas a su poder establecido y a su estructura jerárquica dominada por él.

No puedo evitar sentir a ese inquisidor dentro mío, a ese tirano mental disociador que impulsa la conciencia hacia un polo determinado e insiste una y otra vez para que tomemos partido por alguna de las sectas que él mismo ha generado. Es esa mente pequeña y de visión estrecha, *depredadora* y *monopólica*, que pretende abarcar toda la realidad y obligarnos a identificarnos con una secta determinada opuesta a otra. Este es el *Inquisidor Interno* lleno de violencia, el ego rígido, censurador y dogmático propio del animal racional que fragmenta la conciencia y nos hunde en un laberinto interminable de conflicto, dolor e ignorancia. Este es el fenómeno psicológico-evolutivo que denomino *Inquisición Primaria*. Todas las demás inquisiciones encuentran en ella su origen y su fundamento.

Dejamos establecida, entonces, la presencia de esta figura evolutiva y descubrimos que la inquisición primaria ejerce su principal acción precisamente *dentro de nosotros mismos, en la propia conciencia individual*, violentando nuestra naturaleza e impidiendo que nos elevemos a otras dimensiones de experiencia. El inquisidor interno nos controla generando rechazo, racismo y exclusión; nos torna egoístas y confrontacionales, duros e intransigentes. Esta es la inquisición esencial, la más importante, llevándonos a un terreno de división y violencia, favoreciendo el desencuentro e impidiendo que nos conectemos con nuestra fuente de sabiduría natural. El inquisidor interno nos manipula y engaña, generando las condiciones que llevan a un laberinto de ignorancia y sufrimiento *repetitivos*, al quedar encerrados en una visión mecánica, material, concreta. Nos mantiene anquilosados, endurecidos y siempre reducidos en un nicho lleno de oscuridad, miedo e ignorancia.

El inquisidor interno con toda su rigidez nos mantiene *paralizados* dentro de nuestras fobias, mediocridad, orgullo, traumas, odio, complejos, resentimiento y frustración, encerrados como verdaderos prisioneros dentro de la caverna platónica y nos impide ver la luz para que la mente se inunde de claridad y se produzca el proceso de transformación interna. Este es precisamente el rol de todo inquisidor: el esclavista, el represor, el torturador, el gran cercenador de nuestros sueños e ideales. Y debemos pagar el costo mediante el sufrimiento de no poder *Ser*, de no poder realizarnos en este mundo de acuerdo a lo que somos, intuimos y soñamos...

Detrás de todo conflicto o enfrentamiento por diferencias políticas, religiosas, económicas, morales, en fin, cada vez que estalla el rencor y la agresividad vamos a poder reconocer la presencia de este animal racional en la forma de un inquisidor interno que ha adquirido vida propia y nos está manipulando e impulsando a elegir una doctrina en contra de otra, un principio o un postulado en oposición a otro. Ahí se encuentra agazapado, escondido como una bestia hambrienta al acecho esperando la ocasión propicia para saltar sobre su presa, como un depredador identificando a sus potenciales víctimas con su apetito insaciable, el supremo juez y dictador identificando a los herejes. Es el censurador poniendo etiquetas, emitiendo juicios, clasificando la verdadera y la falsa doctrina, identificando a inocentes y culpables, víctimas y verdugos, sancionando de manera ejemplar a todos los que se apartan del *verdadero camino*.

El animal racional, como inquisidor interno, se alimenta constantemente de ese conflicto, necesita la disputa, el desencuentro, porque así se autorreafirma, se otorga validez y realidad frente a sí mismo. Siempre impone la más dura de las sanciones y de las dicotomías morales, que consiste en la suprema dualidad justicia e injusticia, verdad y mentira, *inocencia y culpabilidad*. Estas supremas categorías inspiran y motivan a la acción a todos los inquisidores y dictadores que se han manifestado a lo largo de la historia humana. La mente polarizada y fragmentada del animal racional lo sumerge en un laberinto de conflicto e ignorancia donde *los dominadores adquieren el dere-*

cho a la vida y los dominados son asimilados o condenados a desaparecer. Esta es la lógica darwiniana de todo inquisidor en cualquier ámbito de la cultura humana y lo sumerge en un abismo de violencia, intolerancia, incomprensión y sufrimiento para sí y los demás, quien ha tomado plena conciencia de su poder y ha descubierto el valor de la persuasión, la manipulación, la violencia y el terror como armas altamente eficaces para imponer sus términos y eliminar así a quienes amenazan su hegemonía.

La inconciencia del ego puede explicar la dinámica propia de esa mente mecánica animal y ver cómo su mundo interior lleno de narcisismo, ambición y resentimiento se proyecta tarde o temprano hacia el mundo externo plasmando esa misma realidad y empecinado en censurar a otros, creando así un ambiente saturado de persecución, represión e intolerancia. Entonces, cada uno de los atributos psicológicos que han nacido y cobrado vida en la mente oscura del animal racional se empiezan a manifestar en el mundo objetivo y concreto bajo diversas *modalidades inquisitoriales* como algo inevitable. De ese modo, todos los ambientes represivos externos son solo proyecciones de una determinada condición que ha cobrado vida como realidad psicológica previa en la propia mente disociada del animal racional.

Podemos identificar un mismo comportamiento que lleva al ego soberbio y ambicioso a constituirse en una suerte de *controlador* que tarde o temprano desarrollará externamente todo su potencial inquisitorial, generando una estructura rígida mediante la cual intentará someter o eliminar cualquier forma de expresión que atente contra su visión monopólica del mundo y de la vida. Cuando esto ocurre, puede surgir el lado más oscuro y temible del animal racional, *en forma proporcional a la cantidad de poder que ostenta.* Entonces surge el ser humano cruel, fanático, despiadado, vengativo y criminal. Es el supremo Censurador moral y cultural que vive obsesionado con el poder terrenal.

Nos preguntamos por el fundamento evolutivo del comportamiento inquisitorial tan propio de esta variedad humana. Veremos que el prototipo animal que podría explicar en parte el perfil básico del inquisidor corresponde al *macho alfa,* ese mamífero social con un comportamiento especialmente autoritario, territorial, controlador y jerárquico, con quien se pueden establecer equivalencias claras con la conducta de los inquisidores. Gobierna mediante la fuerza, la coerción y la imposición, puede ser generoso con aquellos que lo aceptan, pero muy agresivo con quienes amenazan su poder jerárquico, como los machos más jóvenes o de otras manadas que quieren invadir su territorio.

El comportamiento del macho alfa animal es *proto-inquisitorial* en el sentido de que toma decisiones de vida o muerte sobre integrantes de la manada, controla, sanciona, reprime, vigila, impone sus términos y defiende constantemente su territorio, que es lo que hacen precisamente los inquisidores, pero estableciendo además un férreo *control psicológico y cultural*, donde todo ser humano crítico con su hegemonía jerárquica es considerado inmediatamente una amenaza a su poder establecido. El macho alfa animal actúa en forma similar cuando se aproximan a su territorio, amenazando o combatiendo para proteger sus dominios. Este fuerte sentido de posesión y control se presenta también en los inquisidores, los cuales se sienten llamados a proteger con vehemencia una gran visión absolutista, todo un dominio y esfera de poder e influencia. Por eso siempre encontraremos en cualquier variedad alfa ese fuerte carácter dominante, buscando imponer sus términos y asumir el control de la situación. El inquisidor se siente así con el pleno derecho de *juzgar*, sentenciar y hacer ejecutar sus dictámenes bajo un régimen autoritario de mando y obediencia.

La estructura inquisitorial es, en parte, la plasmación del instinto territorial, jerárquico y controlador del macho alfa animal, reflejando el deseo de poder de un ego narcisista que siente el impulso de dominar y someter. La organización inquisitorial es la estructura ideal que le permite al ego alfa implementar a nivel social un sistema de autoridad, jerarquía y poder absoluto de los recursos materiales y humanos. Por eso el sistema inquisitorial desarrolla una fuerte vigilancia y control policial de la población, en manos de un organismo centralizado que funciona como servicio de inteligencia, orientado a recabar información para identificar diversos focos de resistencia, disidentes, reaccionarios, traidores... y cualquier organización que pudiese representar algún tipo de amenaza a los intereses de control *monopólico* político, cultural, social y económico, con el único objeto de reprimirlos o destruirlos.

La inquisición formal opera siempre del mismo modo y cualquiera sea su ámbito -ya sea científico, ideológico, económico o teológico- siempre va a obedecer exactamente al mismo perfil, *pues su base evolutiva es la misma*. Este ambiente de intensa censura lleva a una consecuencia inevitable: la formación de todo un sistema represivo basado en una especie de tribunal que investiga y sanciona a los potenciales *herejes* o *desviacionistas* que han pretendido desafiar la autoridad suprema y absolutista del inquisidor. *Así nacen todas las organizaciones feudales.*

Este *supremo juez* ha desarrollado un cuerpo doctrinario mediante el cual intenta fundamentar y justificar frente a los demás su comportamiento dictatorial, todas sus acciones represivas, darles un sentido, una proyección y valor político absoluto. La creación de una doctrina o ideología obedece a la psicología característica del macho alfa como supremo inquisidor. Básicamente es un ente ideológico, pues *no existen inquisidores sin doctrinas ni doctrinas sin inquisidores.*

El ente censurador entiende frente a sí mismo y a los demás que encarna un principio de autoridad universal jerárquica y recurre a la fuerza para imponer sus condiciones, tal como lo hace un macho alfa en el reino animal. Es el germen del dictador y del tirano. Pero dada su fuerte disociación mental, ha generado un cuerpo doctrinario que en definitiva no es más que un medio para respaldar su comportamiento autoritario, *proyectado indefinidamente en el espacio-tiempo.* Necesita justificar muchas veces su crueldad, violencia y sangre fría, su represión, censura y control, la eliminación física de los adversarios, de los herejes, el combate a muerte contra todos aquellos que intentan desafiar su principio de autoridad suprema, y para legitimarse necesita crear un cuerpo doctrinario donde se encuentra el fundamento y el sentido de todo su comportamiento intolerante y represivo.

4

TIPOS DE ANIMALES RACIONALES

Lo que diferencia a los animales racionales ancestrales de los actuales es el desarrollo relativo de las facultades intelectuales y el marco científico-tecnológico, que son el fundamento de nuestra civilización, dando lugar a una gran diversidad de seres humanos con grados variables de egocentrismo y brutalidad. Estos modernos animales racionales *urbanos* siguen fuertemente impulsados por actitudes tribales, siempre deseosos de poder político, económico y el control sobre instituciones, territorios y personas, pero modificados respecto a sus antepasados y adaptados a los nuevos ámbitos culturales y sociales. Como era de esperar, no ceden en sus ímpetus monopolizadores y dogmáticos, asumiendo actitudes inquisitoriales violentas e intransigentes cuando se trata de dar golpes de autoridad y demostraciones de poder, y siempre tienen la suficiente sangre fría al momento de asestar un golpe mortal a quienes consideran sus adversarios o enemigos. Los ejemplos abundan, y son fruto de la gran capacidad adaptativa del ego primitivo gracias a su astucia y oportunismo.

Los animales racionales de la actualidad promueven y financian guerras para destruir a sus adversarios económicos y políticos y construyen estratégicos bloques de influencia para debilitar posiciones contrarias. Son todos los déspotas, fundamentalistas y tiranos en todos los rincones del globo y en todas las actividades humanas, planeando cuál será su siguiente golpe, viendo qué alianzas son las más favorables, calculando cuánto crecerá su riqueza y su poderío. Son los nuevos señores de la guerra, desde la más brutal a la más intelectual. No hay ámbito que escape a esta oscura influencia. Se encuentran manipulando y distorsionando la verdad constantemente en pro de mezquinos intereses partidistas en todos los frentes políticos, religiosos y económicos. Sus palabras no se condicen con sus actos, lo que los deja al descubierto y expuestos, momento en que se tornan agresivos y desafiantes. Reconocerlos es solo cosa de tiempo, lo que depende de su astucia para *lavar su imagen* y el grado de inteligencia y cultura de la sociedad en que se encuentran.

Son todos los cabecillas de organizaciones criminales, liderando operaciones de narcotráfico, lavado de dinero, estafas, contrabando de armas, comercio de esclavos, redes de prostitución, crimen organizado, pornografía y cualquier otra forma de explotación o abuso que otorgue abundante poder y riqueza material. Son los jefes de todas las mafias que siembran la violencia y el terror como instrumentos de dominación. Su carácter animal es evidente al establecer zonas de control y elaborar tácticas para invadir territorios vecinos o combatir a sus adversarios. Están llenos de odio y resentimiento contra la sociedad, y no dudan en asesinar a cualquiera que se oponga a sus planes o deseos.

También provienen de la propia variabilidad de comportamientos y estrategias en el reino animal. Destacamos al ya mencionado depredador y a todos los grandes oportunistas, desde las bacterias hasta los grandes mamíferos. No debemos olvidar al carroñero, especialista en el consumo de desperdicios, cadáveres o restos de cualquier tipo, comportamiento propio de seres humanos siempre atentos a los restos del botín que dejan los vencedores. Incluimos a los parásitos, los cuales han desarrollado una estrategia altamente exitosa y rentable que se encuentra diseminada prácticamente a todo nivel dentro del reino animal, la que fue transferida también al comportamiento del animal racional. Destacamos en especial el perfil parasitario de las organizaciones mafiosas dentro del sistema político y económico para aprovecharse de él, como una estrategia animal donde el parásito extrae su energía del huésped en forma permanente durante toda su vida y además logra pasar desapercibido, ocultándose en el anonimato como si fuese invisible o no existiera.

Pero las variedades más sutiles, complejas y organizadas provienen de animales racionales con cierta educación y cultura, existentes a lo largo de la historia y presentes en todo tipo de actividad humana, buscando siempre la oportunidad de aumentar su poder e influencia y debilitar a sus oponentes. Uno de los atributos sobresalientes de todo mamífero exitoso es su tremendo poder de adaptación a las condiciones cambiantes del medio ambiente, y los animales racionales no han sido la excepción, empleando múltiples estrategias adaptativas que les han permitido *especializarse* para penetrar y conquistar los nuevos nichos creados por la cultura humana.

En la esfera ideológica, los animales racionales vienen elaborando desde hace siglos teorías y modelos de comportamiento social de acuerdo a sus particulares y sesgadas visiones de la naturaleza humana, generando poderosas corrientes ideológicas que cristalizaron finalmente en el siglo XX en el Marxismo-Comunismo y Fascismo-Nazismo. Estos verdaderos *animales ideológicos* han elaborado doctrinas sociopolíticas inspiradas en visiones unilaterales, absolutistas y dogmáticas sobre el comportamiento social, y al propagarse a distintos niveles en la sociedad moderna, han generado violentas disputas intelectuales y enfrentamientos fratricidas que han costado la vida a millones de seres humanos en todo el planeta. Todas las sectas o facciones ideológicas surgen de perspectivas sesgadas y potencialmente confrontacionales, y sus efectos a mediano y largo plazo no hacen más que reflejar todos los prejuicios y limitaciones de los modelos originales.

Dan origen al *inquisidor ideológico*. La ideologización de las masas mediante un adoctrinamiento forzado generó oleadas de fanatismo inquisitorial en los regímenes marxistas y fascistas durante el siglo XX, con sus secuelas de crueldad, violencia y genocidio que han estremecido la conciencia moral de la Humanidad. Los inquisidores ideológicos que detentaron el poder jerarquizado, como Mao, Hitler y Stalin, lo utilizaron despiadadamente para intentar aniquilar a las facciones contrarias en su ciega lucha por el poder total, dejando en evidencia el lado más oscuro y destructivo del animal racional y del macho alfa en particular, que sueña plasmar su anhelo de *poder imperial universal*.

Vemos al inquisidor en la figura del ideólogo y controlador político que se considera el único referente válido frente a la sociedad y pretende legitimarse como suprema autoridad buscando reconocimiento, aceptación o la simple imposición. En el caso del dictador resulta muy claro: él es el gran referente *imprescindible* para los destinos de la comunidad, liderando un proceso absolutamente controlado a través de la represión, el adoctrinamiento o el miedo. Ahí está el macho alfa encarnado en un ser altamente astuto y ególatra que ha concentrado todo el poder y ha generado una inquisición política-doctrinaria con un fuerte sistema de propaganda, control y represión que busca *perpetuar* un poder absoluto.

En el ámbito religioso, la mente rígida y polarizada del animal racional ha desarrollado complejas elucubraciones teológicas sobre el origen y naturaleza de Dios, del Alma, del Diablo, del Cielo y del Infierno, conformando a través del tiempo un grueso cuerpo doctrinario fruto de profundos razonamientos teológicos *dualistas* sobre la Materia y el Espíritu, la Vida y la Muerte, el Bien y el Mal, la Salvación y la Condenación y sobre cualquier dilema religioso imaginable.

Este verdadero *animal teológico* ha parasitado sistemáticamente las organizaciones religiosas a lo largo de la historia y emplea astutamente la teología como herramienta política para ganar figuración, influencia psicológica y poder material, definiendo arbitrariamente lo ortodoxo y lo herético a través de una inquisición formal altamente dogmática que enjuicia y sanciona a los potenciales herejes, vistos como una *amenaza* a su hegemonía psicológica, moral y social.

Da origen al *inquisidor teológico*, que al igual que el ideológico, instala un sistema rígido con una disciplina estricta, donde todos los que se encuentran en los niveles inferiores de la pirámide van a tener que acatar los dogmas impuestos por su mente autoritaria y altamente jerarquizada, lo que se va a proyectar inexorablemente dentro de todo el sistema, generando una poderosa inquisición que va a reprimir, sancionar y perseguir a los potenciales herejes, gracias a un sistema policial que aplica medidas disciplinarias estrictas en contra de todos aquellos que intentan desafiar su autoridad.

Estas inquisiciones han alcanzado grados inverosímiles de crueldad ya que han intentado manipular la conciencia humana y monopolizar las estructuras de poder, lo que ha generado resistencias desesperadas, y han polarizado y fragmentado a las comunidades religiosas originales en sectas antagónicas saturadas de conflicto y violencia, consecuencias que permiten reconocer fácilmente la presencia de los animales racionales en la evolución espiritual de la Humanidad a través de las distintas religiones del mundo, sometiéndolas a un proceso gradual e inevitable de descomposición.

En los orígenes de la Humanidad se verificó una experiencia espiritual muy emocional y concreta, vinculada a una percepción de lo sobrenatural generadora de miedo, superstición e incluso terror. Era una percepción metafísica tribal que encarnó en la figura de un dios iracundo, agresivo e incluso vengativo, la presencia de demonios, dioses benefactores y castigadores y la amenaza permanente de un infierno para las almas pecadoras, es decir, el equivalente a un sistema político o de justicia autoritario bajo el control de una entidad jerárquica patriarcal dominante que recompensa pero que también sabe ser dura, cruel y castigadora, como toda inquisición. Esta es la visión de la vida espiritual propia del animal racional tribal y que dará origen posteriormente a todas las formas teológicas inquisitoriales medievales, caracterizadas precisamente por su dureza, la recompensa y el castigo, el cielo y el infierno como promesas y amenazas para las almas y que correspondería a la creencia que predomina en la mente del animal racional y en general en todas las sociedades tribales.

Observamos que las 3 grandes religiones llamadas *monoteístas* (cristiana, judía e islámica) han formado precisamente grandes estructuras inquisitoriales muy poderosas con gran concentración de poder político, teológico y económico y todo un cuerpo doctrinario altamente desarrollado con una estructura jerarquizada y con gran influencia y autoridad moral sobre la sociedad. ¿Esto es casualidad? Evidentemente que no. Detrás de las grandes inquisiciones teológicas subyace cierto patrón de comportamiento animal heredado del poder del macho alfa que generó inevitablemente un sistema patriarcal controlador y castigador que asumió la vigilancia y represión social y que adquirió carácter absoluto mediante una elevada concentración de poder político. Este absolutismo teocrático o *monopolio de la fe* se observa, por ejemplo, en dogmas como el único Dios *verdadero*, el único Enviado, la única Revelación, el único Camino, la única Doctrina, la única Verdad, la *única Salvación,* mostrando un desprecio o indiferencia total por los mensajes de las otras religiones, elevando a su dogmático dios a una categoría absoluta, exclusiva y eterna. Este absolutismo psicológico permite crear una jerarquía teológica inquisitorial de gran rigidez, violencia y poder de adoctrinamiento, la que terminará *imponiendo su visión* a toda la sociedad.

En el contexto social, el animal racional ha dado paso al moderno *animal político*, que propaga las bondades liberales de las modernas democracias y el llamado libre mercado, donde la ideologización fanática ha sido reemplazada por el dogma de la igualdad, la competitividad, la libertad individual, el lucro y la riqueza material. Su participación en política ha fragmentado esta ciencia en diversas sectas que combaten incesantemente entre sí en un intento por imponer o hacer prevalecer su particular visión por sobre las demás.

En las sociedades actuales vamos a observar a auténticos animales políticos desarrollando diversas corrientes y estrategias en su incesante lucha por el poder terrenal. Suelen tener pocos escrúpulos y escasa moralidad al momento de combatir a sus adversarios, lo que se refleja en agresivas campañas difamatorias en contra de sus enemigos potenciales y reales. No dudan en manipular personas y recursos para favorecer su imagen frente a la opinión pública y ganar adeptos. Son implacables al atacar a sus adversarios y evidenciar sus faltas, pero esconden la cabeza cuando son descubiertos en actitudes moralmente censurables. Son especialistas en lavar su imagen y presentarse como humildes y esforzados servidores públicos. Poseen una gran ambición de poder, y no les importan los costos humanos y materiales al momento de concretar sus propósitos. En casos extremos se comportan como verdaderos mafiosos que imponen por la fuerza sus criterios y nunca son transparentes en sus actos. Mienten en forma habitual, y recurren al *lobby* y la retórica sofista como herramientas de persuasión y desinformación, aplicando diversas tácticas astutas para consolidar su poder, reforzar su imagen frente a los demás, generar alianzas estratégicas para fortalecer o ampliar su autoridad o bien debilitar a sus oponentes o competidores, siempre promoviendo estrategias belicistas que a la larga van a generar un ambiente de alta tensión, agresividad y profundas divisiones.

Los animales políticos siempre tienen como meta el expansionismo, el poder material y el control de las instituciones. Surgen líderes con la pretensión de ser los grandes representantes de la libertad social. Su *negocio* consiste en hacer creer que son esenciales y que la estabilidad y progreso pasan inevitablemente por ellos como intermediarios y legítimas encarnaciones de ese espíritu de libertad, como bastiones de la convivencia civilizada. Por una vía u otra se presentan e intentan convencer que resultan imprescindibles para la estabilidad política de la sociedad, constituyéndose en referentes absolutos, como una forma de inquisición que acusa y condena cuando ese planteamiento es desafiado o simplemente criticado, mientras luchan incansablemente por conquistar el poder y repartirse el botín. No es casualidad que en las modernas democracias, los partidos políticos se encuentran frecuentemente vinculados a diversos fenómenos de corrupción debido al *mercantilismo* del sistema, la lucha encarnizada por un poder efímero que sacrifica la ética y coloca en primer plano la ambición, la hipocresía, la pequeñez moral y en el fondo un espíritu inquisitorial que siempre busca imponer su particular visión frente a las demás.

En el terreno económico y financiero, son los grandes depredadores de recursos naturales que se comen a los más pequeños para ganar más mercado y control. Su ambición y poder son desmesurados, lo que los lleva a continuos enfrentamientos con otros grupos en su lucha por el liderazgo. Logran recrear con gran precisión los combates a muerte territoriales entre los machos dominantes de las manadas. Siempre buscan monopolizar los mercados y tener independencia total respecto a cualquier sistema de control, lo que genera incesantes batallas judiciales y comunicacionales, generando así el perfil propio de todo *animal comercial* con su ambición sin límites, su avidez por el dinero, la riqueza material y el control financiero.

La presencia animal en el ámbito comercial la vemos reflejada además en muchas otras prácticas, como el desarrollo de un sistema económico basado en la explotación de recursos naturales y también del ser humano clasificado como un recurso más, buscando siempre algún beneficio material que adquirió la categoría de lucro dentro del modelo económico denominado capitalismo o liberalismo, que muestra en sus orígenes una elevada dosis de influencia animal a través del comportamiento dominante, insensible y competitivo del macho alfa que explota recursos como un depredador para lograr sus ambiciosas metas y cumplir su sueño de dominación absoluta de los mercados; un verdadero *inquisidor comercial*.

Más allá de cualquier consideración, lo que realmente valora son rendimientos, utilidades, participación de mercado, ranking de ventas, aumento del patrimonio o cualquier otro sistema que le permita analizar en términos numéricos lo que puede lograr o conquistar en su afán competitivo. El animal racional actúa por una recompensa, espera alguna retribución material, concreta y visible que se pueda medir o pesar y le otorgue alguna ventaja sobre sus infaltables competidores.

Esta ambición desmesurada le hace transformar toda actividad humana en un negocio; a todo le pone precio, lo etiqueta, lo transforma en un producto transable, como el mercado de los votos, los cargos y las cuotas de poder, o bien el mercado de la justicia lleno de abogados que lucran con el sistema. Sumemos el mercado de la salud, la educación, las drogas, las armas y la esclavitud humana. No hay límites, la rentabilidad no los tiene, la ambición tampoco. El animal racional lucra con la vida y lucra con la muerte, especula con la necesidad y la desesperación, siempre atento a satisfacer la demanda de recursos a cambio de suculentas ganancias.

Es el animal comercial el que transformó a la Humanidad en un *recurso humano* y a la naturaleza en *recursos naturales* y los incluyó posteriormente en transacciones especulativas en las bolsas de comercio transformándolos en *commodities*. Se suman todas las prácticas sucias de persecución y destrucción de los rivales económicos, las eternas pugnas y batallas comunicacionales, las campañas de desprestigio entre todas las facciones por la hegemonía del poder y el establecimiento de jerarquías indolentes que intentan imponer sus condiciones y controlar a personas y mercados, más todo el ocultamiento, tergiversación y absoluta falta de transparencia de la información comercial.

Finalmente, las facultades racionales llevaron inevitablemente a definir los fundamentos de la ciencia y la tecnología. Auxiliada por su imaginación y lógica, la mente humana comenzó a estudiar la naturaleza y sus recursos en base al diseño de múltiples procedimientos creados para lograr ese objetivo. Este inagotable poder creativo es el fundamento de siglos de investigación y desarrollo material que facilitaron la evolución de la ciencia y la tecnología. La influencia instintiva en la mente del animal racional generó dos grandes procesos: un desarrollo científico-tecnológico *disociado* de la conciencia ética y centrado exclusivamente en cuestiones técnicas focalizadas en la explotación cuasi depredadora de recursos naturales, y por otro lado la generación de corrientes de pensamiento que con el tiempo endurecieron sus posiciones y dieron nacimiento a modernos dogmas filosóficos como el materialismo y su fruto natural: el *inquisidor científico*. Los fanáticos de la metodología materialista terminaron por dogmatizar que la materia, tal cual la definen, es lo único *real* como fuente de conocimiento y verdad en el Universo, y todo lo demás es ignorancia o superstición. Había nacido una nueva inquisición que, en vez de quemar y torturar a los herejes, los sometía a la indiferencia, al descrédito y al ridículo.

El animal racional en sus diversas variedades se caracteriza, entonces, por un determinado perfil psicológico que es el fruto directo de la interacción mente-instinto ya mencionada, adaptado a los diferentes nichos culturales en los cuales evoluciona, aunque siempre observaremos algunas características psicológicas comunes, como el ser astuto, agresivo, vulgar, necio, vengativo, autoritario, controlador, obsesivo, malintencionado, calculador, descalificador, ambicioso, manipulador, ofensivo, celoso, rencoroso, egoísta, sarcástico, arribista, envidioso, insensible, prepotente, cobarde, mentiroso, inmoral, desconfiado, invasivo, orgulloso, mezquino, arrogante, irascible, intolerante, abusador, hedonista, hipócrita, cínico y ególatra.

Su naturaleza animal la advertimos claramente en su fuerte carácter impulsivo, emocional, tribal, racista, territorial, dominante, expansionista y jerárquico.

En la esfera religiosa vemos a un animal racional claramente supersticioso, temeroso, rígido, dogmático, adoctrinador, fanático, censurador y castigador.

En el ámbito político-ideológico se muestra frío, corrupto, sofista, retórico, conspirador, difamador, clasista, absolutista, extremista, déspota, implacable, paranoico, represivo y dictatorial.

En el área financiera-comercial resulta ser un miserable, aprovechador, oportunista, especulador, codicioso, ladrón, estafador, avaro, tramposo, usurero, monopólico, competitivo y explotador.

En casos extremos, el animal racional se vuelve francamente violento, cruel y criminal, que son características perfectamente identificables, por ejemplo, en los líderes de muchos clanes, mafias y dueños de imperios económicos, así como en los dictadores de cualquier corriente ideológica o concentradores de toda forma de poder material, es decir, los *machos alfa humanos*.

Esa experiencia nos sirvió para poder reconocer al animal racional en sus combates a muerte por el poder terrenal e identificar sin lugar a equivocación las diversas formas de dominación en todos los campos del quehacer humano. Pudimos sentir su desprecio por la bondad y la generosidad, su odio, revanchismo y rechazo a toda forma de sabiduría y amor que intentan iluminar el corazón y la mente del ser humano.

La intervención de estos inquisidores fue tan violenta, que la Humanidad pudo generar *anticuerpos* para detectar su presencia, siempre egoísta y dirigida a satisfacer su ambición desmedida. Por fin nos pudimos dar cuenta que *lo que menos le importa al animal racional es la verdad, la justicia y la libertad, lo que menos valora es contribuir a nuestra evolución como Humanidad*. Ahora lo podemos reconocer claramente en todoególatra, manipulador, ambicioso, violento y fanático que pretende manejarnos o concientizarnos con una u otra ideología, tratando de incrustarse en nuestra mente y comenzar a pensar por nosotros; lo podemos ver en todo aquel que utiliza su astucia para explotar recursos naturales y seres humanos *en beneficio propio*.

En este momento evolutivo ya resulta insoportable vivir simplemente como un animal más. Siempre que las sociedades humanas se han visto forzadas a vivir como animales han sobrevenido catástrofes morales o sociales proporcionales a las condiciones aplicadas sobre el sistema. Esto resultó patéticamente cierto durante el siglo XX. En todas las comunidades en que, por la fuerza o el terror, se privó a sus integrantes de desarrollo cultural, se observó una dramática descomposición individual y social.

Nos quisieron someter por la fuerza y hacernos encajar dentro de esquemas y procesos preconcebidos, arbitrarios y dogmáticos, modelos medievales de sometimiento que redujeron a millones a una virtual esclavitud. Estos modelos materiales intentaron retrotraer al hombre en la evolución aplicando la más cruel de las violencias contra nuestra naturaleza propiamente humana, esa excepcional Conciencia que ha sido fruto de la evolución, y obligarnos a experimentar la lucha darwiniana por la supervivencia *animal*. Ese ha sido el origen de muchas enfermedades mentales y morales.

El siglo XX fue una era dominada por inquisidores de todo tipo, en particular los ideológicos, quienes utilizaron todos sus recursos para intentar imponer por la coerción o la simple fuerza bruta su visión utilitaria del mundo, su deshumanización y falta de sensibilidad frente al dolor humano. Torturaron, esclavizaron y asesinaron a millones de seres intentando imponer sus dogmas absolutistas, pero no pudieron evitar que surgieran diversas corrientes de pensamiento y de búsqueda espiritual que inundaron el planeta con su amor, sabiduría y luz inspiradora, que seguramente verán el nacimiento de un nuevo estado de Conciencia Planetaria.

5

EL MACHO ALFA HUMANO

El modelo social jerárquico que se estableció con éxito dentro del reino animal, especialmente entre los grandes mamíferos, vio nacer en su seno el liderazgo del macho alfa, que es el mejor representante evolutivo de ese arquetipo social. Ese orden jerarquizado habría sido transferido principalmente al animal racional, generando la figura del *macho alfa humanizado* propiamente tal.

El ego animal-racional heredó así los atributos psicológicos de dominación alfa, dando origen a un impulso de poder exacerbado, consecuencia evolutiva natural del procesamiento mental de todo el comportamiento de los machos dominantes, donde vuelven a estar presentes los mismos principios de control territorial, autoridad, jerarquía y liderazgo, pero sumando conductas novedosas de adoctrinamiento, represión, terrorismo, crueldad, genocidio…todas las aberraciones propias de un fuerte ego disociado con una conciencia moral casi inexistente, que potenció y profundizó todos los atributos del animal racional común debido a su perfil de dominación alfa.

Si nuestro enfoque es correcto, en muchos seres humanos actuales deberíamos reconocer claramente la fuerte influencia del comportamiento de los grandes mamíferos (monos, chimpancés, felinos, etc.), donde destaca particularmente la figura del macho alfa como líder indiscutible, reconocido por su fuerza física, vigor sexual, control jerárquico, ejercicio de la autoridad, liderazgo, dominio territorial y cuotas elevadas de agresividad y violencia. Este perfil de fuerza, poder y control habría sido transferido a la Humanidad original, generado así verdaderos machos alfa humanizados que comenzaron a recrear este fuerte patrón de comportamiento dominante y habría dado origen a todas las variedades de seres humanos primitivos llenos de ambición, egolatría y crueldad, que siempre se han caracterizado por concretar sus planes expansionistas en base a la conquista de territorios y el sometimiento, explotación o eliminación brutal de sus adversarios.

El animal racional alfa recrea entonces un perfil psicológico de dominación que va a proyectar a todos los nichos culturales, donde siempre está compitiendo por conquistar el éxito. Suele ser posesivo y autoritario y muestra una gran ambición por lograr sus objetivos de poder, prestigio, fortuna y reconocimiento, transformados en una verdadera obsesión. Se quiere imponer por la fuerza, le gusta tener el control de la situación y siempre antepone su autoridad y jerarquía, luchando por la defensa y expansión de sus dominios. Después de millones de años, el perfil alfa fue transferido como un comportamiento muy mecánico e impulsivo, propio de aquellos que luchan por aumentar su estatus y que dividen a los demás en fuertes y débiles, amigos y enemigos, útiles e inútiles, rebeldes y sumisos, pero siempre tomando como eje central el provecho *personal* y la satisfacción de un ego con delirios de grandeza.

Este deseo de dominación ya no correspondía, sin embargo, al ancestral instinto de poder propio del macho alfa animal, pues la interacción con la conciencia mental generó un ego protohumano que dilató vastamente sus fronteras y desarrolló una perspectiva *utilitaria* de la naturaleza y de la Humanidad, generando una mecánica mental de planificación y cumplimiento de objetivos concretos, diseñando estrategias que le permitieran satisfacer su anhelo de grandeza. Este tipo evolutivo lo reconocemos como el auténtico animal racional alfa, dotado de un fuerte deseo de control y que proyectó su ambición dentro de un tiempo mental que en apariencia no tenía límites.

La diferencia fundamental con los animales es que el ego alfa humano puede elaborar estrategias con su inteligencia siempre orientada a fortalecer su poder. Aprovecha toda oportunidad de control para incrementar su esfera de influencia y erigirse como líder absoluto, ya que ese estatus le permite satisfacer su ambición desmedida. Este poderoso impulso va a promover una gran sinergia con el instinto animal, adquiriendo dimensiones dramáticas, pues la disociación mental y emocional se profundizan, dando lugar a reacciones extremas propias de un potencial inquisidor que va a elaborar alguna doctrina absolutista para justificar sus dogmas y comportamiento represivo, expresando fuertes arrebatos de ira, venganza, resentimiento y aniquilación, es decir, todo lo negativo que podemos advertir en un animal racional promedio será llevado a una escala mucho mayor debido a un nivel superior de egolatría e inteligencia disociada, lo que explica el comportamiento cruel y destructivo de las variedades alfa.

En esta clave psicológica, se potencia la figura evolutiva del *ego controlador propio del inquisidor interno*, que a través de una estructura autoritaria despliega todo su potencial de dominación animal, pero exacerbado por una mente ambiciosa que se proyecta a nivel social en diversas modalidades inquisitoriales orientadas a lograr poder político y control psicológico mediante el adoctrinamiento, la represión y el miedo, así como el establecimiento de diversos monopolios que buscan el control total a través de luchas territoriales y la eliminación sistemática de adversarios imaginarios o reales. Esto delata la presencia de los machos alfa dentro de comunidades humanas primitivas, conformando un núcleo de control represivo dentro de una estructura jerárquica liderada por un ser tribal que anhela el liderazgo absoluto. Este es el origen de todos los sistemas feudales, sectas, organizaciones tribales, mafias, dictaduras, guerrillas o cualquier entidad jerarquizada donde existe un líder carismático o un gobierno central que busca el control y la sumisión total. Se va convirtiendo así en un gran controlador o fiscalizador de la comunidad. Es en ese momento que se manifiesta peligrosamente el perfil esencial de todo inquisidor, señalando a justos e injustos, fieles e infieles, inocentes y culpables…

Este sujeto ególatra, que vive para sí mismo *sacrificando al resto de la Humanidad,* corresponde a *la variedad más potente y peligrosa de animal racional,* su coronación y máxima expresión, dominado por una mente siempre focalizada en el control y los beneficios personales, llena de avidez y deseo de reconocimiento que proyecta esa disociación existencial a su entorno, generando así toda la miseria moral en que se ha sumergido la Humanidad debido al predominio de una inteligencia depredadora y cruel que no respeta la vida bajo ninguna circunstancia y que vive de manera completamente utilitaria sin ninguna sensibilidad por el daño que inflige. Es el macho alfa que surge como un depredador embriagado con el poder material, el cual ha instituido sistemas de explotación motivado por su anhelo insaciable de dominación, el pozo sin fondo de una ambición deshumanizante, lo cual ha traído un grave desequilibrio a nuestro planeta y que a estas alturas ya se torna casi insoportable.

Intentaremos desenmascarar la presencia de los machos alfa en base a la identificación de patrones de comportamiento esenciales, los que siempre se manifiestan *potenciados* en los líderes de comunidades con un ordenamiento jerárquico. Estas conductas siempre están presentes en los grandes mamíferos, pero destacan por su intensidad especialmente en los machos alfa, y se vinculan en general al control y al poder. Este orden jerárquico fue transferido a la psiquis humana y al combinarse con las nacientes facultades mentales se vio transformado dentro de un cerebro-mente que ahora comenzaba a actuar en forma totalmente individual, encerrado en su egocentrismo y rigidez conductual. Con la evolución surgiría una mente humana inundada de una animalidad saturada de una gran ambición, que considero un factor clave para explicar las conductas de ira, manipulación, brutalidad y control inquisitorial que vienen siendo practicados sistemáticamente por todos los dictadores a lo largo de la historia.

El narcisista

La disociación mental no podría explicar por sí sola toda la violenta explotación que el animal racional ejerce sobre la naturaleza y la Humanidad, pues debemos agregar la presencia de un ser programado que se fue transformando en una entidad cada vez más *egocéntrica*, gracias a un ego denso, rígido, impenetrable, convirtiéndose finalmente en una entidad real con derecho a la plena existencia. Así se instaló en el corazón de nuestra psiquis un ser esencialmente manipulador, el cual empezó a *justificar* racionalmente todo lo que hacía con el único objetivo de seguir reconociéndose a sí mismo como válido y legítimo. Se estableció así una base psicológica que permitió el tránsito desde el egocentrismo común a una egolatría declarada, potenciada en las variedades alfa.

Actualmente podemos ver en el campo de la psicología que la personalidad ególatra va siempre asociada a un perfil narcisista. Narciso surge en la mente disociada transformado en un ego fuerte, dominante, autoritario, dueño de la verdad, con el derecho de hacer lo que le plazca, sin importar el dolor que cause, inmerso en una profunda disociación existencial. Ese Narciso perdido en su ilusorio reflejo, porta la semilla patológica de todo sádico, cruel y paranoico sumido en su sueño mental de grandeza, hedonismo y vanidad.

Es así que se ha logrado definir con toda claridad el llamado *Trastorno Narcisista de la Personalidad* (TNP), descrito por Wyatt y Hare en 1997:

> "Clínicamente hablando, cualquier persona socialmente disfuncional que se siente autorizada a usar su poder para controlar a otras personas por las que se siente amenazada, o que vive una fantasía pretensiosa en lugar de la realidad, y que se ve a sí misma consistentemente como superior a sus compañeros y anhela ser reconocido como tal, reúne los requisitos del denominado trastorno narcisista de la personalidad"

El TNP se caracteriza por un patrón generalizado de grandiosidad (en la fantasía o en el comportamiento), necesidad de admiración y carencia de empatía, con un comienzo en la adultez temprana y presente en una variedad de contextos, indicado por cinco (o más) de los siguientes aspectos:

- tiene un sentido grandioso de su propia importancia
- se considera especial y único
- requiere excesiva admiración
- tiene un gran sentido de sus propios derechos. Piensa que se le debe todo.
- en sus relaciones interpersonales es *explotador*. Se aprovecha de los demás para conseguir sus propios fines
- carece de empatía y es reacio a reconocer o identificar las necesidades y sentimientos de los demás
- muestra actitudes y comportamientos arrogantes, altivos o prepotentes.*

* http://es.wikipedia.org/wiki/Narcisismo

La Psicología ha logrado definir diversos tipos de personalidad narcisista, destacando dos en particular que encontramos en un sitio web desarrollado por psicólogos:

El poderoso:
Está enamorado del poder y lo expresa humillando o aterrorizando a sus empleados. Arrogante, desprecia a sus subordinados "inferiores". Lo único que importa es su carrera y su éxito.

El furioso:
Tiene *estallidos de rabia* frecuentes debido a su hipersensibilidad ante cualquier ofensa real o imaginada. Tiende a ver malas intenciones en las acciones de los demás. Debajo de esa rabia tiende a esconder tristeza, vergüenza o desesperación.*

* http://www.cepvi.com/articulos/narcisismo6.shtml

No deja de impactarnos la crueldad humana: campos de concentración, tortura, genocidio y múltiples formas de agresión. Pero ¿cuál es el mecanismo psicológico subyacente a toda esa violencia? Por un lado, está la capacidad intelectual del animal racional para el diseño e implementación de distintas formas de barbarie gracias a la evolución de tecnologías genocidas con máquinas asesinas cada vez más eficaces, rápidas y precisas. Este es un factor universal, pero sigue siendo secundario, porque hay algo más profundo en la psiquis animal-racional, que es la capacidad de sentir odio y resentimiento, esa rabia explosiva que ha sido definida en psicología como la *ira narcisista propia de losególatras*, lo cual nos lleva a plantear otro elemento crítico en la génesis de toda forma de violencia: la presencia de un ego que se concibe a sí mismo como algo trascendente, el centro de la creación, una especie de dios tribal censurador y castigador con *pleno derecho a manipular, violentar y destruir.*

La ira narcisista brota de un ego alfa absolutamente autorreferencial con delirios de grandeza que desencadena un patrón reactivo de violencia dirigida a castigar, humillar o perseguir a todos aquellos que amenazan su poder indiscutible. No podríamos entender la violencia humana sin tener presente la existencia de un ego fuerte y posesivo que lucha por afianzar su poder, supremacía y control, descargando su ira contra todo aquel que se atreva a desafiarlo. Podríamos comprender así el origen evolutivo de todos los dictadores, tiranos, inquisidores y líderes *mesiánicos* surgidos a lo largo de la historia sembrando odio, muerte, esclavitud y aniquilación. En la psiquis de todo controlador se encuentra siempre el további macho alfa con toda su manipulación e ira narcisista, el cual necesita reafirmarse para mantener en pie su identidad.

Un proceso crítico involucrado en la génesis de esa violencia området es la resistencia ofrecida por sus oponentes frente al ímpetu expansionista del líder tribal, el cual se enfurece frente a cualquier acto de resistencia contra su poder absolutista. *A mayor resistencia ofrecida, mayor será la venganza y la crueldad aplicadas.* Hay muchos ejemplos históricos de barbarie nacida de este proceso. En estos líderes observamos el mismo patrón patológico de ira, aniquilamiento e impiedad frente a todos aquellos que ofrecen algún grado de resistencia, buscando humillarlos, someterlos, quebrar su voluntad, exterminarlos. Así surge la lógica de la limpieza étnica, la tortura, las violaciones masivas y la desaparición de pueblos enteros, siempre en forma proporcional a la ira narcisista acumulada en la psiquis del ego dominante. Es el sádico que disfruta con el sufrimiento, una de las mayores perversiones mentales y morales en la evolución de la Humanidad.

Este perfil során incentiva inevitablemente el llamado *culto a la personalidad.* Lo encontramos en grandes líderes dictatoriales como Mao, Hitler o Stalin, entre muchos otros, los cuáles sucumben ante el magnetismo del poder sobre millones de seres humanos, activando un mecanismo ancestral de dominación que en el macho alfa se proyecta además hacia el *control emocional y mental*. Así llegamos a lo inevitable: un serególatra que ha desarrollado un narcisismo autocomplaciente, un megalómano que vive para su propia grandeza dominando a los demás. Se constituye así en algo esencial para la comunidad, creando una atmósfera alimentada por su fantasía febril, luchando constantemente por tratar de imponer sus condiciones. Es el caldo de cultivo para el culto a la personalidad, que siempre va acompañado de un abundante aparato de propaganda realzando su figura, supuestamente *imprescindible* para algún gran proyecto social de largo plazo. Surge así un movimiento pseudocultural fanatizado que tarde o temprano derivará en una *secta*.

Todos aquellos sometidos o subyugados por su influencia y poder de manipulación psicológica, quedan finalmente incorporados dentro de una densa esfera de control y pasan a formar parte de una nueva secta ideológica, religiosa, filosófica u otra cualquiera. Si logra consolidar su poder, tarde o temprano va a asumir el control total sobre la población, el caldo de cultivo para que surja el dictador, caracterizado por la acumulación de abusos, crueldad, represión y el clásico *lavado de cerebro* en base a una doctrina que siempre tiene como principio y fin su ego enfermo de ambición y reconocimiento personal.

Este es el perfil que podemos identificar a lo largo de la historia en sectas políticas y religiosas como las más representativas, con caudillos que imponen su culto a la personalidad y un sistema de dominación brutal, constituyéndose finalmente en verdaderos dictadores o tiranos. Son como nuevos señores feudales con un control absoluto de la situación. Pero en algún momento surge un quiebre profundo que inexorablemente va a significar el fin, la muerte de la secta y de su carismático líder, una variedad pseudocultural compleja del macho alfa humano. Ese quiebre es esencialmente interno, moral y dará lugar al ego patológico, sepultado por el peso de su propia mediocridad, miedos y delirios paranoicos al ir en contra de la evolución y activar un proceso de *desintegración humana*.

La evolución muestra una orientación integradora, de menos a más conciencia, siempre buscando su expansión y desarrollo. Al quedar atrapado en su ego, el animal racional sufre las consecuencias directas de esa condición y experimenta un gran deterioro psicológico, que es el destino común a todos los tiranos. Querer vivir como un macho alfa dentro de un proceso evolutivo *humano* tiene un costo muy elevado para la conciencia y eso se refleja claramente en la forma en que evoluciona la individualidad del ego narcisista, pues suele terminar enfermo, despreciado y *ajusticiado*.

PODER Y LIDERAZGO

Cuando el macho alfa acumula poder, aumenta sus dominios y expande su imperio económico, político o militar, *se siente más grande*, de mayor peso y estatura. Es tan fuerte la identificación, que esa ilusión le hace creer que realmente es él mismo el que ha crecido, viéndose como un gran emperador o señor feudal, un poderoso dios que observa sus dominios desde aquellas alturas, un gran feudo jerarquizado que incluye a todos sus servidores fieles y sumisos, entregados al funcionamiento de esa gigantesca maquinaria que crece y crece sin parar. El dios contempla su creación ¡y concluye que es buena!, sentado en su imponente trono giratorio que le permite una visión panorámica de sus riquezas. Es el perfecto macho alfa humanizado que por transferencia evolutiva heredó todos los atributos psicológicos básicos del macho alfa animal, pero personalizados y *potenciados* por un ego narcisista y la poderosa presencia de la actividad racional autoconsciente.

El macho alfa anhela el *monopolio del poder* político, económico o teológico, trabajando incansablemente para expandirlo y lograr el ansiado liderazgo dentro de los diversos nichos culturales. Este fuerte impulso va unido a prácticas autoritarias extremas, siendo especialmente peligroso debido a una ambición que fue *potenciada* por la presencia de un ego insensible y cruel. Ahí radica el peligro real del dominio del macho alfa, ya que tratará de concretarlo por todos los medios posibles y *sin importarle los costos materiales y humanos*. Cuando el desarrollo moral está ausente, al no acceder a la educación y la cultura, vuelven a surgir egos instintivos que apelan a la violencia y el terror para imponerse y monopolizar el poder, promoviendo en muchos casos la eliminación física de sus adversarios, en forma similar a los chimpancés. La mente disociada no reconoce fronteras a la expansión del poder terrenal y por eso los machos alfa humanizados se transforman en una seria amenaza para la Humanidad, pues no hay límites para su ambición, abuso y crueldad, implementando diversas formas de dominación que proliferaron dramáticamente durante el siglo XX.

Entonces, el principal anhelo que mueve al ego alfa en este mundo, es lisa y llanamente, el *poder* y el dominio absoluto, porque al ser la versión humanizada de los machos dominantes tiene muy impresa en su memoria evolutiva los sistemas de dominación. Lucha incansablemente para ir ascendiendo en las jerarquías sociales, proyectando su anhelo de poder al infinito mediante diversas estrategias dentro de una mafia, milicia, partido político, empresa o secta religiosa. Debe escalar posiciones ganándose el respeto o temor de los demás e ir abriendo espacios para su ascenso dentro de la jerarquía tribal. El poder le brinda una serie de beneficios de los cuales quiere comenzar a usufructuar y en la medida que más asciende en la pirámide, más beneficios obtiene y mejora cada vez más su estatus y prestigio frente a los demás, siempre inmerso en su egolatría y *adicción* por el liderazgo. Este deseo es como un saco sin fondo, una gigantesca sed que no se puede aplacar con nada. Se activa así una fuerza expansiva irrefrenable, apoyada por una gran mecanicidad mental que lo mantiene en una inconsciencia profunda y lo esclaviza a un deseo de poder perpetuo.

La variedad alfa hace un culto del poder y termina siendo la *suprema droga* por la cual vive y por la cual muere, como lo haría el peor de los adictos, lo cual ha ocurrido desde tiempos inmemoriales. Pero la droga del poder lleva la degradación humana del inquisidor a niveles críticos, pues va perdiendo la poca conciencia moral que pudo haber tenido en algún momento de su vida y termina sepultado por el propio peso de su programación patológica. Por eso no son raros los estados de perturbación mental en seres que han entregado su vida al juego del poder y la explotación humana. El dominio terrenal se empieza a transformar así en una pesada carga, y a medida que va envejeciendo y perdiendo su fortaleza física y mental, los demás machos ambiciosos empiezan a conspirar y esperan el momento adecuado para eliminarlo, tal como ocurre en las mafias y jerarquías animales. El tremendo costo que tiene este proceso para el animal racional es que su conciencia va profundizando automáticamente en todo el océano de programación animal propia de otros momentos evolutivos. Esta gran presión ejercida día y noche lo va hundiendo en una oscuridad psicológica aplastante. Por eso muchos jerarcas ideológicos y teológicos terminan paranoicos, pues la conciencia se sumerge en un mundo pretérito donde se luchaba a cada instante por la supervivencia.

Este fuerte impulso vuelve al ego alfa altamente invasivo, buscando el dominio absoluto para poder *construir imperios* basados en la fuerza económica, militar, política o religiosa, siendo fiel reflejo de un ser narcisista que se percibe a sí mismo como el centro del universo, sumido en una lucha permanente por recursos que deben ser explotados para su provecho personal, lo que va a originar todas las guerras de conquista, exterminio y expansión territorial.

El imperio siempre ha sido la máxima aspiración, el gran sueño y motivación de todo macho alfa humanizado. En él se inspiraron todos los fascistas por ejemplo (Imperio Romano) y los nazis (Imperio Ario), al igual que los grandes capitalistas y su sueño de crear imperios financieros. La hegemonía imperial representa una suerte de condensación material e histórica de todo anhelo de poder que pueda imaginar un macho alfa sobre la Tierra, y siempre ha sido el gran sueño a realizar, y que muy pocos han logrado conquistar. Los egos alfa siempre han anhelado construir un imperio, han luchado despiadadamente por él y han dado su vida por obtenerlo, pues encarna un gran ideal de grandeza que refleja al propio ego y toda su *megalomanía narcisista*.

Este deseo de dominación lleva inevitablemente a la barbarie, al desatarse la lucha por la hegemonía imperial. Es la eterna pugna histórica por el dominio universal entre bandos irreconciliables enfrentados por el poder terrenal y la supremacía social, una lucha cruel entre variedades alfa que quisieron dominar sobre la Tierra y ello significó guerras tribales devastadoras donde se utilizaron todos los recursos imaginables para lograr el dominio jerárquico y concretar así un anhelo de poder absoluto.

El imperio y su inmensa concentración de poder político, militar y económico despierta las más violentas pasiones, una ambición enfermiza que trastorna la mente de todo ego alfa. Así surge la conspiración política, las invasiones militares devastadoras y genocidas, los golpes de Estado, la corrupción, el crimen político y la crueldad en todas sus formas. Es el anhelo imperial que potencia la agresividad, la bajeza moral, la energía enfocada en lograr la suprema meta de llegar a la cima, de triunfar por sobre los demás y lograr imponerse como el supremo controlador y, por ende, el *supremo inquisidor*.

Tarde o temprano, el macho triunfante ejercerá ese rol de gran inquisidor, liderando todas las formas imaginables de represión. En cada institución u organización social instala una policía política de vigilancia centralizada con plenos poderes para reprimir e *imponer* así un patrón de conducta con normas sociales homogéneas, siempre acompañado de un gran aparato de propaganda, censura cultural y adoctrinamiento *permanentes*.

Así han surgido muchos grandes imperios a lo largo de la historia. Y mientras más primitivo es el macho alfa, más brutalidad, ignorancia, egoísmo y decadencia se podrán observar en todos los niveles de esa estructura, dejando en evidencia la pequeñez moral y ausencia de verdadera cultura, que llevará inexorablemente al enfrentamiento fratricida en una lucha brutal por conquistar el poder supremo. Este proceso ha sido el origen de todos los genocidios promovidos por narcisistas embriagados por el poder y prácticamente ciegos a nuestra dignidad humana. Es por eso que no dudan en someter por la fuerza a cualquiera que desafíe su autoridad y crean grandes estructuras represivas empleando fuerzas militares y servicios de inteligencia para mantener vivo un sueño material a costa de la destrucción moral de la sociedad.

Desde las plataformas de poder político, económico o teológico, las variedades alfa tienden sus lazos hacia la Humanidad y la empiezan a utilizar para lograr sus objetivos, generando así un gran *oscurantismo moral* al traer ignorancia, brutalidad y miedo. En las peores variedades surge el explotador-esclavista, el tirano sin ningún respeto por la dignidad humana, pues no la comprende ni valora y por lo tanto es muy fácil que nos vea como peones que es necesario explotar en aras de un proyecto de enriquecimiento personal, pues necesita a la gran masa de la Humanidad para lograr sus metas que siempre están en constante expansión.

Constatamos así una violenta *deshumanización debido a la destrucción del tejido social, moral y cultural.* Este dramático empobrecimiento indica que el proceso está comandado por animales racionales obsesionados con el poder, sacrificando la riqueza de los vínculos humanos por alguna conquista material. El macho alfa instrumentaliza a las personas, se aprovecha de su debilidad o buena voluntad y termina por destruir los lazos que generan un cuerpo social. Estas consecuencias son inevitables, porque en su realidad psicológica, el valor que le damos a la cultura no tiene la más mínima importancia para un ego que busca satisfacer su ambición a toda costa pisoteando la dignidad humana sin ningún tipo de remordimiento. Las consecuencias inevitables son el debilitamiento y desintegración de nuestra riqueza cultural, la fragmentación de las organizaciones sociales y la inevitable generación de sectas antagónicas que comienzan a luchar entre sí como animales tribales, sumidas en una nube tóxica de odio y violencia.

El macho alfa siempre ejerce su poder buscando la eliminación de quienes representan una amenaza a su dominio e imponiendo un sistema oscuro, represivo y corrupto que nunca podrá generar auténtica cultura. Su psiquis mecánica lo transforma en un depredador lleno de ambición y violencia, por eso corrompe, abusa, tortura y asesina, pues no ha desarrollado un estado de conciencia que genere la necesaria sensibilidad y respeto básico por el prójimo. Esa mente egoísta y calculadora creció a pasos agigantados y terminó por comprometer todo el quehacer humano, *justificando intelectualmente* sus procedimientos y decisiones, dando origen a la desintegración moral individual y social. Y ese es el drama que vivimos a escala mundial: la descomposición se ha globalizado.

Programación y control

Al observar a todos aquellos que combaten día a día por aumentar sus cuotas de poder en el mundo, podemos concluir que uno de sus principales objetivos es que la gran mayoría de las personas no tenga conciencia real de su propia condición *humana* y su potencial ético y cultural, sino que vivan de acuerdo a códigos altamente estructurados y repetitivos, es decir, *condicionados como animales* a una vida llena de automatismos que nos vuelvan altamente predecibles, inofensivos y manejables. Podríamos así comenzar a identificar todos los esfuerzos que han realizado los animales racionales a lo largo de la historia para *generar inconciencia en la Humanidad*, mediante múltiples estrategias que les permiten ejercer algún grado de control sobre nuestros pensamientos, palabras y actos.

Para ello, las variedades alfa manipulan un valor cultural esencial como es la educación, porque tienen muy claro su capacidad para generar conciencia, inquietud y curiosidad, favoreciendo el despertar interior y el anhelo de comprensión y eso ¡no les conviene! Todos los machos alfa que han tenido alguna forma de poder político-social, se apresuran en controlar lo antes posible los procesos educacionales mediante la intervención del sistema, el adoctrinamiento ideológico, la imposición de contenidos curriculares y la censura cultural, que son el *sello de todo inquisidor*, ya que es ahí justamente donde pueden lograr el control conductual mediante la *programación psicológica* con deformaciones doctrinarias. Es el clásico *lavado de cerebro*, uno de los actos más descarados, abusivos y cobardes ejecutado por el ego animal-racional.

El macho alfa necesita *castrar* a la sociedad, destruyendo todo aquello que no concuerda con su particular ideología. Por eso comienza rápidamente a intervenir la educación *a todo nivel*, pues busca tener el control absoluto sobre los flujos de información, pero no para enriquecerla; lo hace para convertirla en algo intrascendente, *inofensivo*, mediocre, sesgado, sin valor real. No desea bajo ninguna circunstancia reforzar a seres humanos con una mayor evolución cultural porque perdería así su influencia y la capacidad de control psicológico. Por eso, lo primero que hace al conquistar el poder es eliminar las amenazas a su hegemonía controlando a la sociedad mediante la grosera manipulación de su tejido educativo-cultural y así lograr la supremacía que tanto anhela y por la cual está dispuesto a *sacrificar a otros*. Esta implacable inquisición terminará por debilitar y destruir el tejido social, generando un ambiente cultural paupérrimo lleno de mediocridad.

El macho alfa manipula el sistema en todos sus niveles porque necesita que las nuevas generaciones lo acepten y no amenacen su liderazgo. Independiente de su inclinación por alguna ideología o teología en particular, el animal racional siempre ha manipulado la mente y el corazón de los niños porque en realidad no comprende ni respeta el valor de la dignidad humana. Le tiene miedo a la generación de conciencia porque su liderazgo se le podría escapar de las manos y perdería el control jerárquico que tiene sobre la población, donde la educación libre y universal constituye una seria amenaza a su hegemonía. El macho alfa es enemigo de la libertad de conciencia y su resultante evolutiva natural, la cultura, cuyo poder transformador solo es posible con una educación de calidad, universal, *libre de toda forma de manipulación y control inquisitorial ideológico-teológico*, para impulsar así el desarrollo del potencial humano sin adulterar ni contaminar ningún aspecto del proceso formativo.

Con esa intervención centralizada, el macho alfa logra un objetivo esencial para sus ambiciosos planes: el control sobre la mente y las emociones desde el nacimiento. Necesita controlar la psiquis para plasmar su deseo instintivo de dominación imperial. Gracias a su ego disociado de toda ética, aspira a construir y liderar un sistema basado en recursos materiales y también en *recursos humanos*. La intervención educacional incluye ese propósito esencial y así, mediante esa grosera manipulación, proyecta a la comunidad su propia imagen de benefactor, líder, protector, algo así como un nuevo e imprescindible *mesías*, como un gran iluminado que viene a mostrar la senda de liberación, justicia y libertad para todos los seres humanos. Surge así una nueva *teología ideológica*, donde el macho alfa es exaltado por un poderoso aparato de propaganda como una entidad fundamental e *irreemplaza-*

ble, transformándose así en un nuevo *dios patriarcal* que debe ser obedecido, adorado, respetado y, por qué no, también temido…

Los inquisidores crean todo un cuerpo doctrinario al más puro estilo teológico, donde ellos son el Alfa y la Omega, el principio y el fin de todo el proceso que empiezan a imponer sistemáticamente a la población desde los primeros años de vida, porque han descubierto la necesidad de que la mente empiece a funcionar en base a un patrón mecánico repetitivo, predecible. Por eso durante el siglo XX vimos a millones de seres humanos altamente fanatizados por el racismo, el fascismo, el comunismo, el nacionalismo o por cualquier ideología o teología, repitiendo un mismo discurso, desarrollando una misma visión, porque fueron concientizados desde pequeños, condicionados a pensar y actuar en base a una programación mental.

Detrás de toda la intolerancia y el resentimiento humano se esconde una mente que ha sido adiestrada con una visión particular del mundo, saturada con una perspectiva unilateral y dogmática de la vida. Esa mente fue sistemáticamente *adoctrinada* para pensar y actuar de determinada manera y terminó finalmente atrapada dentro de su universo ideológico personal, entrenada para la defensa de sus intereses. Es una mente confrontacional, fanática, agresiva y tribal que ha desintegrado la unidad de la vida y le ha puesto colores y etiquetas, dividiendo a la Humanidad en innumerables sectas políticas, raciales, ideológicas y religiosas y que ha comenzado a entender el mundo desde su personal trinchera mental generada durante años y años de programación en centros de adoctrinamiento ideológico y teológico controlados por machos alfa que han alimentado toda forma de fanatismo y resentimiento de una secta contra otra.

Lo anterior guarda cierta similitud con las *campañas de marketing*. ¿Por qué los grupos de poder político o económico invierten cifras multimillonarias en publicidad? No es casualidad ni fruto del azar, sino del conocimiento de la psicología de masas. Se dieron cuenta de la posibilidad de llevar a la población hacia una visión particular que favorezca sus intereses. Por ejemplo, las campañas publicitarias previas a una elección política son muy importantes porque recurren a un elemento clave que consiste en la creación y la venta de una imagen, de tal manera que el candidato se transforma en un producto de marketing que es vendido por una agencia de publicidad para su consumo masivo, orientado a generar credibilidad y confianza, que son elementos muy importantes a la hora de decidir un voto, buscando programar la psiquis a través de la manipulación emocional y mental.

Los machos alfa con poder en esta sociedad tan materialista pretenden controlarnos a través de mecanismos animales inconscientes, reflejos condicionados que no hacen más que fortalecer conductas mecánicas, reforzando programas evolutivos con raíces instintivas. Fue lo que hicieron en el siglo XX, al intentar adueñarse del poder político y económico a través de diversas estrategias, controlando nuestra mente mediante la propaganda, el consumismo y toda la publicidad subliminal asesorada por psicólogos. La dignidad humana fue violentada sistemáticamente por todos aquellos que tuvieron algún grado de poder en este mundo.

Al igual que aquellos que manipulan los genes y la evolución biológica, también existen los que quieren insistentemente manipular la conciencia de la Humanidad y por ende su comportamiento y evolución. La cultura genera conciencia, comprensión y desarrollo ético, el gran activador de nuestro potencial evolutivo como seres humanos. El animal racional sabe que una herramienta poderosa es el control de la información, por eso es filtrada, sesgada, tergiversada, ocultada, mutilada, aplicando innumerables formas de censura, porque sabe que esa es la mejor forma de manipular la mente y someternos a un sistema equivalente a un patrón biológico-genético, imponiendo arbitrariamente nuevos códigos de programación que buscan crear una verdadera *clonación psicológica*, destruyendo la autoconciencia y nuestro potencial cultural y así controlarnos como clones que reproduzcan los nuevos códigos pseudoculturales implantados a la fuerza. Esto no es ciencia-ficción. Lamentablemente, es la triste realidad manifestada actualmente en muchos países dominados por inquisidores con sus malsanas dictaduras.

Desde niños hemos sido inundados por información tendenciosa, con visiones sesgadas de la política, la filosofía, la religión y la ciencia; nos han llenado de visiones disociadas y somos la resultante cultural de ese proceso, pues *la verdad no importa*. Por eso es que seguimos viviendo dentro de un universo desintegrado, una gran esquizofrenia y violencia pseudo-cultural donde cada secta se siente amenazada, combatiendo en una *arena* donde se lucha por ganar espacios para sobresalir respecto a la *competencia*. Todo este comportamiento es el resultado de un proceso mental de atomización de la realidad a través de las aulas y de todas las campañas de publicidad, propaganda y adoctrinamiento. Por eso consideramos natural que compitamos y luchemos por conquistar un espacio vital igual como lo podría hacer cualquier mamífero desarrollado. Después de todo, nos han clasificado como animales *y se espera que actuemos como tales…*

* * *

Cada vez que sometemos a alguien, nos convertimos en auténticos dictadores que viven en un permanente estado de conflicto y violencia sobre aquellos considerados una amenaza potencial a los planes de dominación que pretende imponer todo macho alfa.

Cada vez que pisoteamos la dignidad de otro ser humano, nos estamos comportando como un ser pequeño, intolerante y cobarde.

Cada vez que agredimos o hacemos sufrir a otros, lo hacemos desde nuestra mente primitiva, no desde lo mejor de nosotros, sino desde lo peor en términos evolutivos, inmersos en una oscuridad psicológica que recrea una mecánica instintiva que lleva millones de años sobre este planeta y todavía pretende controlar nuestra conciencia.

Cada vez que insultamos, manipulamos o mentimos, volvemos a ser como esos viejos animales racionales que no comprenden la riqueza de la condición humana porque todavía no han despertado a esa dimensión de conciencia.

Cada vez que violentamos nos desquiciamos un poco más, porque todo lo que hacemos, tarde o temprano, regresará cuando menos lo esperemos, recordándonos el daño que podemos hacer a otros y a nosotros mismos.

Cada vez que cedemos al revanchismo y el odio, nos hundimos en una caverna psicológica de incomprensión e ignorancia.

Cada vez que alimentamos al ego, le restamos espacio a nuestra dormida conciencia superior y alejamos la posibilidad de despertar a nuevas formas de experiencia cultural.

Cada vez que despreciamos, perseguimos y torturamos, nos hacemos cómplices de todos los machos alfa que han hecho lo mismo a lo largo de la historia, de todos los violentos, extremistas y fanáticos que utilizan a otros para satisfacer su deseo potenciado por una mente animal y quieren incentivar en nuestra naturaleza la violencia racial e ideológica.

Nos hacemos cómplices de todos los inquisidores con poder en el mundo actual que nos pretenden utilizar para ejecutar sus ambiciosos planes orientados al poder material y el *control psicológico absoluto…*

6

EL LÍDER TRIBAL

Podemos observar, entonces, dos transformaciones básicas verificadas en nuestra evolución: como vimos, los machos alfa animales mutaron y se transformaron en los machos alfa humanos, los que veremos encarnados ahora en los jefes, líderes, caudillos y déspotas en todos los clanes y tribus que surgieron hace milenios en diversos lugares del planeta, portando una fuerte carga de instinto de poder que fue potenciado por la naciente inteligencia humana. La segunda transformación generó masas humanas que conformaron las poblaciones de todos esos clanes y tribus históricas, las que surgieron como forma evolucionada de las manadas de animales.

Provenimos de una cosmovisión, una genética y un perfil psicológico propios de animales sociales jerarquizados, los que se transformaron en las tribus que dieron origen a la Humanidad ancestral saturada de impulsos primitivos aún presentes en el mundo actual, especialmente en circunstancias de decadencia moral y desintegración de nuestra riqueza cultural. Este ser humano arcaico basará su liderazgo en la fuerza bruta y el deseo de poder, dando lugar a violentas guerras tribales que podemos identificar desde la noche de los tiempos. Todas las tribus actuales o ancestrales tienen como estructura básica a este ser tribal cuya mente quedó controlada por el instinto animal y un ego disociado con elevadas cuotas de astucia, orgullo, ambición, violencia y crueldad.

Corresponde a un prototipo especialmente antiguo que debe haber dominado en las sociedades ancestrales y al que le gustaba imponerse especialmente por la fuerza y el terror. El resultado fue que grandes masas humanas quedaban bajo su control, mientras que otros líderes establecían pactos territoriales o le declaraban la guerra. Estas viejas luchas tribales encabezadas por líderes despóticos no hicieron más que reflejar en los hechos los impulsos de un ser humano programado con una fuerte carga psicológica de instinto animal, buscando imponerse por la fuerza bruta con el fin de consolidar su poder y liderazgo. Este sería el origen evolutivo de todas las tribus que utilizaban tácticas radicales para eliminar literalmente a sus enemigos en su incesante conquista de nuevos territorios y recursos, tal como ha quedado claramente documentado en diversos anales históricos sobre pueblos guerreros especialmente crueles y sanguinarios.

La fuerza del ego instintivo pasó a comandar el comportamiento y generó líderes egoístas y brutales que solían emplear prácticas de exterminio, tortura, esclavitud, sometimiento y humillación. Estos antiguos bárbaros lideraron sangrientas dictaduras en base a la represión y el terror, ejerciendo las formas más brutales de inquisición, donde la vida y la dignidad humana no valían prácticamente nada. Este duro proceso evolutivo fue inevitable, ya que la carga ancestral de millones de años de experiencia animal penetró masivamente en nuestra incipiente esfera psicológica, dando lugar a los auténticos animales racionales tribales y al surgimiento de las primeras inquisiciones formales que reflejaron un ego movido por el deseo de poder, control y riqueza material, encarnado en la figura ególatra del líder tribal.

La conciencia moral era incipiente, al igual que las facultades racionales. Esto hizo que prevaleciera el egoísmo y el deseo de poder y la aplicación de una violencia *planificada*. El ser tribal comenzó a aplicar estrategias para triunfar con un claro afán competitivo, y cuando los egos dominantes quisieron imponer sus términos sobrevino el inevitable enfrentamiento fratricida, dando origen a la espiral de violencia, rencor, odio y venganza que todavía tiene sumergidas en la barbarie a vastas regiones del planeta dominadas por culturas tribales. El deseo insaciable de poder, intelectualizado y *potenciado* por una mente ambiciosa, se había convertido en el principal eje orientador de la especie, modificando radicalmente ese inofensivo impulso de poder de los animales alfa por el dominio jerárquico. Ahora vendría una cruel lucha comandada por el ego alfa, un *superdepredador* que llevaría al sometimiento brutal de los débiles y al desarrollo sostenido de la explotación y el abuso, *principios de toda forma de esclavitud*.

Había nacido así la violencia, la crueldad y el odio entre las tribus humanas originales. No es de extrañar que las variedades más fuertes y dotadas esclavizaran o sometieran a las poblaciones más débiles, las que se vieron obligadas por las circunstancias a desarrollar sus capacidades individuales y sociales para contrarrestar la violencia ejercida contra ellas. Imagino a estas sociedades muy violentas e inestables, con enfrentamientos masivos entre diversas etnias, lo que en definitiva permitió acelerar el duro proceso de ajuste inicial mientras maduraban y se fortalecían todas las cualidades culturales que nos definen en la actualidad.

No podríamos *culpar* a estos antiguos humanos por sembrar la semilla de la violencia y el odio entre nosotros, pues su fuerza moral era muy reducida, la conciencia del bien y del mal era muy restringida. El incipiente órgano mental había sido inundado por energía instintiva, la que fue procesada intelectualmente generando un ego sediento de poder, pero con una voluntad semi-animal fruto de un proceso mecánico previamente programado. Aún el ser humano no era auténtica ni conscientemente libre, pues la mente aún no experimentaba cambios culturales radicales, surgiendo líderes tribales sin fortaleza moral que propagaron la violencia y el terror como estrategias efectivas en sus luchas de poder y de conquista.

Podemos reconocer entonces la figura evolutiva del *animal racional tribal* propiamente tal, es decir, un ser humano ancestral que ha sido depositario de una gran carga de herencia animal, pero potenciada y modificada por la presencia de la actividad racional, un ego narcisista basado en su fortaleza física y el deseo ilimitado de poder. Todos los grandes jefes tribales de la antigüedad siguieron este mismo patrón de dominación alfa que nos permite reconocer claramente la presencia de la forma más primitiva de ser humano que aún domina vastas regiones del planeta, en constante conflicto con sus vecinos.

El historiador Marcel Brion comenta sobre Atila:

> La guerra era para él como un accesorio. Se servía de ella a propósito con los mínimos riesgos y gastos, a cambio de un beneficio real. La evitaba durante todo el tiempo que podía, pero cuando las circunstancias la hacían inevitable, entonces la llevaba adelante con toda la crudeza necesaria y eficaz. Para que cumpliera con su objetivo era necesario que fuese correcta y terrorífica. Se trataba no tanto de matar, sino de asustar.
>
> La ferocidad de Atila [...] era una ferocidad inteligente, es decir, proporcionada al objetivo y a los medios, calculada, aplicada, económica. Sabía que a veces es mucho más saludable hacer torturar a una decena de individuos con la ayuda de una gran puesta en escena que masacrar sin utilidad... No había que matar mucho, sino matar bien, en el momento oportuno y dar a la masacre la publicidad necesaria...[2]

Descubrimos así el prototipo del *guerrero*, encarnado en la figura poderosa del macho conquistador, el combatiente iracundo luchando por sus intereses. Siempre está presente ese espíritu combativo, solucionando sus diferencias como lo hacen a menudo los animales, en una lucha brutal incentivada por la venganza, la dominación imperial o el botín de guerra. Por eso en muchas tribus antiguas vemos permanentes enfrentamientos que llegaban incluso al genocidio al hacer desaparecer a poblaciones completas. Es la extrema brutalidad a la que puede llegar el líder tribal debido a la presencia de una inteligencia dominada por un ego cruel que no duda en aplicar sistemas brutales de tortura, exterminio, esclavitud, genocidio y terror. Así han actuado desde siempre las tribus guerreras, con líderes carismáticos, fuertes, dominantes y siempre en conflicto con otros grupos, considerados una seria amenaza a sus planes de control y expansión territorial.

En cualquier circunstancia en que sienta *amenazada* su supremacía y autoridad, el líder tribal expresa su faceta más destructiva, su lado *oscuro*. Desaparecen atributos propios de seres con el suficiente desarrollo moral para experimentar empatía por el sufrimiento ajeno. El animal racional tribal en su peor versión se convierte rápidamente en un tirano que no respeta la vida y que puede apelar a las prácticas más crueles para tratar de imponer su particular "filosofía". Su actitud despiadada lo llevará a la práctica habitual de la tortura y la propagación del terror como formas de persuasión para poder mantener el control y eliminar potenciales amenazas. En su lógica, el fin justifica los medios, pues carece casi por completo de conciencia moral, llevando la violencia y el exterminio a un nivel inimaginable. Es el orgullo del clan que vuelve al animal tribal arrogante y confrontacional, dispuesto a imponer las reglas del juego dentro de su lógica de dominación y crueldad. Los líderes tribales que existieron durante milenios en este planeta aplicaron políticas de eliminación que en los peores casos incluyó a mujeres, ancianos y niños. Asesinaban, torturaban y esclavizaban. Había que aplicar el exterminio total en base a una aniquilación planificada para aplacar su ira vengativa y establecer un dominio absoluto. ¡Y lo siguen haciendo!

En síntesis, deberíamos observar al animal racional tribal *recreando atributos de las jerarquías animales a nivel individual y social* en distintos contextos históricos y culturales, aunque modificados debido a la influencia crucial de las facultades racionales, tratando de imponerse despiadadamente en aras de un poder efímero que la mente proyecta e idealiza como esencial y trascendente. Esta transferencia habría incluido conductas propias de las sociedades animales más desarrolladas, todo un estado de conciencia orientado al poder, la autoridad, el liderazgo, la territorialidad y el ordenamiento jerárquico, con todo lo bueno y lo malo que ello pudo significar inicialmente para este nuevo estado evolutivo que llamamos ser humano. El ego mecánico reflejaría entonces ese traspaso de códigos evolutivos ancestrales, los que fueron invadiendo la mente y condicionando el comportamiento de esta novedosa entidad racional sobre la Tierra.

Destacaremos las siguientes conductas para establecer equivalencias y visualizar de mejor forma esta posible transferencia de códigos evolutivos:

> *Venganza y crueldad*
> *Imposición jerárquica*
> *Violencia machista*

Las coincidencias no van a ser exactas, debido a la poderosa novedad evolutiva de nuestra naturaleza mental, que al combinarse con el instinto generó una psiquis disociada, egoísta y ambiciosa propia del ego animal-racional, responsable directo de todas las conductas aberrantes ajenas al comportamiento animal original.

Venganza y crueldad

En un artículo titulado *La Venganza de los Elefantes*, al referirse a los violentos ataques de estos animales contra asentamientos humanos en África, el etólogo José Zamorano observa:

> Todos estos elefantes 'conflictivos' compartían algo en común: en algún momento de su vida han sufrido lo que podemos llamar una experiencia 'traumática', en concreto, habían sido testigos de la muerte violenta de algún miembro de su familia a manos humanas o se habían quedado huérfanos debido a la caza furtiva o a los sacrificios selectivos[…] La falta de machos adultos, por su parte, ha llevado a que bandas de machos jóvenes se vuelvan muy agresivos (está documentado cómo la existencia de una fuerte jerarquía *evita la manifestación de comportamientos agresivos*) tanto entre ellos como hacia otras especies. Hasta un 90% de los machos de elefantes jóvenes mueren en peleas con otros machos. Parece pues que nos encontramos ante una generación de 'delincuentes juveniles'.*

* *http://www.jacobita.cl/filosofia-ambiental/la-venganza-de-los-elefantes*

Vemos entonces que la venganza de los elefantes tiene un fuerte antecedente en la brutalidad que ha mostrado el hombre hacia ellos, asesinándolos por miles. Las crías crecen en un estado salvaje al desaparecer la influencia cultural que modela su comportamiento. Se desarrollan bajo condiciones de abandono, dando lugar a juveniles agresivos que tarde o temprano se desquitan contra todos aquellos que han destruido su familia, cultura y sociedad. Atacan aldeas y las arrasan por completo, porque reconocen en el ser humano a un criminal. Ese es el origen del comportamiento vengativo de muchos animales. Al desaparecer la jerarquía natural debido a las matanzas, los animales pierden un aporte crítico a su evolución y se crían de una manera totalmente patológica, su psiquis se llena de resentimiento y violencia, lo que desencadena procesos vengativos que muchas veces tienen consecuencias fatales para los seres humanos.

Sin ir más lejos, comentaré una experiencia personal que viví durante mi niñez. En el patio de la casa teníamos un gallinero. Una de mis "entretenciones" favoritas era molestar al gallo todos los días con un palo de escoba a través de la reja. A veces llegaba a golpearlo en distintas partes del cuerpo, pero el gallo no reaccionaba de ninguna forma, solamente me miraba… Cierto día, de cuya fecha no quiero acordarme, mi madre me envió a sacar huevos frescos. Nervioso, primero observé al gallo. Se encontraba tranquilo y silencioso arrinconado en el fondo, así que descarté cualquier peligro real, aunque entré lo más rápido y silencioso posible. De un segundo a otro y sin haberme dado cuenta, el gallo se abalanzó sobre mi cabeza y empezó a atacarme con violencia inusitada. Me picoteaba una y otra vez con fiereza en la cabeza, la cara, los hombros y los brazos. Salí espantado con un par de heridas sangrantes. El animal se había desquitado, había puesto las cosas en su lugar y restituido el equilibrio, siguiendo la inexorable lógica de la emocionalidad animal que descarga su rabia y su frustración por medios siempre violentos.

Vemos así que el comportamiento vengativo animal es un verdadero *artefacto de la evolución*, una actitud absolutamente forzada, asociada directamente a la destrucción de sus vínculos sociales y la violación del respeto a la dignidad de todo ser vivo y es la vida misma la que reacciona y genera esa respuesta, desencadenada por la inconciencia humana. Entonces podríamos concluir que *la venganza no es ni constituye un comportamiento natural dentro del reino animal*; existe más bien un *ajuste de cuentas*, motivado casi siempre por la agresión y explotación sistemática ejercida por el ser humano sobre la vida en este planeta. Es el animal racional con su ego inconsciente el que se considera dueño de la naturaleza y la somete a una explotación que genera una fuerte reacción emocional, pues los animales no tienen otro medio para expresar su resentimiento.

El animal racional heredó la inclinación a esa liberación emocional, buscando así un alivio a su estado interior de ira e incluso de sufrimiento, aplicando su propio criterio de justicia natural donde todo se resuelve por la vía rápida mediante el uso de la fuerza bruta, pero potenciada y *distorsionada* por la ira narcisista y destructiva del ego tribal, alcanzando dimensiones devastadoras completamente desproporcionadas y ajenas a la simple reactividad animal, generando formas de venganza aberrantes.

Según Jordanes, citado por P. Howarth en su libro *Atila*, las palabras de este líder a sus tropas, antes de iniciar una batalla decisiva contra el Imperio Romano de Occidente, fueron:

> No está bien que yo diga algo común, ni deberíais vosotros escucharlo. Pues ¿qué es la guerra sino vuestra costumbre? ¿O qué es más dulce para el hombre valiente que tomar venganza por sus propias manos? *Saturar el alma de venganza es un derecho de la naturaleza.* Ataquemos pues al enemigo con entusiasmo, porque más audaces son siempre los que empiezan el ataque… Buscad la rápida victoria en ese punto donde surge la batalla, pues cuando se cortan los nervios, pronto se relajan las extremidades y tampoco puede sostenerse en pie un cuerpo cuando le habéis quitado los huesos. Dejad que suba vuestro coraje y estalle vuestra furia…[10]

Esta brutalidad muestra el lado oscuro del ego tribal, una fuerza instintiva encarnada en los grandes depredadores que destruyen la vida de otros animales en forma absolutamente ciega y ajena por completo a cualquier parámetro moral, potenciada por un ego iracundo propio de un chimpancé. Este depredador es la forma más violenta y peligrosa de animal racional, simplemente porque la moralidad se encuentra totalmente eclipsada por el ego, lo que facilita la expresión de la fiera que asesina sin ningún tipo de remordimiento, impulsada además por un deseo ilimitado de venganza y dominación.

La violencia surge en egos demasiado emparentados aún con el reino animal, como un medio habitual para resolver sus disputas, pero en el animal racional se potencia el orgullo narcisista y el deseo de poder, acompañado por una gran rigidez emocional y mental debido a la herencia instintiva ancestral que genera reacciones extremas que impiden liberar la conciencia de sus programas evolutivos. Es en este contexto que surge, por ejemplo, la *vendetta* mafiosa, un comportamiento destructivo que tiene un claro fundamento en el ego tribal, mostrando el mismo ciclo psicológico de rencor–odio–venganza. Es el mismo proceso de los elefantes vengativos: un individuo que ha sido desprovisto de la cultura propia de una pirámide social sana y que ha crecido en un ambiente que lo ha ido embruteciendo con expcriencias cada vez más deshumanizantes.

Al haber tanta violencia y agresividad acumulada en la conciencia y carecer además de referentes morales, su psiquis termina finalmente por colapsar y se embrutece, como un animal lleno de resentimiento por sus torturadores, generando impulsos destructivos y estableciendo la lógica de la venganza. Al estar privados del poder transformador de la cultura, quedan condicionados a estados de conciencia mecánicos y se desencadenan reacciones brutales potenciadas por un ego disociado, como un animal herido que debe imponerse en una lucha cruel que demanda su reactividad descontrolada. Es la destrucción de la conciencia *humana*. El vivir alejados de la evolución cultural nos embrutece y genera un comportamiento que incluso es peor y mucho más destructivo que la violencia de los animales, debido a la sinergia mental de un ego cruel y reactivo con capacidad de planificación a gran escala.

Entonces, un aspecto crítico dentro de la psicología del animal racional es el ciclo de resentimiento, odio y crueldad que observamos desde siempre en la historia de la Humanidad, especialmente en aquellas regiones del planeta llenas de tribus lideradas por machos alfa ambiciosos y déspotas. Estos pueblos han vivido inmersos en guerras crueles y devastadoras durante siglos. Les ha costado mucho salir de esa condición debido a la fuerza del instinto, lo cual no hace más que perpetuar el proceso de barbarie porque el odio tribal se transmite por generaciones, donde la venganza surge como un derecho irrenunciable vinculado al sentido del *honor* que ha sido herido, se ha pisoteado la dignidad y el ajuste de cuentas es la única manera de hacer justicia y recuperar la honra.

El tema del honor alcanzará gran importancia en la estructura social y moral de la gran mayoría de las sociedades tribales a lo largo de la evolución humana. El tomar la justicia en las propias manos ante una deshonra, el buscar venganza para lavar las afrentas se van a transformar en conductas propias de sociedades rígidas y jerarquizadas donde el honor se constituye en un escudo que protege la dignidad, pureza e integridad de un núcleo social. Este impulso vengativo adquirió proporciones devastadoras, pues se profundizó en forma desproporcionada gracias a la presencia distorsionadora del fuerte ego del animal racional. Es por eso que observamos comportamientos vengativos brutales a través de los siglos en vastas regiones del planeta, potenciados por un ego reactivo que identifica a los responsables de su desdicha y frustración, decidido a hacer justicia y castigar ejemplarmente a los saboteadores de su felicidad.

La cadena de actitudes iracundas potenció una barbarie generalizada, creando una red universal de violencia debido a que el animal racional se involucra mecánicamente en este proceso destructivo y no logra adquirir conciencia real del grado de manipulación que la ciega emocionalidad ejerce sobre su comportamiento y termina actuando como una bestia herida, gracias a un ego que activa el deseo incontrolable de venganza y lo convence de su justicia. Este ciclo de inconciencia es el que se repite miles de veces y ha hundido a las sociedades tribales en un callejón sin salida de crueldad inagotable, atrapadas en sus juramentos de venganza, sin poder perdonar ni comprender la programación de su propia mente animal. La venganza tribal, consecuencia inevitable de la acumulación de resentimiento, solo es posible en una mente rígida que no sabe perdonar, controlada por un poderoso condicionamiento que genera descargas emocionales reiteradas, una misma plantilla potenciada y repetida millones de veces en la evolución humana, un impulso inconsciente propio de una mente intolerante y rencorosa que hunde al ser humano en un laberinto de violencia y sufrimiento sin fin.

Esa es la lógica del animal racional y en el mundo actual seguimos viendo ese mismo proceso. Las masacres de hoy son nuevos capítulos de luchas antiquísimas entre diversas etnias, como ocurre con los pueblos semitas, en particular entre hebreos y árabes. Vemos una zona geográfica llena de devastación durante generaciones debido a una psiquis instintiva saturada de resentimiento, un ego duro, orgulloso y arrogante sin mayor conciencia moral ni parámetros culturales más evolucionados. Es la perpetuación del sufrimiento. El otro ejemplo es África, continente inmerso en el genocidio tribal durante generaciones, con grados de crueldad pocas veces vistas en la historia de la Humanidad. El factor psicológico que mantiene esta carnicería es el odio racial acumulado por siglos. Este sentimiento dará lugar tarde o temprano a un deseo irrefrenable de venganza, especialmente en comunidades con poca educación y acceso a la cultura, donde las grandes masas son controladas emocionalmente por líderes crueles y sanguinarios.

Todos los pueblos que no toman conciencia de su realidad, que no reconocen su *propia responsabilidad* en sus desgracias, están condenados irremediablemente a seguir sufriendo en carne propia todo aquello que han contribuido a generar. Aquellos empecinados en destruir o dominar, llenos de orgullo, ira y crueldad, están condenados a recibir de vuelta lo mismo que han creado. Es la ley del equilibrio natural. Solo cosechamos lo que hemos sembrado. *Y esa Ley Universal no cambiará…*

Imposición jerárquica

El impacto del instinto animal en la mente humana generó seres autoritarios, orgullosos y jerárquicos, reproduciendo así el comportamiento de los grandes mamíferos sociales que viven en comunidades muy estructuradas, normalmente controladas por un macho alfa, que ha resultado ser una estrategia evolutiva muy favorable ya que integra a los individuos a un sistema que garantiza su protección, bienestar y reproducción exitosa.

El animal racional, principal heredero de los mamíferos sociales, vuelve a crear jerarquías dominadas por un líder que detenta la autoridad y el control absoluto del sistema, establece los códigos de comportamiento, fija en forma arbitraria lo que es justo o injusto para la comunidad y lo impone bajo un sistema de subordinación, vinculado al necesario sometimiento o eliminación de toda forma de resistencia. Esta es la organización básica presente, por ejemplo, en todas las dictaduras antiguas y modernas, las cuales recrean los códigos de vida tribal originados en el reino animal. Por eso es que el ego alfa promueve estructuras jerarquizadas donde pueda ejercer algún grado de autoridad o control centralizado y, debido a su escasa formación ética, someter a quienes caen bajo su esfera de influencia, imponiendo el control doctrinario y la uniformidad de pensamiento y acto, *conducta universal de todo inquisidor.*

Todas las dictaduras tienen como fundamento evolutivo las jerarquías animales, con un líder autoritario que aplica un sistema de control que castiga a todos aquellos que se atreven a desafiar su principio de supremacía absoluta. Este esquema social rígido lo veremos presente en todas las sociedades tribales a lo largo de la historia, controladas por jerarcas que censuran brutalmente a todos aquellos que amenazan su liderazgo. La sociedad jerárquica siempre es rígida, sólida e inalterable, donde todos tienen un rol asignado y deben cumplir con su tarea al servicio de la estructura dentro de un *sistema militarizado de mando y obediencia*.

El líder tribal va a definir los modos aceptables e inaceptables de conducta, tratando siempre de *imponer* su visión particular del mundo, donde es el referente absoluto respecto a lo que resulta positivo o negativo para sus intereses, aplicando medidas represivas para aplastar cualquier forma de resistencia que pueda atentar contra su hegemonía. Este jefe tribal es infinitamente más peligroso y destructivo que el animal alfa propiamente tal porque su mente le permite planificar y ejecutar un programa involucrando a miles y miles de seres humanos que quedan sometidos al yugo de su dictadura. No puede tolerar planteamientos distintos a los suyos porque podrían debilitar su posición y arriesgar la supremacía que ostenta dentro de la jerarquía del poder, recurriendo a las medidas más extremas para eliminar toda forma de amenaza que pueda surgir contra su autoridad y dominación absoluta. *Esta lógica inquisitorial es la que ha llenado el planeta de genocidio, tortura y campos de concentración.*

El líder se impone por la fuerza y a veces por la violencia declarada, asignando a cada cual una función específica como en las sociedades de insectos, cumpliendo un *programa* conforme a su categoría social. En las jerarquías humanas tribales, el líder es el supremo juez y verdugo. Su sello característico es el control de la pirámide del poder, imponiendo un sistema jerárquico que suele ser violento y represivo y generar un ambiente psicológico de inseguridad y temor.

Mientras más primitiva es una organización social, más dura es la conducta inquisitorial de un líder carismático que concentra todo el poder. Suele ser feroz, lapidario, con una férrea disciplina, aplicando la fuerza bruta, el terror y las medidas más drásticas con el fin de defender su autoridad mediante estrategias de manipulación y control. De esta forma, vamos a poder reconocer siempre a las inquisiciones ancestrales, a menudo más salvajes y crueles, encarnadas en jerarcas que asumen el control total. El patriarca como figura tribal por excelencia es la encarnación misma de ese poder inquisitorial, siempre presto a reprimir a quienes desafían su autoridad suprema.

En las organizaciones tribales, el individuo pierde por completo su autonomía, pues queda anulado por una conciencia superior más fuerte y dominante que lo obliga y condiciona a obedecer y respetar un código estricto,
marcial, a someterse como un vasallo a las órdenes de su señor feudal. El
capo, por ejemplo, demanda constantemente demostraciones de sumisión
y sometimiento a su autoridad, siendo la organización mafiosa uno de los
mejores ejemplos, además de las dictaduras y tribus ancestrales, para entender el comportamiento del animal racional tribal a partir de un cuerpo de
conductas básicas presentes en las jerarquías animales. El autor de *El G-9 de
las Mafias en el Mundo* comenta:

> Una mafia es una sociedad *militar y feudal*. El individuo desaparece detrás
> de la organización, queda inscrito en una pirámide jerárquica y estricta, en un
> sistema vertical. Cada miembro se une con vínculos de fidelidad a su superior
> directo, dentro de una relación de vasallaje […] Se trata de un sistema holista,
> contrario a cualquier individualismo, que exige una obediencia y sumisión
> absolutas. El mafioso ejecuta las órdenes recibidas sin discutirlas, so pena de
> muerte.
>
> La disciplina de una mafia es de tipo militar. La obediencia ciega. Una orden
> no se discute bajo ninguna circunstancia, sea cual sea su contenido. Como le
> dijo el *Boss* Paul Castellano a Salvatore Gravano en su ceremonia de iniciación:
> 'Cuando el Boss te convoca, debes acudir […]. Aunque tu hijo esté a punto de
> morir y no le quede ni un cuarto de hora de vida, debes acudir. Si te niegas, te
> mataremos. Una orden del jefe tiene preferencia por sobre todo. […] Yo soy el
> jefe. Yo soy el padre de la Familia. *Yo soy tu Dios*'.[8]

En todas las jerarquías primitivas, incluyendo las eclesiásticas o castrenses, siempre se forman clases o niveles sociales, lo que da lugar en definitiva
a una *mentalidad clasista* y discriminadora. Se fomenta un ordenamiento
rígido donde la población queda totalmente condicionada a una categoría
específica dentro de la pirámide, pues *debe* someterse a un escalafón con sus
códigos de conducta específicos, de tal manera que se hace prácticamente
imposible escapar a ese molde. Se fortalecen así verdaderas *castas* o categorías
sociales excluyentes que desarrollan sus propios códigos de reconocimiento
y, por ende, *de aceptación o rechazo* hacia individuos externos al grupo.

Esa segregación ha desarrollado filtros de seguridad para conservar así la
pureza de sangre e impedir la contaminación o mezcla por influencias forá-

neas de personas que podrían traer otras costumbres o valores considerados como *amenazas potenciales al statu quo*. Para evitar ese riesgo de contaminación y lograr mantener su identidad, se aplica entonces ese sistema de seguridad clasista que ha sido impuesto por los machos alfa para proteger sus parcelas de poder tribal. Debemos observar que los seres humanos clasistas son altamente jerarquizados en su vida, o sea, funcionan en base a categorías sociales que obedecen a una condición psicológica que derivaría de una estructura que tiene su modelo original en los grandes mamíferos y los egos tribales van a recrear este mismo patrón de segregación. Ese sería el origen de todo el sectarismo y estratificación social que anidan en la mente instintiva del animal racional.

Algo similar crearía la segregación racial. Al identificarse con una etnia en particular, el animal racional internaliza en su psiquis los códigos propios de su tribu versus los códigos culturales de otras comunidades, las que tarde o temprano van a representar una posible *amenaza* a su hegemonía o seguridad. Este sería el origen animal del racismo humano, y no es casualidad que en muchas sociedades jerárquicas, sus integrantes sean altamente racistas, como una forma de orgullo tribal. Cuando su territorio es amenazado por otros clanes, también altivos y arrogantes, surge el conflicto inevitable por la supremacía y los enfrentamientos pueden llevar incluso al exterminio racial, pues se exacerban emociones violentas estimuladas por una mente mecánica saturada de conflicto que aplica políticas de exterminio y *limpieza étnica* en una espiral de violencia que puede abarcar incluso a un continente entero, como es el caso de África, donde encontramos sociedades tribales que, como vimos, se vienen masacrando desde hace siglos. El racismo estaría asociado así a un fuerte *sentido de pertenencia* a una cierta etnia, tribu o cualquier secta, logia o elite con la cual nos identificamos y asimilamos sus particulares códigos de conducta, principios y visión de la vida al reconocer ese microuniverso con sus propios símbolos.

El orgullo del clan nace de un proceso profundo de identificación cultural fomentado durante toda la vida, asociado a ideas de protección, estatus y lealtad, lo cual nos torna agresivos y desafiantes al establecer una barrera psicológica entre una tribu y otra. Es el orgullo tribal de compromiso incondicional y el rechazo y enfrentamiento a cualquier agente externo que atente contra el poder y la unidad interna del grupo, que siempre alimentó el ego de todos los animales racionales con su ambición de poder y liderazgo. Lo observamos persistentemente en todas las organizaciones militares, eclesiásticas y en general en cualquier organización jerarquizada donde los núcleos de poder proyectan una imagen sólida de valor, fortaleza y dignidad frente a los demás.

Esta jerarquía clasista y racista la llamaremos *pirámide oscura*, pues recrea el oscurantismo propio de la *vida feudal* en términos de conciencia, libertad, sabiduría, educación y cultura. La vida se vuelve rígida, monótona, sombría, se estanca su flujo natural y esa estructura termina siendo una cárcel, un sistema represivo donde la conciencia queda absolutamente asfixiada. Ese es precisamente el oscurantismo feudal: la ausencia de apertura hacia la luz de la sabiduría universal, *latente en nuestro interior*.

Todo mafioso y dictador genera una estructura piramidal distorsionada *anticultural* que consideramos la antítesis de la pirámide de evolución natural de la conciencia que siempre quiere ir de menos a más. Amamos la cultura porque nos permite crecer, profundizar nuestro desarrollo ético, científico, artístico y filosófico. Tenemos una especie de fototropismo positivo pues siempre buscamos esa luz que llamamos conocimiento, sabiduría, realización, conciencia. Pero el drama del mafioso y de todo ser tribal es que de pequeño se incorpora a una jerarquía *deshumanizante*, aplastante, controlada por un macho alfa narcisista que ha desarrollado durante toda su vida comportamientos violentos. Eso es precisamente lo que va a incentivar en las nuevas generaciones porque *es lo único que puede transmitir,* pues su conciencia no pudo asimilar ese trascendental impulso cultural que resulta esencial para nuestra evolución.

Estas jerarquías rígidas promueven un verdadero *oscurantismo fruto del sometimiento, la ignorancia y el miedo*, pues no existe realmente un proceso que incentive el crecimiento interior, el desarrollo ético, la cultura y la educación. Eso es lo que ocurre precisamente en todas las edades oscuras que ha vivido la Humanidad, donde proliferan dictaduras ideológicas y teológicas. No es casualidad en absoluto, por ejemplo, que, en la Edad Media europea, el oscurantismo haya coincidido con un férreo orden jerarquizado con pirámides sociales muy rígidas bajo el control teológico y castrense. Son dos grandes núcleos de poder jerarquizado que imponen un fuerte control moral, educacional y cultural, los cuales siempre han tenido diversos filtros para clasificar a los demás como amigos o enemigos a través del reconocimiento de ciertos códigos, una especie de *genética cultural* (y también biológica) que es la base de todos los sistemas de castas o categorías sociales, económicas y culturales que segregan a la Humanidad hasta el día de hoy.

Al parecer, este sistema jerárquico teológico-militar se habría potenciado entre sí por un período que duró prácticamente mil años, donde se observa una gran concentración de poder terrenal, imponiendo controles psicológicos y culturales intensos mediante diversas formas de dominación. Tampoco es casualidad que esta sociedad feudal haya sido altamente clasista, pues lo que hizo en el fondo fue recrear una organización social primitiva, sometiendo a la Humanidad a niveles sociales muy rígidos, promoviendo el *rechazo o desconfianza* hacia los demás. Es el principio de *exclusión de casta*, fortaleciendo la segregación y la incomunicación de la sociedad, fruto inevitable de la disociación mental del ego tribal, incapaz de concebir la unidad e integración de la Vida. Las edades oscuras son el paraíso para los animales racionales pero una prueba muy dura para todos aquellos que aspiran en su mente y en su corazón a tener un poco más de luz en sus vidas cada día.

Después de estas observaciones, más de alguien podría concluir que el sistema jerárquico en sí es un sistema *perverso*, al incentivar el abuso, control y dominio de los machos alfa. Pero ocurre que dentro de los grandes mamíferos, el orden jerárquico es un sistema natural que se desarrolló notablemente y ha demostrado gran éxito evolutivo. *La distorsión radica en el ego animal-racional* surgido en el seno de una mente disociada, en particular el poderoso ego narcisista del macho alfa humano, quien *instrumentaliza* los sistemas jerárquicos y asume un control dictatorial que ya no es realmente el control del macho alfa animal dentro de un contexto natural. Ahora nos encontramos dentro del reino humano y el ego dominante ha asumido un control patológico, obsesivo, basado en la represión e imposición vertical, dando lugar a un sistema rígido dirigido exclusivamente a fortalecer su liderazgo y los dogmas y privilegios de la casta gobernante, sumiendo a millones en la ignorancia, la explotación y el miedo. Es la mente imperial que ha *diseñado* un sistema inquisitorial de control, abuso, represión y poder dictatorial, al cual aspira y constituye la suprema meta por conquistar, proteger y expandir.

Violencia machista

Como heredero directo del macho dominante, el alfa humano recrea ese impulso, pero desfigurado de múltiples formas; una de ellas es el machismo. La mujer pasa a cumplir un rol absolutamente secundario, porque el poder del macho alfa se basa en una mente cruel y posesiva, la agresividad y la fuerza bruta, y al igual que el animal, debe combatir para imponerse mediante golpes de autoridad. Dentro de ese esquema altamente competitivo en el cual tiene que sobrevivir, la hembra queda relegada a un segundo plano en el esquema de dominación debido a su inferioridad física y ausencia de testosterona.

El macho alfa humano siempre busca el sometimiento y el control psicológico y la mujer no escapa a esa influencia. No es raro que la utilice como reproductora o un mero objeto de placer y servilismo, lo que va a tener varias consecuencias psicológicas y sociales, quedando reducida a una condición casi de hembra, siendo sometida de diversas formas. Políticamente suele quedar anulada, porque el macho dominante no permite que nadie opaque su brillo de líder, y la va a confinar y someter a su control bajo una relación de mando y obediencia. Dentro de estas jerarquías tribales, la mujer pierde gran parte de su valoración humana propiamente tal y va a quedar restringida a las funciones que el macho alfa considera las más relevantes o necesarias.

Todos los sistemas políticos *patriarcales* que identificamos desde la noche de los tiempos darán origen al dominio machista tribal, con líderes caracterizados muchas veces por su violencia e imposición dogmática de códigos morales y sociales sobre las mujeres, reduciéndolas muchas veces a la categoría de siervas sometidas, abusadas y siempre consideradas seres inferiores. El machista (cobarde por naturaleza) ataca al más débil en un intento por destruir su dignidad, que es prácticamente una condena a la muerte social, al rechazo violento y masivo de la comunidad. Por eso acude constantemente a la violencia sexual, ya que pretende quebrar la dignidad de la mujer y deshonrarla como supremo castigo que el inquisidor ha decretado como justo y necesario. Las sanciones más duras adquieren múltiples formas y bajo todo tipo de circunstancias, ya que en las sociedades tribales la mujer termina siendo censurada y castigada duramente por cualquier desviación a la rígida moral sexual impuesta por el código tribal inquisitorial.

Aunque todo sistema jerárquico gobernado por un macho alfa es esencialmente machista, los grados de sometimiento y explotación sobre la mujer van a depender en general de la influencia que pueda tener la cultura. Cuando el líder es más bruto, ególatra e ignorante, y no ha desarrollado estados de conciencia más humanos, a la mujer la puede golpear, explotar, vender, comprar, prostituir y esclavizar. Así surge de hecho la *esclava sexual*, que nace inevitablemente del dominio impositivo que ejerce el macho patriarcal sobre una comunidad esencialmente tribal.

Muamar Gadafi, el coronel que gobernó Libia durante 42 años bajo un régimen feudal, es un buen ejemplo de lo anterior. A continuación, extractos de un artículo periodístico que incluye testimonios de una bella joven violentada y sometida a esclavitud sexual, la cual fue raptada por el dictador e incorporada por la fuerza a su harén a los 15 años de edad:

> Durante las tres primeras noches, Safia baila sola ante Gadafi. La mira pero no la toca. Simplemente dice: *"Serás mi puta"*. La caravana vuelve a Sirte con Safia en el equipaje.
>
> La noche del regreso, ya en palacio, la viola. Ella se resiste. Él le da de palos y le tira del pelo. Ella intenta huir. Mabrouka y Salma (las serviciales regentas del harén del dictador) intervienen y la golpean. "Continuó durante días. Me convertí en su esclava sexual. Me violó durante cinco años".
>
> En el jacuzzi que tiene en su habitación, y desde el que consulta su ordenador, exige juegos y masajes. Obliga a Safia a fumar, a beber whisky…, a esnifar cocaína. Ella la odia. Tiene miedo. La segunda vez sufre una sobredosis y termina en el hospital de Bab el Azizia. Él la consume sin cesar. "Siempre estaba bajo sus efectos y nunca dormía".
>
> Ella hubiera querido que Gadafi sobreviviese, que hubiese sido capturado y juzgado por un tribunal internacional. Durante todos esos meses no pensaba en otra cosa. "Me preparaba para enfrentarme a él, para preguntarle, mirándolo a los ojos: ¿Por qué? ¿Por qué me violaste? ¿Por qué me golpeaste, drogaste e insultaste? ¿Por qué me enseñaste a beber y a fumar? ¿Por qué me robaste mi vida?". *

* El País, 20 de Noviembre de 2011

Esperamos que los contenidos de este ensayo ayuden a responder a esas preguntas dramáticas, a comprender el comportamiento de los machos alfa pseudo-humanizados, degenerados y corrompidos por el poder material. Ojalá nos permitan entender con claridad las consecuencias del poder en manos de machos narcisistas psicópatas desvinculados de la cultura y de valores propiamente humanos, atrapados en la funesta ilusión del hedonismo y el poder jerárquico sobre comunidades tribales llenas de miedo, superstición e ignorancia.

Podríamos agregar cientos o miles de ejemplos más que demuestran la presencia brutal de los animales racionales en todos los ámbitos imaginables. Cuando la mentalidad dominante se llega a potenciar y se activa verdaderamente dentro de algún núcleo social tribal, surgen las formas más brutales de inquisición y sometimiento, como los talibanes, quienes se sintieron llamados a *imponer* su pretendida justicia a sangre y fuego al tratar de asesinar a la joven paquistaní Malala, que después de recibir el Nobel de la Paz, sigue luchando por la educación de las niñas tras ese cobarde atentado.

$$* * *$$

No es casualidad observar que, en aquellas zonas geográficas con poblaciones humanas alejadas de la evolución cultural, existe una gran rigidez y brutalidad en sus costumbres, cuya mayor evidencia es el comportamiento tribal. Ya vimos que esta conducta tiene claros vínculos con las sociedades animales jerarquizadas y tal vez por eso los códigos morales, legales y de relaciones sociales son tan duros, estrictos y lapidarios; podríamos llamarlos *draconianos*. En este contexto, la vida humana va perdiendo su valor esencial a nivel individual y colectivo. Surge la masificación de sanciones brutales y crueles que reflejan de algún modo la total indiferencia frente a la muerte observada en el mismo reino animal, donde todos los días se vive y se muere en forma rápida, rutinaria e impredecible. No hay ningún drama, impacto o reflexión moral. Esta suerte de *banalización de la muerte* se comienza a hacer presente cada vez más en las comunidades tribales, especialmente al ser gobernadas o controladas por animales racionales del peor tipo.

Esta brutalidad se debe a una percepción particular que tienen los animales racionales de su propia existencia y valoración como seres humanos, pues empiezan a considerarse a sí mismos y a los demás como animales. Por lo tanto, la vida humana va perdiendo cada vez más su valor como tal y se llega a una convivencia muy cercana a la de las sociedades animales, donde se mata, se vive, se muere todos los días en un contexto de alta inestabilidad e inseguridad física. El animal racional, tal vez inconscientemente, comienza a vivir de la misma forma, a matar y morir en un ambiente de relativismo e impunidad donde ya no está matando a un ser humano, simplemente está eliminando a un animal igual que él.

Esta grosera relativización del valor de la vida es la que comenzamos a observar con crudeza dentro de las sociedades tribales, con el consecuente deterioro de la conciencia ética. Este proceso lleva a prácticas de exterminio masivo, tortura, venganza y odio en luchas fratricidas interminables, todo ello producto de esa tremenda relativización y pérdida del valor ontológico de nuestra propia humanidad al vivir aislados del proceso de evolución cultural. Esta ha sido la historia de muchas sociedades tribales, las cuales finalmente han desaparecido, ya sea por guerras violentas o exterminios sistemáticos de una secta contra otra, donde el ser humano como tal pasa a transformarse en un mero número, una estadística, una masa anónima sin conciencia, sentimientos ni dignidad.

Esta crueldad deshumanizante también se refleja en las llamadas civilizaciones modernas en todos los ámbitos donde existen fuertes luchas de intereses por lograr poder político, económico o el control psicológico sobre seres humanos o recursos de cualquier naturaleza, que es lo que incentiva especialmente a los machos alfa.

Vemos la banalización de la muerte proyectada en el mundo de la industria televisiva, de videos y cinematografía, que genera miles de producciones saturadas de asesinatos violentos, verdaderas carnicerías humanas, películas con psicópatas, zombies, asesinos en serie, violadores, torturadores, todas las formas de masacres y sadismo, donde nos tratan como rebaños que son constantemente sacrificados por seres tribales que luchan brutalmente por conquistar territorios, generando oleadas de asesinatos y crueldad a nivel mundial. Ahí está encarnada esa trivialización de la muerte, donde la vida humana se transforma en algo absolutamente prescindible, en una moneda de cambio para lograr un objetivo.

La banalización de la muerte se proyecta en campañas militares con armas sofisticadas cada vez más destructivas donde se invita a asesinar en forma despiadada en aras de un supuesto orgullo, venganza o ajusticiamiento tribal, o bien algún argumento fascista de seguridad, patriotismo o defensa del Estado para justificar la militarización, vigilancia y represión de la sociedad. Aparecen aviones no tripulados con bombas devastadoras que masacran a ancianos, mujeres y niños a miles de kilómetros de distancia en forma anónima y cobarde, francotiradores, cabezas nucleares que amenazan a millones de seres humanos y genocidios de venganza tribal, donde la vida humana no vale nada al quedar reducidos a una condición de rebaño que puede ser destruido en cualquier momento gracias a la frialdad política y a todas las luchas de poder alimentadas por caudillos corruptos. Es el abuso manejado políticamente, junto al embrutecimiento masivo de poblaciones enteras saturadas de pornografía, drogas, fanatismo y violencia a través de todos los medios imaginables. Es la pérdida de nuestra conciencia superior, extraviada en las callejuelas de los nuevos imperios tribales políticos, económicos y teológicos.

COMENTARIO PRIMERA PARTE

Si integramos el perfil psicológico del animal racional, el inquisidor, el macho alfa y el líder tribal, se conforma una verdadera *mentalidad feudal* asociada a toda forma de barbarie, ignorancia, fanatismo y violencia inquisitorial presentes en muchos momentos de la historia humana. Es el ego con su visión estrecha recreando el miedo y la agresividad propios de una mente sumida en las tinieblas, inmersa en una condición que no le permite visualizar o intuir otros senderos, aplastado por el peso de las circunstancias en un mundo oscuro y decadente lleno de extravío, violencia e incluso locura, debido a la pérdida de su conexión interior. Esa mente programada es la que ha generado todas las edades oscuras, caracterizadas por la prevalencia de innumerables feudos con líderes gobernando sistemas rígidos, militarizados y jerárquicos, el caldo de cultivo para el nacimiento de todos los dictadores e inquisidores.

El feudo exterior como organización social es una *proyección del propio feudo interior* creado por un ego alfa autopromovido como supremo controlador, que se protege en su interior al percibirse rodeado de amenazas, invasiones, destrucción y muerte. Construye su fortaleza con sólidos muros que lo aíslan del mundo, levanta torres de vigilancia y se dispone a combatir junto a sus ejércitos. Es el feudo interior que el animal racional va a proyectar externamente de un momento a otro, quedando inmerso en un gran sistema de violencia tribal como reflejo de su propia realidad psicológica primitiva.

Da la impresión que esta mente primitiva ha regresado al mundo actual en distintas claves. Vuelven ciclos de oscuridad racional, ética y en última instancia, espiritual, donde perdemos la guía interior y empezamos a deambular llenos de temor, frustración y violencia. Olvidamos el sentido de nuestra vida, nos sentimos amenazados y deseamos construir muros y mecanismos de defensa cada vez más sofisticados en una recreación de la lucha por la supervivencia animal. Empezamos así a desarrollar nuestros propios feudos de aislamiento existencial y proyectamos hacia afuera toda esa inseguridad creando sistemas de vigilancia, aumentando la militarización de la sociedad, la carrera armamentista y toda la paranoia de los servicios de inteligencia.

Proliferan nichos de locura, fanatismo, desquiciamiento moral, pesadillas, depresión, esquizofrenia… Volvemos a perder la clave de nuestra dignidad propiamente humana y nos vemos inmersos en nuevos feudos llenos de barreras y de controles, con sistemas policiales cada vez más duros, violentos y abusivos. Es la plasmación de la propia disociación mental que el animal racional proyecta como realidad concreta a su existencia, donde todo empieza a desintegrarse en múltiples feudos rodeados de alambradas y cercos eléctricos. Es la paranoia individual y social. Nuestra visión se vuelve plana, concreta, de corto plazo, sin profundidad ni intuición; es la mutilación de nuestra condición humana más noble, la muerte de la unidad de la conciencia.

Es así que el planeta se ha comenzado a llenar nuevamente de señores feudales que imperan en sus dominios y se involucran en cruentas luchas tribales por fortalecer su poder, con licencia para destruir y violar derechos humanos esenciales. Son los nuevos animales racionales alfa encarnados en jerarcas dictatoriales, cabecillas de sectas y controladores de nuevos imperios y poderes fácticos en todos los ámbitos de la cultura humana, trayendo oscuridad, represión, miedo y sometimiento. Son los nuevos señores de la guerra, los nuevos inquisidores protegidos dentro de sus feudos con muros físicos y psíquicos cada vez más impenetrables, siempre listos con sus ejércitos para destruir a sus enemigos y expandir sus dominios.

Ahora podemos entender el inmenso sufrimiento que experimentó la Humanidad en el siglo XX. Quisieron pisotear nuestra dignidad y tratar de implantar por la fuerza patrones de programación animal en nuestras mentes. Vimos el avance implacable de todos los machos alfa que intoxicaron el mundo con su presencia tratando de controlar las riendas políticas y económicas, generando una gran descomposición social. Afortunadamente, comenzamos a darnos cuenta cómo había proliferado la barbarie a nivel mundial; en forma lenta pero inexorable, la corrupción de los grandes animales racionales comenzó a quedar al descubierto. Todo el proceso de agitación social vivido en este siglo XXI asociado a protestas masivas, caída de dictadores, indignación, denuncias de toda forma de corrupción, rebeldía, análisis crítico de nuestra realidad moral, sociopolítica y económica, forman parte de una nueva etapa en la evolución humana después de la muerte de las ideologías y el agotamiento de las democracias.

Se ha iniciado un proceso irreversible de destape de toda la suciedad acumulada durante décadas y décadas de corrupción. Ahora empezamos a ver realmente las consecuencias del poder que los animales racionales llegaron a tener, descubriendo hasta qué grado penetraron en todas las estructuras sociales. Recién comenzamos a darnos cuenta cómo parasitaron todo nicho cultural, aplicando despiadadamente sus prácticas de represión, esclavitud y manipulación psicológica. Lo observamos en el gigantesco crecimiento de las cadenas mundiales de narcotráfico, prostitución infantil, comercio de esclavos y lavado de dinero. Recién comenzamos a tomar conciencia cabal de toda la corrupción en el mundo político y financiero, viendo el verdadero grado de descomposición al cual llegamos como Humanidad.

Tenemos así una nueva perspectiva para comprender nuestra evolución sobre este planeta y ver las variables psicológicas y culturales que nos permiten profundizar en nuestra propia naturaleza. Ahora nos damos cuenta que *la conciencia juega un rol fundamental en la evolución de la Humanidad* gracias a nuestra capacidad de reflexión y valoración moral, pudiendo generar cambios dramáticos en nuestra psiquis. Esa conversión interior demuestra que tenemos potencialmente la capacidad de cambiar, pero el fuerte condicionamiento psicológico ha controlado la toma de decisiones en nuestra vida y no nos ha dado la posibilidad de vivir como seres verdaderamente libres. Entonces adquiere sentido la conciencia como generadora de un cambio real que permita vislumbrar por un segundo nuestro drama existencial. En esa fracción de tiempo se libera un destello infinitesimal de luz interior que podría traer el despertar a una nueva experiencia evolutiva.

Una opción para salir de esa esfera de violencia psicológica sería alguna experiencia fuerte que libere la psiquis de su rígido sistema de vida y deje algún espacio para poder descubrir algo distinto, un fuerte remezón que la saque de esa inmensa *inercia y mecanicidad mental* y profunda identificación material, algo que permita romper la fascinación que experimenta la mente por el poder terrenal y tomar conciencia de todo su odio, egoísmo y cobardía. Podría surgir así algo que traspase esa dura coraza psíquica de astucia, deseo y pequeñez moral, un impacto profundo que permita la posibilidad de vislumbrar algo original en nuestras vidas. Ese punto de autoconciencia, ese pequeño haz de luz dentro de su oscuridad psicológica es la posibilidad de un cambio real en la existencia del animal racional. La única forma de salir de ese círculo vicioso es *humanizarnos*, lo cual requiere percibir todo nuestro condicionamiento y conectarnos con nuestra humanidad esencial, ese estado evolutivo distinto a la mera condición animal que permita volver a sentir la vida desde una dimensión profundamente humana.

Comenzamos a vivir ese despertar interior y sentimos que no es tarde. Tal vez ha sido el momento preciso para comprender las consecuencias devastadoras del poder en manos de animales racionales que destruyen nuestra dignidad y riqueza cultural y descubrir que es posible superar ese estado de barbarie feudal. Empezamos así a darnos cuenta de nuestras enfermedades sociales y morales causadas por la dominación de los inquisidores ideológicos y teológicos. La opción que tenemos para retomar nuestra senda evolutiva es recuperar esa dignidad perdida, descubrir al animal racional y comenzar a debilitarlo, a desactivarlo. La Humanidad está adquiriendo un sentido de unidad y conciencia planetaria y se ha dado cuenta de la gran oportunidad de recuperar nuestro potencial evolutivo y comenzar a cerrar definitivamente el ciclo de los animales racionales sobre este planeta, pero para lograrlo también será necesario *liberar toda la programación instintiva, emocional y mental que hemos acumulado y que mantiene adormecida nuestra propia Conciencia.*

Nosotros ya no evolucionamos como animales. Todos los parámetros que regulan la experiencia animal ya no son suficientes para vivir un proceso evolutivo generador de conciencia *humana*. En el siglo XX pudimos observar claramente las consecuencias inevitables de intentar someternos y tratar de que viviéramos en base a modelos de comportamiento animal, después de haber sido gratuitamente definidos como tales. Las dictaduras materialistas solo trajeron enfermedad, odio y destrucción, porque perdieron las claves evolutivas relacionadas con nuestro potencial moral-cultural. Somos seres con *conciencia física y metafísica*, ya no podemos evolucionar simplemente como animales. Tenemos una herencia reflejada en nuestro instinto, astucia y agresividad, tal como ocurre en el reino animal, pero eso ya no es suficiente para comprender y vivir el nuevo proceso evolutivo humano, ahí donde aflora la ciencia, la filosofía, la mística, el arte y todas las demás formas de *sensibilidad y comunicación humana*. Aspiramos a algo más que sobrevivir o reproducirnos como animales. Nuestro potencial refleja la propia evolución de la conciencia, la cual ha permitido el surgimiento de la cultura. Todos los dictadores, tiranos, déspotas, fundamentalistas y fanáticos del siglo XX que tuvieron poder político o teológico, lo primero que hicieron fue intentar destruir todo foco de conciencia y creatividad, tratando de implantar por la fuerza un modelo de control feudal inquisitorial, ególatra e insano… y en eso consistió precisamente su gran error y fracaso histórico.

SEGUNDA PARTE

LA CLAVE METAFÍSICA

Enciende tu propia Lámpara Interior

Buda

7

VARIEDADES EVOLUTIVAS HUMANAS

La Humanidad es fruto de un complejo proceso evolutivo que significó en algún momento comenzar a diferenciarse del comportamiento puramente animal, llegando a constituir en la actualidad algo que podría considerarse radicalmente distinto y que lo identificamos con una conciencia y cultura propiamente humanas. Esta mutación evolutiva fue una revolución de alcances insospechados. Más allá de la discusión académica, no comprendemos en profundidad la naturaleza de esa transformación, el cómo, cuándo y por qué. Lo que sí sabemos es que hace millones de años se operó un cambio fundamental en la evolución de las especies que permitió el nacimiento de este ser excepcional en muchos sentidos, un desconcertante híbrido animal, racional y místico.

¿Cuáles son esas cualidades distintivas que comienzan a manifestarse espontáneamente en nuestra vida? Las más relevantes serían la autoconciencia reflexiva, asociada a la introspección, autopercepción y autovaloración como individuo; descubrimiento de principios éticos de Verdad, Justicia y Libertad; desarrollo de procesos cognitivos complejos, asociados a los idiomas, la abstracción matemática y conceptual, la investigación científica, el discurso lógico, el análisis crítico, la comunicación basada en la codificación de información e intercambio de diversos lenguajes simbólicos; la sensibilidad artística y la creatividad y genialidad presentes en el origen de todas las manifestaciones culturales humanas, junto a una gran intuición y sensibilidad mística, la misma que permite reconocer una *dimensión espiritual* que incluye experiencias profundas de Amor, Filosofía, Ideales, Sabiduría…

Emplearé el término *espiritual* aludiendo a la conciencia ética superior y los logros culturales propios de esta particular "especie", pues su uso no guarda ninguna connotación *teológica*. No encontré una palabra mejor para incluir todas las cualidades trascendentes atribuibles al género humano y claramente identificables a lo largo de la historia. No estamos inventando nada. Planteamos un hecho histórico verificable: la manifestación de una original conciencia que ha sido la gran diferencia respecto a los animales, además de una potente energía mental creadora…

En realidad, no sabemos con certeza cómo se desencadenaron los acontecimientos que permitieron a esta naciente Humanidad conquistar nuevos *nichos evolutivos* que facilitaron experiencias culturales revolucionarias en música, teatro, poesía, pintura, arquitectura, matemáticas, filosofía, religión, política, psicología, ciencia, tecnología, economía y tantas otras que son fiel testimonio de una nueva y poderosa capacidad intelectual que llevó a la diferenciación definitiva respecto a los animales tal cual los conocemos, formando una poderosa cultura que no es fruto de la casualidad. El origen de este impulso es uno de los más grandes enigmas del comportamiento humano.

La gran novedad evolutiva fue la capacidad para *descubrir* y conquistar estos nuevos nichos de experiencia. Lentamente comenzó a desplegarse una percepción y sensibilidad originales, mientras se iba construyendo un ser vivo *multidimensional* que por primera vez podía interactuar en otras dimensiones de existencia, mundos muy sutiles pero perfectamente experimentables por este gigante evolutivo que comenzaba a despertar a una nueva realidad vivencial después de una experiencia animal de millones de años, nuevas dimensiones que ya no eran físicas ni vinculadas exclusivamente a la supervivencia o emocionalidad primitiva. Por el contrario, el nuevo estado de conciencia humano nos permitió comenzar a indagar, vivir y respirar dentro de nuevos ámbitos que vinculamos a nuestra evolución racional. Nos habíamos convertido en *seres mentales y culturales* mediante una mutación radical que permitió incorporar además procesos metafísicos como la ética, la filosofía y la mística.

De tal forma que somos unos perfectos híbridos, integrados por experiencias físicas y metafísicas. Hace tiempo que dejamos de ser ese animal que seguía patrones puramente instintivos y saltaba de un árbol a otro. En algún momento se produjo una serie de mutaciones profundas que llevaron a una transformación revolucionaria en el curso de la evolución, un impulso que produjo un cambio dramático en los acontecimientos, dando origen a esta original "especie" que significó un verdadero salto cualitativo, un brinco ascendente que lo obligó a levantarse del suelo y comenzar a contemplar el cielo, una radical mutación que formó un nuevo cerebro, modificó toda su anatomía y fisiología y despertó a un *nuevo estado de conciencia: el humano*. Este poderoso proceso terminó por transformar radicalmente el comportamiento animal, dando origen a diversos perfiles psicológicos de acuerdo a variables evolutivas originales.

Lo más probable es que después de decenas de miles de años de evolución se mezclaran todas las fuerzas evolutivas en juego, naciendo individuos y comunidades de diversa naturaleza. Se debe haber producido una rica variabilidad en términos instintivos, racionales y espirituales. Es probable que perduraran comunidades tribales que continuaban explotando y esclavizando a sus hermanos más débiles e imponiéndose por la fuerza, al tiempo que ya se empezaban a fortalecer seres con mayores facultades morales, racionales y culturales. También fue posible la aparición de núcleos evolutivos avanzados con visión metafísica y una sabiduría superior. Toda esta variabilidad se habría traducido en una gran diversidad psicológica, conductual, cultural y civilizatoria, situación que se continúa observando en las sociedades actuales.

Esta mezcla ancestral entre instinto, razón y mística conformó finalmente diversas comunidades distinguibles entre sí. Las más primitivas continuaron como hordas invasoras con escaso desarrollo moral y cultural, extinguiéndose con rapidez o asimilándose debido a su propia inestabilidad o incapacidad para evolucionar hacia formas más estables y desarrolladas. Pero también surgieron pueblos en que florecieron cualidades humanas originales y poderosas que transformaron radicalmente las costumbres de nuestros antepasados y se constituyeron en la base cultural y civilizatoria de la Humanidad actual. ¿Por qué ocurrió este cambio tan radical en el comportamiento? En mi opinión, la progresiva penetración de la conciencia mental y moral actuó como un poderoso agente transformador, dando paso a individuos cada vez más conscientes de sus actos que comenzaron a evaluar moralmente sus acciones y a desarrollar valores y virtudes humanas que abrieron la conciencia a dimensiones y posibilidades evolutivas insospechadas y completamente revolucionarias. Este nuevo nicho mental en la evolución nos integró a una dimensión ética y racional de la vida, hecho absolutamente inédito en la evolución de las especies.

Podemos plantear entonces que, gracias a estas tres fuerzas evolutivas identificadas, surgieron tres estados básicos de conciencia que perduran hasta hoy, caracterizados por la prevalencia de una fuerza sobre las otras:

1) *Conciencia Animal*: el impulso instintivo domina respecto a las facultades racionales y espirituales, dando lugar al *Animal Racional*, el ser humano más primitivo y egoísta, ya desarrollado en toda la primera parte.

2) *Conciencia Mental*: las funciones cognitivas destacan por sobre la naturaleza animal y espiritual, naciendo así el *Ser Humano Común*, que logra activar la Evolución Cultural gracias al desarrollo de sus facultades intelectuales.

3) *Conciencia Espiritual*: las facultades metafísicas superan a las instintivas y mentales, generando *Seres Espirituales Despiertos*, con una elevada Ética y una mente liberada de toda la brutalidad y manipulación del ego inquisitorial.

Guardamos un ancestro animal indiscutible, pero es igualmente inobjetable la existencia de una energía mental creadora y un impulso místico con diversos grados de desarrollo, mutaciones radicales y profundas que originaron una nueva dinámica en la evolución de la vida y de la conciencia. Dentro de las distintas sociedades humanas, antiguas o modernas, siempre han convivido diversos grados de animalidad, racionalidad y espiritualidad, y la prevalencia de una o más de estas fuerzas ha configurado la experiencia evolutiva cultural de la Humanidad.

Esta visión puede proporcionar una clave para comprender el comportamiento humano dentro de un proceso evolutivo *integral* conforme a diversas experiencias, motivaciones y decisiones, y nos permite ver a la Humanidad no solamente como un mero receptor mecánico reactivo a estímulos materiales externos, sino más bien como una entidad dinámica donde el desarrollo de la conciencia también depende directamente de procesos *internos* psicológicos, éticos y trascendentes que se corresponden con diversos nichos de experiencia cultural. Es la clave metafísica de la evolución humana.

No deberíamos concluir que estas variedades evolutivas son independientes o se encuentran separadas entre sí. Desde ya postulamos que la vida, la evolución y la conciencia forman una *unidad* que permite integrar todos los estadios de experiencia, evitando la presencia de formas de vida desvinculadas entre sí. La vida demuestra una alta capacidad de coordinación y retroalimentación en todas sus expresiones –principio esencial de la Ecología- y creemos que la evolución refleja claramente ese proceso integrador dentro de la propia dinámica de la conciencia humana.

Por lo tanto, resulta natural plantear la existencia de diversos estados de transición y tendencias de una condición evolutiva a otra. Existirán seres humanos que comienzan a liberarse de los patrones de condicionamiento animal, pues se va fortaleciendo la razón y la moral, llenando el vacío entre la conciencia egoísta y manipuladora del animal racional y la conciencia propia del hombre común, que ya comienza a valorar la educación y la cultura, además de experimentar un cierto grado de compromiso social y generosidad desinteresada. Igualmente deberíamos poder identificar transiciones de conciencia entre la Humanidad común y la conciencia espiritual, especialmente en seres que comienzan a valorar el mensaje de los grandes Sabios de Oriente y Occidente o que despiertan al anhelo de *realizar* sus sueños e ideales. Surgen las preguntas filosóficas fundamentales sobre el ser y la existencia, el sentido de la vida, el dolor, la muerte y la propia evolución, propias de un ser que comienza su despertar interior. Nacen corazones sensibles al sufrimiento que rechazan la manipulación, la ignorancia y la violencia. Son todas formas o etapas intermedias hacia un cambio profundo de conciencia que se verá reflejado en los seres plenamente espirituales.

Estos estados de transición poseen diversos grados de inestabilidad debido a que la conciencia se mueve entre un polo de atracción y el otro, generando vaivenes individuales y sociales que producen cambios acordes a la propia experiencia, el medio ambiente, el ejercicio del libre albedrío y las decisiones y acciones tomadas. Esta inestabilidad se ve profundizada por el carácter intangible de la cultura y los cambios psicológicos asociados dentro del gran escenario del drama evolutivo humano.

Teniendo presente lo anterior, sería un gran error creer que estas variedades evolutivas guardan relación con algún sistema de castas o categorías sociales rígidas basadas en alguna clasificación dentro de un ordenamiento social. Esa sería la lógica del animal racional y de todos aquellos que quieren imponer los principios jerárquicos de una clase o casta sobre otra, alcanzar la supremacía y terminar por controlar a toda la sociedad. Veremos que en la evolución humana surgen variables que permiten dinamizar la conciencia y generar un proceso inspirado en la sabiduría, la ética, la justicia y la libertad. Veremos los posibles vínculos entre evolución, cultura y conciencia y podremos vislumbrar dinámicas distintas a la experiencia primitiva del animal racional. Presentaremos otras *naturalezas humanas posibles*, donde la lógica del egoísmo, la violencia y la crueldad comienza a debilitarse y ser desplazada gracias al surgimiento de nuevos estados de evolución cultural.

Entonces, ya no resultaría tan válido ni natural hablar de *un* solo tipo de ser humano *general*. Los científicos y tecnócratas actuales recurren frecuentemente a esta generalización cuando nos masifican arbitrariamente y quieren señalar alguna tendencia, comportamiento o bien algún atributo o patrón cerebral o psicológico y entonces hablan de *la* Humanidad, *la* mente, *la* sociedad, *el* cerebro, *el* comportamiento, *la* naturaleza humana, etc., como si existiera *un* solo tipo humano, *un* solo patrón de evolución, *un* solo estado de conciencia. Nos promedian y masifican en grupos de anónimos datos estadísticos y pretenden aplicar una sola plantilla o molde forzado generalmente darwiniano y que tiene un enfoque chato y materialista. Lo quieren aplicar a *toda* la Humanidad en forma estandarizada y homogénea, como si todos fuésemos iguales o nos rigiésemos por las mismas motivaciones.

Eso ya no sería posible sostenerlo al plantear que existen básicamente tres tipos de seres humanos que pueden llegar a ser evolutivamente muy distintos entre sí. Podemos ver a un ser cruel, egoísta y cobarde y al mismo tiempo descubrir a otro ser humano liberado del ego narcisista, propio de todos los grandes místicos y líderes espirituales que han sacrificado su vida por la Humanidad. Por lo tanto, *sí* habría modalidades evolutivas que pueden llegar a ser muy distintas y que reflejan una naturaleza, un estado de conciencia y una forma de evolución propia que nos permiten reconocer a veces diferencias muy profundas y significativas que realzan los distintos caminos que ha seguido la Humanidad a través del enigmático sendero de la evolución de la vida y de la conciencia.

La combinación de estas tres fuerzas evolutivas ayuda a entender las profundas contradicciones y paradojas que observamos muchas veces en nuestro comportamiento. Nacen seres con fuertes impulsos instintivos mezclados con el amor por el arte u otros agresivos e intolerantes que aman la naturaleza. Es la presencia de nuestros ángeles y demonios interiores que suelen sorprendernos y generar conflictos morales frente a paradojas aparentemente irreconciliables. Por eso observamos a muchas figuras históricas que han dejado un legado cultural a la Humanidad pero muestran pequeñez moral junto a su genio creador. Es el caso de Beethoven: admirado, pero también odiado, despreciado y criticado por su narcisismo, agresividad y aparente insensibilidad, pero fiel a su música, a esa poderosa inspiración y vínculo sagrado que inundó su alma de nobleza y rescató su dignidad humana en medio de su sufrimiento y conflictos personales.

Es la eterna paradoja existencial que nos eleva a un mundo de amor y belleza y nos precipita al abismo de experiencias aberrantes. Es el drama evolutivo de la conciencia humana que se mueve entre el cielo y el infierno, la nobleza y la vileza, el amor y la crueldad, la miseria y la generosidad. Es la contradicción entre la conciencia iluminada por la virtud y toda la depravación y locura de almas enfermas y desquiciadas. Es el gran *Drama Humano de Ser o No Ser* que nació por evolución natural y que contiene las claves de nuestra propia naturaleza…

8

EVOLUCIÓN CULTURAL

Si tuviéramos que identificar la *esencia* animal, acudiríamos al instinto, que actuaría como el supremo regulador de la conducta primitiva. La mayoría de los grandes mamíferos pasan gran parte de su vida controlados por conductas programadas que los impulsan a la acción. Si no están cazando o pastando, están cuidando a la prole, copulando, combatiendo o durmiendo, además de la constante vigilancia contra los depredadores, pues la muerte acecha a cada instante. En el animal no hay grandes dudas ni una mente que reflexione sobre el devenir, tampoco una conciencia moral que valore a los demás. Se actúa y punto. Todo *sucede* inexorablemente, sin preguntas ni respuestas, pues no hay separación intelectual entre él y la naturaleza, por eso no hay conflicto. Siempre "sabe" lo que tiene que hacer. Las reacciones suelen ser mecánicas y altamente predecibles.

Tenemos una memoria evolutiva antiquísima, una experiencia animal de millones de años que no es fácil desplazar de un día para otro. Reproducimos conductas inconscientes y automáticas, saturadas de agresión, ansiedad y miedo. Es el temor instintivo a *perder nuestra seguridad material y psicológica*, dominados por una sensación de peligro. Pero con el desarrollo evolutivo de las facultades cognitivas y morales se iniciaría un *debilitamiento gradual* de ese condicionamiento ancestral, surgiendo ciertas inquietudes basadas en valoraciones subjetivas que ya no obedecían a una programación *puramente animal*. Comenzó a expresarse un ser *reflexivo* con ciertos valores y vida interior propios de una nueva sensibilidad, que pudo neutralizar en parte los impulsos instintivos gracias al procesamiento racional y empezar a *percibir* y *comprender* todo su condicionamiento y mecanicidad conductual, gracias a su poder de introspección y *autoevaluación* de su propia condición. Se fortaleció así una poderosa mutación psicológica que permitiría dejar de comportarnos como autómatas frente a la fuerza de tracción instintiva, *despertando a la autoconciencia y la vida interior*. Era la primera vez que se racionalizaba realmente a la naturaleza y surgían conductas que modificaron la reactividad mecánica, con grados variables de control sobre los impulsos instintivos y emocionales. Esta verdadera *relativización* de la programación animal, que comienza a interactuar con la inteligencia y la conciencia moral, es el gran giro en la evolución y el germen de un cambio cualitativo radical de alcances culturales impredecibles. Se verificó así una mutación de la conciencia que llevaría a nuestra propia *humanización*.

Este cambio que daría origen a la Humanidad tal cual la comprendemos en el sentido de poder reconocernos como seres humanos propiamente tales y no como simples animales, es producto del gran poder transformador de la mente, que al interactuar con el instinto lo humaniza y permite una nueva experiencia evolutiva a través de un *yo autoconsciente* que reflexiona sobre sus actos y reconoce el bien y el mal. Esto crea una dinámica psicológica y conductual prácticamente desconocida en el reino animal, la que debilitó en parte el rígido condicionamiento mecánico preestablecido por la evolución biológica.

Comienza así la lenta desintegración del ego tribal gracias al despertar de la conciencia reflexiva, transitando desde una dimensión muy concreta y pragmática hacia experiencias más cognitivas y morales. Se expresa un núcleo elemental de conciencia humana que va más allá de lo estrictamente físico, una verdadera guía para liberarse de las actitudes egoístas, la violencia y la dominación del ego animal-racional, gracias a un nuevo estado de conciencia que es mucho más vasto y permite descubrir la vida bajo nuevas claves de experiencia que serán la base de nuestra evolución psicológica, social y cultural.

Se verificó así un verdadero *quiebre* relativo de los programas de comportamiento animal que fueron fruto de millones de años de evolución que consolidaron una serie de patrones anatómicos, fisiológicos y emocionales mecánicos. La posibilidad de ese quiebre liberador se debió a la dinámica propia de la conciencia mental, por muy básica e incipiente que fuera. Cuando retrocedemos en el tiempo y llegamos al primer ser humano que podemos reconocer como tal (aunque no está claro en absoluto cómo y cuándo habría surgido) observamos un núcleo psicológico esencial de conciencia racional que tiene la capacidad de evaluar y procesar información, elaborar conceptos, desarrollar discursos, comunicarse y modificar la naturaleza.

Los pilares de esa nueva conciencia se basan en procesos cognitivos que comienzan a transformar el entorno gracias al poder diseñador de la mente, generando un perfil humano reconocible como tal. En esa nueva experiencia evolutiva brota una gran curiosidad y deseo de comprensión asociado a *preguntas fundamentales*, que lo llevarán al cuestionamiento e indagación sobre su propia naturaleza y el anhelo de exploración e investigación asociada al conocimiento y a la *búsqueda de la verdad*.

Cuando nuestros antepasados sintieron la necesidad de empezar a compartir su saber, experiencias, sentimientos y todas las infinitas interrogantes que surgieron de esta poderosa capacidad exploratoria, nació la sociedad esencialmente humana, con un intenso intercambio cultural y fuertes vínculos afectivos que permiten reconocernos como tales. Este espíritu de libertad para explorar el universo no habría sido posible si hubiésemos seguido sometidos al yugo del inquisidor interno, al control egoísta del instinto de poder material, a la violencia, la venganza y la crueldad del ego animal-racional.

La mente egoísta se va abriendo a valores humanitarios, porque ahora le comienza a importar el *sentido* de una acción, su *contexto* ético, el valor cualitativo y no solo cuantitativo. Nace así una mente *humanizada*, donde el instinto, el miedo y la crueldad pierden terreno mientras se fortalecen los sentimientos y una inclinación humanista natural, activando principios de fraternidad, justicia y libertad que ennoblecen nuestra vida. Es una realidad que se comienza a vivir como experiencia cotidiana y que refleja un auténtico despertar humano, gracias a estos atributos que van a sentar la base de la evolución individual y social. Nacía una nueva senda evolutiva para la vida en este planeta.

La conciencia moral se fue fortaleciendo y nacieron experiencias de nobleza, respeto, vergüenza, decencia, empatía y honestidad, manifestaciones propias de una nueva conciencia que marcó una diferencia creciente con el reino animal. Por primera vez en el curso de la evolución de las especies comenzaba a producirse una valoración del mundo y de nosotros mismos que no era necesariamente cuantitativa. Surgía una nueva *sensibilidad* que comenzaba a interactuar con el universo de una manera nunca antes observada, ni siquiera en el animal racional. Había aflorado una conciencia donde nuestros pensamientos y actos adquirirían un nuevo significado.

Este proceso psicológico fortaleció además la expresión de un *yo* consciente y autónomo que modificó la tendencia animal colectiva a vivir como manada, dando origen a sujetos independientes con grados relativos de autoconciencia y libertad para tomar sus propias decisiones y emprender iniciativas totalmente individuales. Lo extraordinario de este proceso fue la posibilidad real de que un individuo fuese muy distinto a otro en términos intelectuales y morales. Esta gran diversidad psicológica fue la fiel expresión de un nuevo sistema de evolución, propio de un ser que tomaba decisiones que podían diferir totalmente de las de otro. Esta nueva experiencia adquirió total sentido para la vida humana, y pasará a constituirse en un potente motor de *evolución psicológica individual*. La conciencia transitaría entonces *desde lo exterior a lo interior*, profundizando la experiencia subjetiva.

Gracias a esta original capacidad moral y cognitiva se consolida entonces la *segunda variedad evolutiva humana*, el hombre común, que empieza a experimentar cierto grado de *vida interior* y un respeto elemental por la naturaleza y derechos humanos fundamentales. Es un estado subjetivo de valoración ya no solamente física sino también metafísica, alejándose de la experiencia psicológica puramente material del ego animal-racional.

El cambio de conciencia lo va a llevar por senderos de una gran curiosidad y anhelo de comprensión, que serán el impulso para el desarrollo cultural y social, debilitando al animal interior que vivía esencialmente proyectado hacia el mundo material y concreto donde tenía que luchar por la supervivencia física. La nueva dinámica evolutiva se abre al *diálogo interior*, la reflexión sobre nuestra condición y el *sentido* de la propia existencia. Ese viaje exploratorio será la clave que permite *percibirnos* como seres humanos, pudiendo establecer una regulación interna de los impulsos mecánicos y debilitar así la ambición y la violencia del ego primitivo.

Destacan las facultades cognitivas y morales corrientes por sobre las instintivas y espirituales, propias de un ser con cierta educación que refleja a una sociedad con determinados valores. No tiene ambiciones desmedidas y todas sus reacciones instintivas son a menor escala y sin grandes alcances. Ha absorbido parte de la cultura de su tiempo y confía en el género humano, sintiéndose partícipe de los problemas y desafíos de la sociedad. Sus actitudes instintivas y egoístas están compensadas por el cultivo de ciertos valores y la influencia de la civilización. Representa a buena parte de la Humanidad actual y se caracteriza por su equilibrio que, aunque débil e inestable, le permite enfrentar la vida con cierto optimismo. A diferencia del animal racional, no suele ser peligroso o destructivo, ni infundir temor o agredir a sus semejantes, salvo en situaciones extremas o de enfermedad mental. Es una amalgama actualizada de todas las fuerzas evolutivas que han hecho de la Humanidad lo que es, y el blanco predilecto de los animales racionales, que siempre buscan manipular conciencias e inclinar la balanza a su favor con fines claramente egoístas.

La mente humana común es menos rígida y calculadora e incluye ciertos valores humanitarios. No siempre es tan autorreferente ni orientada al afán de lucro o explotar situaciones o personas en beneficio propio, ya que incorpora sentimientos de fraternidad y bondad y puede funcionar en base a esos principios, pues comienza a ser iluminada por la nobleza, la generosidad, el servicio desinteresado y altruista. Desarrolla una inteligencia unida a la curiosidad y al deseo de descubrir y expandir sus fronteras, valora el conocimiento y la educación y no se queda solamente en lo concreto, lo externo o inmediato. En síntesis, este ser humano común que abarca a gran parte de la Humanidad es una cristalización de todas las fuerzas evolutivas que operan en su conciencia, tanto físicas como metafísicas, generando un conjunto de atributos que lo han ido alejando en forma sostenida de la dictadura del instinto.

El ser racional muestra un elevado potencial creativo que lo diferencia claramente de los animales, un poder mental que actúa sobre la materia y la organiza y modela, un *principio inteligente* que modifica la naturaleza mediante la impresión de arquetipos contenidos en la geometría y las matemáticas, creando un nuevo mundo de conocimiento e interacción con el universo. Así surgen por evolución individuos que son verdaderos *operadores y procesadores mentales* que realizan un cambio revolucionario del entorno físico al aplicar un poder diseñador de estructuras holográficas, proceso crítico en nuestra evolución. Así nacen los artesanos, pintores, escultores, constructores, diseñadores, ingenieros y arquitectos. Definitivamente, somos representantes de una nueva clave evolutiva que es la *dimensión mental y su inmenso poder analítico, creador y modelador de la naturaleza.*

Es así que podemos verificar y experimentar en nosotros mismos esta poderosa inteligencia humana, potenciada en el *genio creador*, el cual constituye un desafío para el materialismo actual. ¿Cómo abordar al genio visionario? ¿Cómo comprender lo que ocurre en la mente de ese ser superdotado que suele manifestar una extraordinaria intuición? Ahí está esa mente iluminada convertida en una verdadera e impredecible caja negra evolutiva. Podríamos tratar la genialidad incluso como una facultad metafísica, una de las más profundas y elevadas, reconocerla como una de nuestras grandes facultades integrada al acervo cultural humano. La creatividad artística, científica y tecnológica, por ejemplo, no hacen más que reflejar y proyectar sobre el mundo el poder creador que fundamenta la cultura, uno de nuestros principales activos en términos evolutivos.

La naturaleza humana sigue siendo un gran enigma. Sus sorprendentes expresiones no caben en ningún modelo, no son explicadas por ninguna hipótesis material. Planteamos que la experiencia moral y cultural es la consecuencia natural de un proceso evolutivo original que significó la conquista de un nuevo estado de experiencia que permitió la abstracción conceptual y la conciencia de un yo autorreflexivo con una poderosa creatividad. Este cambio excepcional respecto a los animales fue una fuerza revolucionaria que generó un verdadero "salto cuántico" en la evolución, un cambio cualitativo y no meramente cuantitativo que dio origen al ser humano y lo distanció claramente del animal gracias al poder creador y transformador de la razón. Mientras establecíamos nuestros cimientos culturales expresados en la ciencia, la tecnología, la filosofía, el arte y la mística, los chimpancés seguían comiendo plátano (y carne de mono) arriba de los árboles en medio de estruendosos chillidos, ¡y lo siguen haciendo! Definitivamente, habíamos conquistado un nuevo *nicho evolutivo*.

Evolución sexual

Se verificó, entonces, un proceso de apertura y expansión relativa de la conciencia racional al debilitarse todo el conjunto de patrones mecánicos rígidos propios del comportamiento animal. Esta verdadera liberación de la dictadura del instinto se reflejó además en el sexo y se pasó desde un estado de fuerte condicionamiento hormonal propio de una cópula mecánica esencialmente reproductiva, a una sexualidad evolucionada vinculada al erotismo y la afectividad.

Un factor crítico de la actividad sexual humana es el fuerte impulso a experimentar, una inmensa curiosidad y deseo de explorar. En el animal observamos una cópula mecánica, repetitiva, automática, efímera, sin imaginación, que no genera ningún vínculo y dirigida esencialmente a la reproducción, pero el ser humano común vivirá un proceso inédito en la evolución, que va desde el desarrollo de posiciones anatómicas, pasando por todas las formas de exploración erótica, dando lugar finalmente a una *cultura sexual* propiamente tal que da cuenta en definitiva de la importancia que adquiere esta experiencia en la vida humana.

La urgencia hormonal se debilita. La libido deja de ser tan masiva y agresiva como en el animal racional. Ya no habrá niveles tan elevados de testosterona propios del macho alfa o de estrógenos en el caso de la hembra, disminuyendo así la posibilidad de adicciones y abusos sexuales de toda índole, tan propios del ego depredador narcisista-hedonista del animal racional. Gracias a la poderosa fuerza innovadora de la afectividad, el instinto puramente animal va a mutar y será llevado a un nuevo nivel de experiencia evolutiva, un verdadero salto cuántico que podemos reconocer como propiamente humano.

¿Cuáles son las variables fundamentales que habrían surgido debido a este procesamiento mental-cultural del sexo animal? Vamos a identificar dos vías complementarias de evolución sexual:

a. El despertar del *universo erótico*, ampliamente reconocido como un componente clave de la experiencia sexual. El erotismo resulta ser un poderoso factor de unión e integración de la pareja, el cual prácticamente no existe en el reino animal, cuya base es olfatoria, visual y táctil, integrada en un mapa de zonas erógenas. En cambio, la excitabilidad sexual animal es un proceso mecánico genital basado puramente en ciclos hormonales. El ser humano no genera feromonas y aparecen nuevas experiencias gracias al tacto y el contacto visual. Además, se expresan elevadas cargas afrodisíacas con abrazos, besos, caricias, masajes, etc., es decir, una gran sofisticación de la intimidad sexual propiamente humana, ya presente en cierto grado en el animal racional. Si sumamos el elevado potencial estimulador de la fantasía y la imaginación, tenemos un verdadero salto evolutivo que fundamenta una nueva sexualidad. ¿Qué saben los animales de este universo erótico y todas sus formas de expresión? ¿qué posibilidades tienen al estar envueltos en groseros *cueros* repletos de cerdas, espinas, secreciones y parásitos en comparación al mapa erógeno de la piel humana? Hemos evolucionado desde una cópula mecánica elemental a un verdadero universo de experiencia erótica que resulta inseparable del amor sexual humano y que nos aleja definitivamente del sexo reproductivo puramente animal.

Dentro de la evolución sexual, ¿existirá acaso algo más apresurado, mecánico y repetitivo que el apareamiento entre animales? No hay caricias, besos ni abrazos, ¡no hay nada!, salvo la cópula instintiva programada dentro del ciclo estral, donde el macho ejecuta un acto ansioso y ajeno a cualquier forma de comunicación afectiva o emocional con la hembra, siendo muchas veces incluso *rechazado* apenas finaliza el acto. La cópula animal consiste principalmente en lo que llamamos en la actualidad *tener sexo*, aparearse, que en el caso del animal tiene un fin esencialmente reproductivo y no *erótico-afectivo* como puede suceder en el ser humano. El erotismo va a generar un panorama mucho más complejo y diversificado, creando una comunicación sexual más plena y evolucionada, que nos va a ir alejando en forma evidente de la sexualidad mecánica puramente animal. La típica cópula posterior va a ser complementada por la unión frontal, generando un vínculo prácticamente inexistente en el reino animal. Si observamos con detención la rigidez y mecanicidad de la cópula animal y la comparamos con toda la variabilidad erótica del ser humano *en su rol evolutivo de amante*, podemos darnos cuenta con toda claridad que se ha producido un gran cambio desde la sexualidad animal a la humana, dando origen a una verdadera cultura sexual sin precedentes en el reino animal que refleja simplemente un nuevo estado de conciencia y sensibilidad en la evolución de la vida en este planeta.

La evolución ha desarrollado toda una cultura sexual original que encontramos reflejada en libros como el Kamasutra, considerado el texto más antiguo conocido sobre sexualidad humana. Ahí encontramos una buena síntesis de toda la complejidad cultural asociada al sexo, con la proliferación de posiciones con comentarios orientados esencialmente a enriquecer el vínculo de pareja, que ya refleja una inmensa sofisticación vinculada al placer y la evolución de la cópula.

Las técnicas sexuales incluidas en el libro no van dirigidas ni fueron redactadas precisamente por animales racionales, sino que se inspiran en el amor de pareja y su universo erótico, el vínculo sexual *humano* a través de diversas formas de unión en un contexto afectivo, ajeno a toda la pornografía y sexo genital practicado especialmente por los animales racionales. Es así que transitamos desde una cópula mecánica automática e inconsciente propia del reino animal a una nueva relación evolucionada, integrada al erotismo y toda una *intimidad* nacida de este procesamiento psico-afectivo del instinto sexual. El resultado es una nueva dimensión de experiencia evolutiva, un verdadero salto cuántico expresado en la *cultura sexual humana*.

b. En personas con mayor evolución moral y cultural se observa una tendencia a la pareja estable, basada en un vínculo que se va profundizando e incluye toda la experiencia erótica en un contexto monógamo. ¿Por qué para muchos seres humanos la pornografía, la promiscuidad o el intercambio de parejas, por ejemplo, resultan prácticas irrelevantes que no despiertan ningún interés? No existe la motivación de explorar la sexualidad por esos caminos, a diferencia del animal racional, con su mente hedonista siempre saturada de deseo narcisista. ¿Por qué encontramos seres humanos realizados en una relación de completa monogamia de por vida? Con los procesos culturales surge naturalmente el *vínculo interior*, que profundiza diversas vías de comunicación afectiva y a largo plazo. Así surge el amor de pareja, que al incluir el sexo genera el *amor sexual monógamo*, desarrollando la clave erótica y sentimental.

La hembra animal evolucionó hacia la mujer, con toda una transformación que modificó notoriamente su experiencia sexual respecto a los animales, en los cuales la hembra es una entidad totalmente pasiva, receptiva al macho, vinculada principalmente a la reproducción, el cuidado y la socialización de las crías. Pero en la mujer maduró una sexualidad paralela a la del hombre y adquirió su propio valor y complejidad por derecho propio. La experiencia del orgasmo y toda la vivencia erótica femenina terminaron por crear una revolución sexual que cristalizó en la pareja humana con un comportamiento original muy alejado de la mera cópula animal. Mirado así, el grosero error de la Iglesia Católica y de todos los inquisidores teológicos fue ver al sexo meramente como un medio de reproducción, reduciéndolo así a una condición puramente animal, negando su evolución y humanización natural.

Autoconciencia

¿Qué está ocurriendo en ese tránsito evolutivo desde el animal al ser humano, pasando por el estado protohumano del animal racional? Como vimos, uno de los procesos psicológicos críticos fue el inicio del *descondicionamiento* de nuestra herencia animal gracias a la *autoobservación consciente*, que desencadenó la desprogramación gradual de nuestra mecanicidad. Así se fortaleció una autoconciencia reflexiva que apunta al debilitamiento progresivo de los programas instintivos que son la base de toda forma de rigidez conductual, muy propios del ego animal-racional. En el ser humano común, sin considerar siquiera la experiencia metafísica, ya observamos claramente una autoconciencia evaluadora, junto al desarrollo de juicios, criterios, capacidad de observación y análisis crítico, además de todo un estado subjetivo asociado a la valoración moral de circunstancias y personas.

Esto permite el *compromiso con principios* que nos empiezan a inspirar y guiar, como el respeto por nuestra dignidad asociado a ciertos derechos fundamentales que permiten reconocernos propiamente como seres humanos. Transitamos así desde el egoísmo, la ambición, la crueldad, la violencia y otros comportamientos propios del animal racional, hacia una nueva forma de *sensibilidad* que reconocemos como propiamente humana, el tránsito de emociones rígidas a valores, sentimientos y virtudes. La profundización de la conciencia incluye además la empatía hacia el sufrimiento y la fidelidad a principios e ideales.

Gracias al debilitamiento de la programación instintiva y del dominio del ego se va a verificar, en síntesis, un tránsito desde la más profunda y absoluta inconsciencia animal hacia todas las formas evolucionadas de autoconciencia que podemos reconocer actualmente dentro de la inmensa variabilidad de estados psicológicos propiamente humanos. Mirado desde esa perspectiva, podemos decir que la evolución de la Humanidad también ha sido una *evolución de la conciencia*.

Hemos desarrollado nuevas experiencias en una dimensión racional muy rica y compleja, asociada a un nuevo universo analítico y conceptual. Atributos como la voluntad, la imaginación creadora, los sentimientos de amor y belleza, la reflexión y la vivencia de ideales crean un mundo original que nos puede brindar bienestar y realización *en la medida en que lo integramos a nuestra conciencia*. En este punto es imperioso que nos preguntemos sobre la naturaleza de esta esquiva entidad, ya que su dinámica psicológica difiere notablemente del comportamiento animal. ¿Qué es esa conciencia? Ni siquiera la ciencia actual se pone de acuerdo al momento de establecer el origen y la *naturaleza* de esa enigmática entidad. La ciencia materialista supone que sería simplemente otra función más surgida de la actividad cerebral, del propio metabolismo neuronal, pero sin poder demostrarlo ni esclarecer su esquiva naturaleza y el mecanismo *generador* a partir de procesos puramente materiales.

En *El Origen de la Humanidad,* el célebre antropólogo R. Leakey comenta:

> ¿Qué es la conciencia? Más específicamente, ¿para qué sirve? ¿cuál es su función? Preguntas como estas pueden parecer raras, dado que cada uno de nosotros experimenta la vida a través de la conciencia, de la percepción de uno mismo. Es una fuerza tan poderosa en nuestras vidas que es imposible imaginar

la existencia en ausencia de la sensación subjetiva que llamamos conciencia reflexiva. Tan poderosa subjetivamente, y aun así tan escurridiza objetivamente. La conciencia representa un dilema para los científicos, un dilema que algunos consideran irresoluble.[13]

Presentamos el siguiente enfoque alternativo: vemos a la conciencia esencialmente como una *proyección espontánea del propio ser*. Surge así el ser-conciencia, es decir, el yo unido a su propia actividad intrínseca. Es como una esfera de energía que rodea naturalmente al ser, su propia atmósfera o *presencia*. Se formaría así una aparente dualidad, pero que es una unidad absolutamente integrada en una sola realidad, como un núcleo y la energía que irradia naturalmente, como una estrella que emite su luz, calor y magnetismo formando un campo de energía que proyecta como extensión natural y espontánea de sí misma, su manifestación vital, el espacio lleno de los atributos del propio ser. Sería así su propio *testigo* que genera la posibilidad de la autopercepción, como un desdoblamiento del ser que se vuelve presencia plena en el mundo. Eso es para nosotros la conciencia, *la autoconstatación de la Vida misma que lleva a nuestra plena Realización*.

El materialismo actual plantea que la *materia* se hizo autoconsciente, pero nosotros decimos que fue la *Vida la que se hizo autoconsciente* y el ser humano es la mejor expresión de ese despertar. La ecuación de la vida basada solo en la materia está incompleta, sesgada, pues falta un factor crítico: la *energía*, incluida, por ejemplo, como descargas eléctricas sobre la materia en experimentos clásicos sobre el origen de la vida en la Tierra. La vida habría surgido gracias a esta fusión materia-energía que evolucionan en forma conjunta, como dos caras de una misma moneda. Es la dualidad aparente onda-partícula de la Física actual en eterno equilibrio dinámico como unidad esencial en toda manifestación vital. Sin esa energía, seríamos mera materia amorfa, polvo seco y estéril, inactivo, dormido. Somos unidades bio-energéticas dinamizadas gracias a diversos flujos de información integrados en nuestro campo de conciencia.

La autoconciencia fue el fruto natural de nuestro proceso evolutivo de *humanización*, que eclosiona de múltiples formas y nos permite vivir experiencias ajenas al mero comportamiento de supervivencia animal, que se expresan, por ejemplo, en la vía científica y filosófica plasmada en la formulación de preguntas fundamentales sobre nuestra propia naturaleza, el origen de la vida y del universo o simplemente qué somos, qué sentido tiene el sufrimiento, cuál es el valor real de nuestra propia existencia, qué es la Verdad, la Justicia y la Libertad. ¿Es lo mismo que mueve a un animal? Al parecer no, pues la evolución mental que da origen natural a la cultura humana refleja un cambio de conciencia desde una condición básica a experiencias cada vez más originales. En *Nuestros Orígenes*, el investigador agrega:

> La conciencia, en tanto que cualidad de la mente, nos hace sentirnos especiales como individuos, porque el sentido de sí mismo, por definición, excluye a los demás. La misma cualidad nos ha llevado -a nosotros, a *Homo sapiens*- a sentirnos especiales en el mundo, *distintos y separados*, y en cierto modo, por encima del resto de la naturaleza.
>
> La evolución de la conciencia humana constituyó la cuarta gran revolución biológica en el mundo, una nueva dimensión de la experiencia biológica: el propio yo deviene consciente de sí mismo. Con el nacimiento de la conciencia también nació la necesidad de conocer, tanto en el ámbito tangible como en el intangible. Basta con mirar a nuestro alrededor, el mundo material en que vivimos -un mundo que hemos creado- para constatar el impacto de la conciencia humana en el mundo. Gran ciencia, gran arte y gran compasión, todas ellas producto de la conciencia.[14]

Al ir alejándose de la ciega tiranía del instinto animal, la Humanidad pudo profundizar la realidad y generar un espacio interior de autoconciencia que la llevó a descubrir su condición propiamente tal, aquello que nos otorga *dignidad humana*, el respeto que sentimos por nuestra propia naturaleza, el valor que le damos a la cultura y el despertar a un nuevo estado evolutivo que lo podemos sintetizar en la palabra *libertad*. Conservamos esa dignidad propia de seres libres, que es el don más preciado que tenemos y que nos permite desarrollarnos de acuerdo a nuestros ideales, libres para investigar nuevos senderos y respirar nuevos aires de desarrollo humano.

Ese estado de conciencia original pudo vivir entonces una sensación inédita de *libertad interior* que siente aquel que se ha liberado de su jaula de egoísmo y condicionamiento animal y ha despertado a una nueva sensibilidad psicológica. Esta libertad se transformará en un referente esencial de nuestra existencia. Un ser humano que se valore como tal no puede concebirse viviendo como un esclavo. La *libertad de conciencia* se transformaría así en un derecho irrenunciable, una condición esencial para vivir y evolucionar como seres humanos, con un potente efecto liberador existencial que nos permitió salir de la estrechez animal e iniciar la exploración del universo. Nacía una poderosa inteligencia asociada a una conciencia libre para preguntar, observar, comprender y vivir la aventura de la vida gracias al descubrimiento de nuevas realidades.

Como seres humanos, asistimos entonces a un acto de *liberación evolutiva de nuestro pasado animal inconsciente*, pues se van debilitando los impulsos mecánicos y se desarrolla la integración a un universo de creatividad y fraternidad ausentes en el animal racional. A partir de esa conciencia y del hecho de empezar a vivir cotidianamente dentro de un universo simbólico, conceptual y valórico, se genera la base que va a permitir el desarrollo de toda la cultura humana.

Eso no sería posible si viviésemos como animales o esclavos, poniendo grilletes a nuestra conciencia. Pero eso es precisamente lo que intentan hacer todas las variedades de animales racionales que merodean cerca nuestro, siempre al acecho esperando la oportunidad para implantar patrones de control y fomentar la ignorancia y la inconciencia. Los tiranos e inquisidores de todos los tiempos se han regido siempre por el mismo comportamiento: someter y reprimir, coartar nuestra libertad, esclavizarnos, y si lo consideran necesario, destruirnos. Pero la Humanidad, afortunadamente, ha descubierto en la libertad interior un polo de atracción de gran fuerza, donde la conciencia se siente libre y presta a iniciar una nueva aventura cada día. Ya hemos sufrido demasiado en manos de todos los dictadores que quisieron someternos y destruir nuestra humanidad.

Amamos la verdad y la libertad; rechazamos la ignorancia y la esclavitud porque atentan contra nuestra dignidad y nos vuelven un poco más animales cada día, más ignorantes de nuestro potencial evolutivo. Muchos seres humanos preferirían estar muertos antes que vivir embrutecidos y explotados como esclavos, muchos han dado la vida por defender estos principios y así han mantenido encendida la llama interior que ilumina nuestra senda evolutiva. La Humanidad se encuentra, por un lado, bajo el constante riesgo de ser esclavizada y abusada por animales racionales de toda índole y por el otro lado, con la posibilidad de encontrar fuentes de inspiración, de ensanchar sus fronteras, de respirar un poco más de paz, comprensión, respeto, decencia y libertad. Deberíamos estar atentos a todo intento de manipulación y saber elegir…

Evolución cultural

Al pasar al segundo grupo evolutivo, el ser humano común, vemos entonces que se inicia un proceso de transformación profunda, al transitar desde una experiencia física orientada a la supervivencia -más la inteligencia mecánica del animal racional- hacia un universo psicológico original. Los patrones de supervivencia se comienzan a debilitar, lo que permitirá el despertar a nuevas experiencias evolutivas y se consolida un cuerpo ético que regula nuestro comportamiento. Ya no es suficiente compararse con un chimpancé y considerarnos meros animales, ahora adquirimos un nuevo *estatus evolutivo* como seres humanos y reconocemos la novedad que tiene esta nueva condición.

Todas las formas pre o protohumanas reconocibles como estados de transición entre el animal y el ser humano no llegaron a integrar realmente esta dimensión de experiencia que permite reconocer nuestra naturaleza mental, no lograron conquistar este nuevo nicho evolutivo de autoconciencia racional. Pero en algún momento se produjo un cambio esencial que la ciencia actual no ha podido establecer y mucho menos comprender, una transformación crítica que nos permitió comenzar a vivir como verdaderos seres humanos, desencadenando un potente impulso cultural original reflejado en el primer diálogo con un lenguaje inteligente diseñado por la mente. Ahí surge la entidad racional que conoce, explora, descubre, diseña y modela la naturaleza. Era la inteligencia humana esencial que iba a transformar la evolución de la vida en este planeta. A este ser humano primordial lo reconocemos como esencialmente diferente al animal y le otorgamos un nuevo valor evolutivo porque conquista un nuevo nicho en la evolución de la vida y de la conciencia que llamamos *Humanidad*, que sería distinto a los procesos cognitivos básicos ya presentes en los mamíferos superiores, como la astucia, las tácticas de cacería y el uso de utensilios, procesos mentales incipientes gobernados por el instinto de supervivencia. El cambio radical quedó expresado en la explosión de *creatividad cultural propiamente humana*.

En el chimpancé podemos reconocer algo en su comportamiento que recuerda al ser astuto y ambicioso, en definitiva, al animal racional. Existe algo humano elemental, un ego autoconsciente sin ningún paralelo en todo el reino animal, salvo los delfines, con una clara inteligencia, astucia política, buenos niveles de aprendizaje, uso de herramientas, una organización social compleja y vínculos afectivos. Por lo tanto, resulta evidente la relación evolutiva con la Humanidad, pero sin poder incorporarse a una dimensión mental *propiamente humana* y siguió su evolución basada en una programación animal. El chimpancé es como la diminuta punta de ese gigantesco iceberg de la mente y todo su universo cultural que transformó la vida y la conciencia en este planeta. Tal vez por eso nos resulta familiar de cierta manera al observarlo con atención, pero sin poder acceder realmente a una dimensión cultural que hemos activado y profundizado, llevándonos a este sitial en la evolución de la vida sin paralelo con ninguna especie conocida.

Si retrocediéramos en la evolución para identificar a ese primer *ser cultural* que reconocemos como tal, ¿qué sería lo esencial? Más allá del núcleo psicológico como ser racional autoconsciente, ¿qué comportamientos básicos demostrarían su presencia? A mi entender, uno de los actos más elementales que permiten reconocer en forma inmediata e inequívoca la presencia de un ser humano consiste simplemente en hacer una fogata. Esta *domesticación del fuego* es uno de los comportamientos ancestrales más originales, simples y trascendentales que desarrollamos como Humanidad. No podemos concebirnos sin el fuego, el cual nos acompaña desde siempre con su luz, protección, calor y *poder civilizador*, marcando un antes y un después respecto a la evolución de los animales, los cuales huyen frente a su presencia.

El fuego logró transformar una caverna cualquiera en el primer hogar verdaderamente humano y también se encendió dentro de él como una poderosa inteligencia que iluminó su vida y que daría origen a un nuevo estado de conciencia y la evolución cultural propiamente tal. Alrededor de esa poderosa energía todo se organiza, surgiendo el *nicho humano*. Será la diferencia esencial con los animales que va a dar origen a la familia, nucleada alrededor de un fuego central que reconocemos como el primer *hogar* (hoguera).

Es el fuego presente en la cocción de los alimentos, la energía constructora elemental y transformadora de la materia en el origen del quehacer industrial. Es el fuego primordial que se pierde en la noche de los tiempos pero que permite reconocer inequívocamente la presencia de esa primera mente elemental, cuya contemplación en el silencio de una noche estrellada pareciera activar una intuición profunda sobre nuestra propia naturaleza, el vínculo interior que nos hace vislumbrar una Humanidad Primordial. Es el Fuego Sagrado que arderá en los Templos y será encendido como Antorcha Olímpica para iluminar la conciencia de los hombres, gracias al sacrificio de Prometeo...

Esa conexión interior es la verdadera revolución evolutiva que va a desencadenar toda la energía potencial de la dimensión mental transformada en inteligencia y creatividad. La mente comenzará a explorar el universo y se iniciará el descubrimiento de grandes verdades expresadas en las leyes de la naturaleza y los principios del conocimiento, frutos de una mente iluminada por la intuición y la razón, creando los fundamentos de la ciencia, el arte, la tecnología, las matemáticas y su mundo de símbolos inteligibles, más todo el quehacer filosófico y metafísico vinculado a nuestra experiencia trascendente, brotando un sentido de pertenencia y *conexión* esencial. Por primera vez habrá un ser vivo autoconsciente que se sentirá parte integrante de esa realidad.

Tal vez esa primera percepción intuitiva de la inmensidad y la grandiosidad del universo despertó un deseo inagotable de investigación que nos alejará a la velocidad de la luz del comportamiento puramente animal. Esta aceleración indescriptible en nuestro proceso de humanización gatillada por esa conexión crítica podría explicar nuestra súbita transformación cultural en la evolución y el surgimiento de la Humanidad moderna en términos de tiempo geológico. Seremos así la primera criatura en evolución que logrará conectarse y acceder a esa fuente de información universal que transformará absolutamente su existencia como ser de naturaleza mental, el primer gran *descubridor y testigo* de los misterios y la vastedad del Universo.

Esta verdadera *mutación psicológica* va a ser precisamente el germen que va a dar origen a la evolución cultural propiamente humana y que va a permitir el alejamiento inexorable del condicionamiento animal, generando conciencia en nuevas dimensiones evolutivas, con un verdadero compromiso y fidelidad hacia una búsqueda intuitiva de verdad, justicia, libertad, conocimiento, belleza, amor y fraternidad. La programación animal irá debilitándose y perdiendo terreno, siendo reemplazada gradualmente por el poderoso impulso de la evolución cultural, respaldada por una posición corporal vertical que eleva nuestra visión hacia la contemplación de las estrellas. *Es la transferencia desde la evolución física a la evolución metafísica, desde el ego animal-racional a un yo-conciencia propiamente humano.*

La inteligencia original desarrollará así múltiples *nichos culturales* gracias a su creatividad e inspiración, su capacidad de soñar, proyectarse, diseñar la naturaleza y darle formas infinitas a la materia y generar así todo un movimiento civilizador nacido de este abanico de cualidades cognitivas, las grandes manifestaciones de esa revolución evolutiva.

Es así como se logran consolidar finalmente los fundamentos de la cultura, que podríamos englobar en Ciencia, Arte, Filosofía y Mística, más todas las ramas del conocimiento vinculadas a estos cuatro pilares esenciales. La cultura se va a convertir en un poderoso agente transformador de la conciencia y ya no habrá marcha atrás para su desarrollo, constituyéndose en el eje orientador de la evolución humana que nos alejará a la velocidad de la luz de nuestro pasado animal, gracias al surgimiento de la vida interior, el despertar del sentido de trascendencia y el desarrollo de valores esenciales. El ser humano se empieza a sentir parte de una gran familia que traspasa todas las fronteras, limitaciones y barreras construidas por el egoísmo, la intolerancia, el odio y la ignorancia que habían sido fortalecidos por el ego inquisitorial del animal racional. Leakey reflexiona sobre el valor evolutivo de la cultura:

> La necesidad de explicar, cualquiera sea su manifestación -religiosa, filosófica, científica-, establece ciertamente una gran distancia entre los humanos y las demás especies del actual planeta Tierra.
>
> Lo mismo hace la cultura. Homo sapiens es una criatura cultural, en un grado y de una forma sin precedentes en ninguna otra especie. Esta dimensión suplementaria del comportamiento crea en esencia otro mundo, un mundo que puede remodelarse constantemente. La transmisión de una generación a otra de ideas y conocimientos significa que todos nosotros somos partícipes de una expresión acumulativa de nuestra especie. Nuestra visión del mundo, y los aderezos materiales de que disfrutamos en él, dependen muy directamente de lo que ha hecho la generación inmediatamente anterior, pero también de lo que han hecho diez generaciones atrás, o cien. Hoy somos los beneficiarios de nuestros lejanos antepasados de una forma sin paralelo ni precedente en ninguna otra especie.[14]

Después de cientos de miles de años de evolución y superar en parte la dura etapa del animal racional, la Humanidad se encuentra en mejores condiciones para valorar y vivir este proceso con mayor profundidad, gracias a un impulso humanizador que ya no es estrictamente físico ni genético, sino que se relaciona con variables intangibles que abordan preguntas e inquietudes fundamentales en relación con la vida y el universo.

Veremos que no somos solamente un amasijo de pensamiento complejo o abstracto como podría definirnos la ciencia actual; somos mucho más que una visión o experiencia intelectual, somos también sentimiento y experiencia ética, estética, filosófica, científica y mística, y si no lo reconocemos, siempre vamos a quedar sujetos a la posibilidad de que el ego animal-racional vuelva a invadir la conciencia y tome las riendas de nuestros actos a través de un mecanismo de memoria ancestral que arrastramos desde hace millones de años. La decadencia humana sería inevitable si este impulso cultural dejara de fluir, porque es precisamente esta energía *evolutiva* la que nos ha convertido en lo que somos como Humanidad, y nos ha ido desprendiendo paulatinamente de la fuerza ancestral del instinto animal, gracias a la *desprogramación por humanización cultural*.

Este proceso es crítico para nuestra evolución, desde una psiquis animal instintiva con emociones básicas y algunos indicios de actividad inteligente, hacia una dimensión psicológica original, una verdadera novedad evolutiva con sentimientos y valores que reconocemos como esenciales en nuestra vida. Si sumamos la búsqueda filosófica y la inquietud espiritual, nos encontramos con una dimensión psicológica tan original y diversa que se constituye en un salto cuántico respecto a la mecánica instintiva animal. Este universo *interior* será la plataforma para la búsqueda de la verdad, la justicia y la libertad, el núcleo de todas las corrientes culturales desarrolladas por la Humanidad y un nuevo estadio evolutivo que refleja la profundidad de la Vida en este planeta. *Somos seres mentales inmersos en nuestra propia evolución cultural.*

Aunque hemos destacado diferentes dimensiones de experiencia cultural, no hemos entregado aún una definición *evolutiva* de cultura. Vamos a apelar al significado esencial que tiene relación con la palabra misma que proviene de *cultivo*, de cultivar. Esa es la clave del proceso cultural, pero, ¿cultivo de qué? La cultura para nosotros en este ensayo será simplemente el *fruto o consecuencia natural del cultivo de todo el potencial evolutivo humano*. Ahí tenemos una relación directa entre cultura, evolución y humanidad. Este potencial cultural tiene diversas vías de desarrollo vinculadas a la imaginación y nuestras capacidades intelectuales que nos definen como seres humanos, además de diversos estados subjetivos de belleza, justicia, verdad y libertad, conformando una experiencia metafísica profundamente original. Entonces, la cultura humana no es un invento ni un conjunto de sofisticaciones del comportamiento animal; es más bien el fruto de un nuevo estado de interacción con el universo, una evolución de *la vida misma que se hace autoconsciente* y permite así profundizar la experiencia racional y ética. Gracias a ese cambio se produce la encarnación de comportamientos originales integrados en un nuevo campo de experiencia.

En este proceso, los condicionamientos animales empiezan a debilitarse en forma progresiva a medida que nos humanizamos. No podríamos desarrollar una ética profunda y al mismo tiempo comportarnos como animales salvajes que luchan por un pedazo de carne, un territorio o un puñado de dinero; eso comienza a quedar definitivamente desplazado, ya no cumple una finalidad *humana*. Desde el momento en que comenzamos a vivir y a reconocernos realmente como seres humanos, a desarrollar y a valorar nuestra cultura, a comunicarnos a través de la profunda riqueza del diálogo y el intercambio de todos nuestros lenguajes simbólicos, todo comportamiento animal empieza a quedar desplazado, debilitado, a perder su capacidad para controlar nuestros pensamientos y actos, porque simplemente ya no encuentran cabida dentro de este nuevo escenario. Ya no hay odio, violencia ni resentimiento o el impulso depredador carnívoro del felino, sino la luz de una nueva conciencia que ha permitido no solamente nuestro desarrollo intelectual, sino además el reconocimiento de valores donde cada vez hay menos espacio para actitudes inconscientes, manipuladoras y crueles.

Por lo tanto, podemos afirmar que el ser humano es básicamente un ser generador de cultura, es decir, comienza a evolucionar gracias a novedosas facultades cognitivas vinculadas a una creatividad prácticamente inagotable. La conciencia ha empezado a contactarse con realidades que le transmiten un caudal gigantesco de nueva información. Por eso es que postulamos la existencia de otras dimensiones de conciencia y experiencia. No es que el cerebro y la mente hayan *inventado* los contenidos que alimentan toda su inmensa complejidad intelectual, toda la inspiración artística, la reflexión filosófica o la investigación científica. Lo que ha ocurrido es que ha surgido un nuevo estado de percepción que conecta con una *dimensión mental* llena de información y comprensión cognitiva totalmente ajenas a la condición animal, nuevas claves de evolución cultural contenidas en la Naturaleza y descubiertas por la mente.

Por ejemplo, a diferencia de la emisión de sonidos animales -siempre vinculados a la supervivencia-, el ser humano descubre la escala musical de 7 sonidos esenciales, una clave septenaria presente en muchas expresiones de la naturaleza, como los 7 colores fundamentales del arco iris y su plasmación en las artes visuales. Esta será la base de todo el universo artístico, una experiencia inédita y poderosa que por sí sola conforma una dimensión de evolución cultural por derecho propio que nace de una percepción estética, un sentido interno de armonía y belleza que ha transformado la evolución de la conciencia humana y su vínculo con la Naturaleza.

Ese perfil cultural original incluiría la presencia absolutamente espontánea de las primeras manifestaciones rituales, simbólicas y artísticas a través de los primeros adornos, cuentas de collar y pequeñas figuras humanas de greda, tal vez la primera flauta de hueso, esa maravilla primordial de la creatividad artística esencialmente humana representada en ese pequeño instrumento de 2 o 3 orificios donde se busca reproducir en un objeto esas primeras notas musicales nacidas en la mente y el corazón de nuestros ancestros. Era la poderosa presencia de la sensibilidad y el poder transformador de la mente que, por primera vez, contemplaba las estrellas y se reconocía dentro de esa vastedad y silencio y que constituyó su primer sistema de orientación y de ordenamiento racional en el espacio-tiempo. Fue el impulso irrefrenable de nuestra evolución cultural gracias a un nuevo estado evolutivo de percepción del ser-conciencia.

Tal ha sido el derrotero humano, un proceso de expansión psicológica desde el ciego instinto animal hasta estados profundos de evolución cultural que comprometen a toda la Humanidad. Amamos este proceso porque es un fiel reflejo de nuestra propia naturaleza; somos nosotros mismos los que nos hemos proyectado a través de la evolución cultural, integrando experiencias tanto físicas como metafísicas, motivados por un espíritu holístico que desarrolla vínculos entre todos los nichos de experiencia. Ese maravilloso fruto va a ser la mejor demostración de una realidad que transformó la vida y generó una variedad evolutiva que podemos diferenciar claramente del reino animal. Este cambio fue tan profundo que hasta el día de hoy no deja de sorprendernos. El nuevo órgano mental ha trabajado con una vehemencia y una energía que parecen inagotables. Ha transformado al planeta por completo y se ha puesto a mirar las estrellas, como si hubiera despertado de un largo sueño y se hubiera lanzado a una aventura llena de acontecimientos extraordinarios e inverosímiles.

Aflora así la genialidad científica y tecnológica, unida a la inspiración, intuición y sensibilidad artística y poética, de tal manera que la cultura comienza a ser el gran *marcador* de nuestro desarrollo como Humanidad, consolidando así una nueva variedad evolutiva que llamaremos *Homo culturalis*. Esto lo comprobamos al verificar ese gran poder mutacional de la cultura en nuestra propia conciencia y comportamiento. *Nosotros transformamos la cultura y la cultura nos transforma a nosotros* en una relación absolutamente integrada en ambos sentidos, formando una verdadera unidad funcional, una simbiosis evolutiva que permite reconocernos como seres humanos propiamente tales. Por eso es que hemos podido descubrir y profundizar universos paralelos, dimensiones intangibles que llamamos ciencia, arte, filosofía y mística.

Entonces, nos encontramos con un inmenso árbol del *conocimiento* con sus múltiples ramificaciones, que es simplemente una proyección de todo el potencial evolutivo propio de la naturaleza humana y sus nuevas claves cognitivas de interacción con el Universo. Eso ya permite demostrar que nosotros como seres en evolución formamos un universo distinto al reino animal, al cual le podemos llamar con propiedad *Reino Humano*, que ya no genera especies o variedades biológicas, sino más bien variedades culturales racionales, morales y espirituales. Toda la inmensa diversificación y ramificación de la cultura da lugar a una gran especificidad de experiencias, conductas, actitudes, capacidades y motivaciones. La combinación de todas esas variables nos permite constatar finalmente un abanico tan grande de variedades psicológicas resultantes que en justicia podemos hablar de un verdadero reino humano como tal, unido a una profunda diversificación del comportamiento que nos diferencia del reino animal. De esa forma podemos establecer una diferencia evolutiva de un reino a otro. Leakey agrega:

> En un sentido muy real, Huxley tenía razón cuando decía que entre nosotros y las bestias existe "un profundo abismo". Los productos de la conciencia subjetiva y los productos de la cultura parecen confirmarlo. Y Julian Huxley, el nieto de Thomas Henry, percibía una brecha tan abismal entre los humanos y el resto del mundo animado que sugirió que Homo sapiens fuera clasificado en una categoría completamente nueva, el Psicozoo. "La nueva categoría es muy amplia, como mínimo equivalente en magnitud a todo el resto del reino animal -sugirió en 1958-, aunque prefiero creer que abarca un sector totalmente nuevo del proceso evolutivo, el sector psicosocial, por oposición a todo el sector biológico no humano".[14]

Pero J. Huxley sigue aferrado al dogma materialista *irrenunciable* que define al ser humano como un animal más, aunque altamente sofisticado. Esta visión se refleja claramente en la elección del término *Psicozoo*, que significa simplemente *animal psicológico*. Si aplicáramos la lógica más elemental de este enfoque animal a nuestra riqueza cultural, entonces nos encontraríamos forzosamente ante la presencia de *animales culturales*, los cuales se encontrarían diversificados obviamente en animales poetas, animales artistas, animales filósofos, animales tecnológicos y animales místicos, sin olvidar por supuesto a los ¡animales *científicos*! Es decir, nos encontraríamos frente a un animal con comportamientos altamente complejos que, curiosamente, no se encuentran presentes en el reino animal…

Biología y cultura

Así como en el mundo biológico la base evolutiva consiste en mutaciones genéticas, planteamos que en la evolución psicológica la base evolutiva sería la mutación de la mente y de la conciencia y el agente provocador del cambio sería precisamente la cultura, incidiendo directamente en cambios individuales y sociales.

Con su dinámica, la cultura promueve cambios psicológicos y conductuales. La conciencia muta, se transforma y va creando así nuevos horizontes, formando un circuito cultura-evolución-conciencia que va más allá de la simple mutación biológica, gracias a una permanente retroalimentación. Esta mutación de la conciencia permite el nacimiento de nuevas variedades humanas que traen visiones originales en religión, ciencia, filosofía, matemáticas, arte, poesía, arquitectura, economía, educación y política. Toda esta variabilidad psicocultural obedece a un principio de radiación adaptativa a partir de una mente nuclear original que, en vez de ser biológica, es *metabiológica*, generando múltiples variedades psicológicas asociadas a la conquista progresiva de diversos nichos culturales surgidos por evolución, que tienen como base una gran diversidad de experiencias y visiones como fruto de esa radiación adaptativa. Richard Leakey comenta:

> Cuando volvemos nuestra vista al pasado, tan solo unos pocos miles de años atrás, vemos la emergencia inicial de la civilización: en una organización social de complejidad cada vez mayor, pueblos que dan lugar a jefaturas, jefaturas que dan lugar a ciudades-Estado, ciudades-Estado que dan lugar a estados nación. Esta elevación aparentemente inexorable en el nivel de complejidad fue estimulada por la evolución cultural, *no por el cambio biológico*. De la misma forma que hace un siglo la gente era como nosotros biológicamente, pero habitaba un mundo sin tecnología electrónica, así los pobladores de hace 7000 años eran exactamente como nosotros pero carecían de la infraestructura de la civilización.[13]

A diferencia de la evolución física, vinculada principalmente al determinismo instintivo y genético, la evolución cultural tiene dos grandes vertientes o modalidades de manifestación: la cognitiva-racional y la ético-espiritual, ambas íntimamente relacionadas entre sí, permitiendo nuestra evolución metafísica integral. Entonces, se produjo un tránsito desde la evolución física con sus leyes materiales a la evolución metafísica con su propia dinámica, donde surge un factor clave como la autoconciencia, vinculada a procesos de introspección, abstracción e intuición gracias a una nueva sensibilidad mental y moral. Esta clave de la conciencia es muy especial porque genera una dinámica distinta a la biológica genética, pues la activación y experimentación del proceso cultural dará lugar a cambios de conciencia que *no requieren* una mutación genética para modificar la conducta, permitiendo así nuestra evolución cultural propiamente tal. Así constatamos la evolución de la vida en otras dimensiones a las cuales hemos ido teniendo acceso y donde empezamos a interactuar y hacer nuestra propia experiencia evolutiva.

Esta evolución cultural no generada estrictamente por cambios genéticos, a su vez puede interactuar con la estructura biológica y la puede modificar, integrando de esa forma un *circuito de retroalimentación biológico-cultural.* Aunque la biología puede incidir en cierto grado en la dinámica conductual, a su vez *los procesos culturales inciden sobre la organización biológico-genética*, generando así este circuito con una doble interacción, permitiendo la posibilidad de vivir dentro de una dinámica evolutiva original respecto al reino animal.

Por ejemplo, se sabe que la práctica de la meditación, el desarrollo afectivo y artístico, los hábitos alimenticios y en nuestro estilo de vida, entre muchos otros factores, generan cambios en la dinámica biológica a través de una modificación en el metabolismo celular. De tal manera que el gen *per se* no sería tan importante como el contexto afectivo y cultural, el cual puede llegar a modificar el equilibrio y la dinámica de los propios procesos genéticos y moleculares.

Otro ejemplo del poder transformador de la cultura es la domesticación de animales, los cuales vienen experimentando fuertes transformaciones evolutivas desde hace milenios gracias a la poderosa influencia de la energía cultural humana, generando innumerables variedades de mascotas que experimentan así una verdadera *humanización* al estar inmersas en un ambiente afectivo humano.

La evolución cultural va a plantear así un verdadero desafío a la evolución darwiniana, al proponer que la cultura ya no guarda una relación causal con el azar y las mutaciones genéticas, debido a su dinamismo y a su velocidad de desarrollo, versatilidad y expansión, de tal manera que se habría producido una especie de tránsito desde una evolución puramente genética a una meta-genética. Nos permitiría plantear un cambio en el patrón evolutivo humano que supuestamente se basa en el ciego azar de mutaciones aleatorias sometidas a selección natural y orientadas a la supervivencia animal, al observar nuevas tendencias asociadas a la cultura como generadora de fuertes cambios psicológicos y conductuales que se relacionan, obviamente, con nuestro propio proceso evolutivo humano.

Núcleos de evolución cultural

La ciencia actual se pregunta por qué el ser humano es tan comunicativo y sociable, por qué ese impulso omnipresente. Sabemos que tiene cierta base animal en el instinto gregario propio de los grandes mamíferos con sus complejas interacciones sociales. Mirado desde esa perspectiva, el proceso no es original. La novedad evolutiva real fue el desarrollo de nuevos canales de comunicación *humana* que fueron desarrollados en diversos nichos culturales. Poseemos una interacción química, física y biológica como cualquier animal, pero además experimentamos un nuevo universo de comunicación e intercambio de contenidos *cognitivos y simbólicos*. Nace así el diálogo, el taller, el congreso, el debate, un nuevo universo de interacción no animal. Sumamos la comunicación artística con todos sus lenguajes expresados en la pintura, la música, el teatro, más una novedosa dimensión filosófica y científica. Se enriqueció así un intercambio permanente a nivel físico, emocional, moral, racional y metafísico y nació la necesidad natural de compartir toda la riqueza de ese conocimiento fruto de la exploración del Universo en sus diversas dimensiones.

Eso nos entrega la respuesta a la pregunta inicial: somos comunicativos porque en la evolución hemos desarrollado múltiples vías originales de intercambio de información como fruto de nuestra experiencia cultural, nuevos senderos que maduraron sus propios códigos de intercambio, generando una gran red interactiva que refleja nuestra riqueza cultural. Este nuevo universo de experiencia es una respuesta inevitable a esa gran necesidad que tienen los seres vivos de interactuar, porque la vida es en sí un flujo comunicacional permanente y estos diversos canales de información permiten *potenciarnos como seres humanos*. Esa es la base de nuestra riqueza cultural, un producto inevitable, necesario y a la vez maravilloso, de la evolución de la vida y de la conciencia.

Este poder comunicacional constituye la clave de nuestra evolución en diversos nichos culturales que probablemente seguirán creándose mientras exista una idea matriz, un principio inspirador común. Esa es la fuerza de la evolución cultural y es también su permanente renovación, gracias a la mutación de la conciencia. La plasmación de este universo en todas las dimensiones imaginables da origen a una realidad multicultural de naturaleza compleja, creando finalmente un verdadero campo cognitivo globalizado, una *atmósfera mental* puramente humana. Esa esfera de conocimiento fruto de la inteligencia constituye nuestra propia dimensión racional-cultural que nos integra a nivel planetario como una sola y gran Conciencia.

¿Por qué valoramos tanto reunirnos y participar en actividades culturales? ¿Por qué nos gusta tanto asistir a clubes deportivos, centros comunitarios, charlas y seminarios, talleres de teatro, yoga, literatura o pintura? ¿Por qué amamos la experiencia cultural en sus múltiples manifestaciones? Simplemente porque así nos *potenciamos* como seres humanos, encontrando un nicho de acogida a nuestra humanidad, la cual se fortalece con la interacción social, porque así nuestra vida evoluciona, madura y adquiere sentido. Esa es la génesis de la *reproducción metafísica,* la posibilidad de nuevas generaciones culturales. Así despertamos a otras dimensiones que viven en nuestro interior y disfrutamos de un espacio para compartir, interactuando con aquellos que tienen esa misma motivación, integrados por el impulso de nuestra evolución cultural.

Así tenemos la oportunidad de participar activamente en diversas organizaciones políticas, científicas, religiosas, deportivas, artísticas, filosóficas... Son miles de posibilidades surgidas de la combinación de distintas corrientes que van creando un universo casi infinito de senderos debido a la interacción dentro del sistema de evolución cultural, fortaleciendo así nuestra experiencia social, no simplemente gregaria. Somos mucho más que un instinto social animal, somos potencia cultural multidimensional, *somos la demostración viva de la profundidad que logró la evolución de la vida y de la conciencia en este planeta.*

Este rico intercambio va a incentivar la creación espontánea de *núcleos de seres humanos con intereses y motivaciones afines,* surgiendo así la atracción mutua que va a generar focos culturales fruto de una misma inspiración, idea, proyecto o motivación. Nuestra evolución se potencia y renueva gracias a estos proyectos primordiales que pueden ser ideas que surgen incluso en una sola persona, pero que tienen el poder de atraer como poderoso imán a seres que se sienten motivados por esa misma idea-fuerza fundamental que da un sentido y que constituye el eje central de todo movimiento cultural. Esa es la base de las miles y miles de organizaciones nacidas a lo largo de la evolución de la Humanidad, estimuladas por una red comunicacional de intercambio de experiencias. Se logra así una sinergia entre los diferentes integrantes y nace un *núcleo cultural* como proyección directa de su potencial evolutivo.

En estos núcleos se encuentra la génesis del *tejido cultural* humano, una red multidimensional que se origina en estos focos de actividad y sus propios canales de comunicación, dando origen finalmente a verdaderas *familias culturales* que, a diferencia de los animales e incluso del animal racional, ya no se basan en vínculos genéticos o consanguíneos, en relaciones físicas concretas o una lucha por la supervivencia animal. Se transita evolutivamente desde una familia física biológica a una familia *meta*-física y *meta*-biológica, donde los vínculos mutan culturalmente y surgen como relaciones humanas afectivas, racionales, morales y espirituales. Nacen así núcleos culturales fundados por personas que enriquecen ese tejido vivo donde nos reconocemos y valoramos como Humanidad, seres comprometidos que velan por el fortalecimiento y profundización de esta gran red cultural que genera una transformación profunda de la conciencia.

Podemos integrar diversas organizaciones donde nacemos como seres más libres y con la posibilidad real de vivir una experiencia trascendente. Esa es la base de nuestra herencia cultural, que no se basa en la simple imitación que haría cualquier mamífero para aprender, por ejemplo, el uso de algunos utensilios básicos. La familia cultural humana se potencia gracias a todos los *Pioneros, Genios y Visionarios* con su poder de creatividad, valor, fe e innovación. Son ellos los que inspiran, centros de energía que siembran la semilla de las grandes revoluciones culturales, abriendo nuevos senderos a nichos evolutivos en el campo de la ciencia, el arte, la filosofía y la mística, más todas las interminables ramificaciones de las grandes ciencias.

Estos núcleos los podemos reconocer a través de varios ejemplos históricos, trayendo visiones y caminos originales para transitar como Humanidad. En todas las grandes culturas siempre encontraremos un impulso primordial que va a contener las semillas de la civilización. Así lo vemos en el clásico ejemplo del llamado *Milagro Griego* del siglo V a.C., que forma parte de una verdadera eclosión de brotes culturales que abarcaron a Oriente y Occidente, que si los entendemos de este modo corresponderían a verdaderos *experimentos* en ciencia, arte, filosofía, religión y política. Son mutaciones de conciencia que permiten nuevas visiones contenidas en estos núcleos evolutivos de elevada riqueza cultural, actualizando una energía potencial contenida en la mente y el corazón de la Humanidad. Mirado así, somos la cara visible de un gran *ejercicio evolutivo*…

Pirámides culturales

Como vimos, la organización social animal fue transferida con éxito al ambiente humano y generó innumerables sistemas jerarquizados controlados por animales racionales deseosos de poder. Pero estas estructuras siguieron evolucionando. Las jerarquías ancestrales basadas en el egoísmo, la competencia y la brutalidad, más la propia ambición por subir de estatus social, mutaron gracias al ya mencionado quiebre de los patrones de comportamiento animal y se transformaron en *pirámides culturales y sociales humanas*, basadas en claves racionales y de conciencia moral presentes en nuestro proceso de humanización, superando, en parte, el control de los animales racionales, siempre inmersos en su rigidez autoritaria sin una verdadera dinámica cultural. Surge junto con la segunda variedad evolutiva, el ser humano común, presente en empresas, movimientos políticos, jerarquías castrenses, agrupaciones religiosas, deportivas y sociales, flexibilizadas gracias a la educación y la cultura.

Estas organizaciones resultan ser más conscientes, con objetivos humanizados y espacios para compartir, donde el líder posee atributos morales reales y va a dejar de abusar o explotar a los demás en provecho propio. Aún tiene cierto grado de ambición material, pero ya aplica estándares éticos y deja de ser tan maquiavélico, a diferencia del animal racional, para quien el fin siempre justifica los medios. El director de una empresa, el presidente de un club de fútbol o el líder de un movimiento político o religioso ya puede valorar la cultura, experimentar sentimientos de fraternidad y respetar un cierto estándar ético que le va a poner límites naturales al ejercicio de su poder y liderazgo. Es una clara evolución de las jerarquías tribales gracias al desarrollo de la conciencia. De esa forma, las pirámides sociales siempre van a estar coronadas por un líder más humano, decente y reflexivo.

Se verifica así un cambio desde la evolución instintiva y mecánica a la *evolución psico-cultural* basada en la profundización de la dignidad y la autoconciencia humana. Los factores culturales permiten interactuar con mayor libertad y dejar de vivir sometidos, controlados y abusados por un sistema rígido aplicado por un macho alfa deshumanizado que quiere tener el control absoluto del poder a todo nivel dentro de la jerarquía. Por el contrario, en la pirámide social se va a producir una comunicación y sinergia cada vez mayor entre los distintos niveles, creando un espacio de armonía, libertad y respeto al ir desapareciendo los sistemas inquisitoriales controladores y represivos. Desde un macho alfa tribal que detenta el poder centralizado, se transita a una organización menos rígida que distribuye la autoridad y actúa con mayor tolerancia, establece códigos de disciplina, justicia y la moral por la cual se va a regir una organización social, distintos a los códigos tribales absolutistas impuestos por la fuerza, donde aquel que se atreve a desafiarlos debe responder con su vida.

Los machos alfa crueles y déspotas ya no prevalecen, pues surgen directorios presentes en todo tipo de organización política, científica, económica, social o religiosa, además de comités asesores que recuerdan a los clásicos *concejos de ancianos* que siempre existieron en las culturas ancestrales y que tenían, al revés de lo que muchos pudieran pensar, una buena dosis de sabiduría, es decir, seres humanos con desarrollo cultural, tradiciones, símbolos, mística, una organización política, económica y administrativa. De tal manera que hay que tener mucho cuidado al momento de valorar a las poblaciones que hoy en día llamamos casi despectivamente *indígenas,* porque nos vamos a encontrar con núcleos civilizatorios poseedores de una sabiduría que se remonta a tradiciones culturales antiquísimas.

Esta evolución se observa incluso en las jerarquías militares, al pasar de organizaciones que pueden cometer genocidios brutales, tan propios del animal racional tribal, hacia protocolos de resolución de disputas que evolucionan con la diplomacia, evitando la barbarie a través de tratados y la negociación entre las partes en conflicto. Es un procesamiento ético que incorpora variables culturales basadas en el diálogo, el entendimiento, la pacificación y la integración social, lo cual ha permitido evitar mucha crueldad gracias a líderes carismáticos que ayudan a favorecer la fraternidad entre los pueblos. Las hordas bárbaras y vengativas evolucionan hacia ejércitos profesionales con códigos morales y la aplicación de convenciones que ayudan a evitar comportamientos crueles extremos, aunque muchas veces no sean respetadas debido a la gran influencia que todavía ejercen los animales racionales en la toma de decisiones.

Se va a transitar desde sociedades con un ordenamiento rígido basado en castas que casi no pueden salir de su molde preestablecido, hacia pirámides dinámicas con mayor movilidad social que valoran la diversidad psicológica, racial y cultural. Es el paso de una jerarquía *impuesta de arriba hacia abajo* por un macho alfa hacia una pirámide social y cultural que genera un movimiento de *abajo hacia arriba,* reflejando la dinámica evolutiva propia de la conciencia en un contexto cultural que promueve además el respeto por el prójimo. Estas pirámides mutan las expresiones de egoísmo, agresividad y deseo de poder, en sistemas de educación y socialización que permiten canalizar de forma constructiva el anhelo de control tan propio del animal racional.

Todas las estructuras piramidales que hemos creado han sido un medio inteligente para poder transmutar la poderosa energía instintiva y la ambición del ego disociado a través de un sistema virtuoso que permite canalizar ese impulso ancestral dentro de un contexto cultural evolucionado que lleva la conciencia hacia un nuevo estado. El impulso competitivo, por ejemplo, tiene su origen evolutivo en el procesamiento racional del deseo de poder y dominación propio del animal racional. Se transita desde una competitividad brutal a una forma evolucionada, regulada por códigos, estándares y reglamentos aceptados por todos en el mundo económico, político, empresarial, deportivo y todos los ambientes llenos de ambición, pero ahora transformada y humanizada gracias al desarrollo de una serie de normas reguladoras, con un claro impacto cultural y social.

El quiebre del instinto permitió la mutación de ese ciego impulso y su evolución en diversos nichos culturales, dando origen, por ejemplo, a deportistas de alto rendimiento motivados por conquistar el triunfo, batir marcas dentro de un contexto altamente exigente, pero con normas y reglamentos que otorgan un marco ético-racional para poder canalizar el fuerte anhelo competitivo y poder humanizarlo cada vez más. La competencia humanizada se ha proyectado como estilo de vida en todas las organizaciones jerárquicas, donde se promueve e incentiva el espíritu de superación como forma de progreso, crecimiento y éxito. Es la consecuencia evolutiva natural de un estado de conciencia que le permite al animal racional experimentar su propio proceso de humanización y comenzar a vivir dentro de un contexto racional y moral.

Esta nueva experiencia evolutiva llevó necesariamente al debilitamiento del deseo de control de las inquisiciones, las que mutaron gracias al poder de la cultura y se transformaron en sistemas basados en un nuevo sentido de *Justicia* gracias a la conciencia de respeto por la dignidad humana. Se incorporaron códigos éticos en todas las organizaciones reguladas por un sistema de Justicia que refleja esa transformación cultural, creando organizaciones políticas y sociales propias de un nuevo estado evolutivo de conciencia.

Siempre vamos a poder distinguir una tendencia clara: en aquellas comunidades donde existe un buen desarrollo de la cultura y la educación como parámetros de evolución social, vemos que el poder inquisitorial ha evolucionado hacia entes reguladores comprometidos con un estado de derecho. Es una conciencia basada en valores humanos esenciales y un sentido de justicia y de libertad que se instituyen como referentes a respetar por toda la comunidad. Pero cuando la sociedad entra en una fase de decadencia o descomposición, se *puede* volver a una condición tribal, se destruye el tejido cultural y nuevamente se instala un macho alfa oportunista que empieza a concentrar el poder político, económico, religioso o militar y vuelve a establecer una inquisición basada en la represión, el miedo y la imposición violenta de sus particulares códigos pseudo-culturales.

Los códigos morales y judiciales fueron instituidos originalmente como una necesidad social para ayudarnos a transitar desde una condición tribal emocional e instintiva a un estado cada vez de mayor cultura y civilización. Estas normas fueron inevitables, ya que la agresividad, astucia, egoísmo y crueldad del animal racional requerían de una normativa moral y de justicia *externa* para frenar y domesticar la impulsividad mecánica e ir trasmutando esa condición por evolución cultural, despertando gradualmente a una nueva conciencia y un sentido natural *interno* de fraternidad y respeto.

Asistimos, entonces, a un proceso de *mutación de la conciencia primitiva* y de la forma en que la cultura genera un cambio radical en la sociedad a través de un componente crítico que es el establecimiento de normas que nacen de la comprensión y respeto por nuestra condición humana, principios que van a regular una forma de vida cada vez más alejada del comportamiento animal, mediante el desarrollo de diversos códigos sociales a nivel legal, político, económico y tantos otros. Estos principios ordenadores son la consecuencia inevitable de una ética basada en el reconocimiento y protección de nuestra dignidad, y así se comienza a establecer una norma universal de convivencia señalando lo aceptable e inaceptable gracias a una combinación de racionalidad y ética. Todos los códigos civilizatorios que nos acompañan desde el alba de la civilización los aceptamos y los incorporamos a nuestra vida gracias a este nuevo estado de conciencia que llamamos simplemente *Humanidad*.

* * *

Teniendo en cuenta esta evolución cultural, surge la inevitable pregunta:

¿Somos animales los seres humanos? Esta es una antigua discusión que al parecer habría sido definitivamente resuelta por la ciencia actual, la cual nos clasificó precisamente como tales; entonces seríamos básicamente animales humanos e incluso la definición más aceptable es la de *animales racionales*. Sin embargo, en el ensayo hemos utilizado esta denominación solamente para la variedad humana evolutivamente más primitiva, la más cercana al reino animal.

La visión que intenta imponer hoy el materialismo científico plantea que toda la transformación cultural humana se debería simplemente a la fisiología cerebral y que sería el propio cerebro el *generador*, en última instancia, de esa impresionante cultura y facultades mentales. Curiosamente, la ciencia no cuenta con el más mínimo modelo que pueda explicar el origen de este salto cuántico de humanización y generación de cultura. No puede explicar la naturaleza de la conciencia ni la trascendencia de nuestra experiencia evolutiva vinculada al desarrollo de la ciencia, la filosofía, el arte y la mística, pues no existe un modelo biológico *material* que explique realmente el origen de todo ese caudal de conocimiento y conciencia a partir de la mera fisiología cerebral. Resultaría tal vez más interesante explorar la posibilidad de que esta poderosa cultura humana sea nada más y nada menos que el reflejo de una realidad ya presente en la naturaleza del propio Universo, un Cosmos multidimensional en lugar de un universo plano, chato, concreto, sin profundidad, sin alternativas. La mente y la conciencia con toda su complejidad serían la demostración palpable de esa realidad surgida en nuestra propia evolución como seres vivos, que nos ha permitido descubrir, profundizar y valorar la vida desde una nueva experiencia evolutiva que combina la realidad física y la metafísica como dos variables naturales integradas en nuestro campo de conciencia unificado.

Sin embargo, cuando se plantea que somos distintos a los animales, aparece el infaltable argumento *científico* señalando que poseemos un 98% de nuestro material genético en común con los chimpancés. ¿Qué quieren dar a entender con eso? ¿Que los chimpancés y los humanos somos un 98% iguales en nuestro comportamiento o nuestra vida en última instancia? ¿Son prácticamente iguales los científicos a los chimpancés cuando desarrollan diseños experimentales para probar sus hipótesis? ¿Son iguales a los monos cuando acuden entusiasmados a congresos científicos sobre los últimos descubrimientos en evolución o desarrollan modelos para explicar la estructura íntima del átomo, el origen del universo, la teoría cuántica? ¿O eso se explica con el 1 o 2% de material genético restante? ¿Mozart era un 98% igual a los chimpancés al componer la Misa de Réquiem o Beethoven la Novena Sinfonía? ¿Dónde está el 98% de similitud cultural?

¿Acaso los chimpancés formulan un 98% de planteamientos metafísicos sobre el ser y el no ser, o bien filosofan sobre el sentido de la vida, quieren investigar la materia oscura o las radiaciones cósmicas? ¿Acaso envían sondas a planetas distantes y mensajes interestelares para poderse comunicar con otras formas de vida en el universo o desarrollan complejas ecuaciones matemáticas que fundamentan todos los modelos que explican la dinámica de la naturaleza física? ¿Acaso sostienen debates sociológicos, desarrollan modelos económicos o simplemente se sientan a dialogar para poder entender toda nuestra miseria y bajeza moral? ¿Acaso hacen siquiera una sencilla y ancestral fogata que permite detectar inequívocamente la presencia humana o bien ingresan a templos milenarios y meditan sobre el vacío como los monjes zen? ¿Cuál es la cultura de los chimpancés 98% humana? El científico que dice eso, ¿ha visto a algún chimpancé hacer algún planteamiento científico sobre el origen de la vida o la evolución del universo?

¿De dónde surge toda la riqueza vinculada a nuestra evolución cultural? ¿Acaso de un 2% de material genético? ¿Ahí está toda la música, el arte, la ciencia, la mística, la aventura del intelecto humano, los cambios revolucionarios de la tecnología, nuestro desarrollo filosófico, virtudes humanitarias, poesía, sueños e ideales? ¿Todo eso proviene de un 2% de material genético? No hay ningún modelo *científico* que lo haya demostrado y consideramos que es una burla a nuestra inteligencia *humana*. Cuando veamos a un chimpancé 98% científico, filósofo, matemático, poeta y místico entonces prestaremos atención a ese gran *argumento científico*.

Para muchos intelectuales seguimos siendo un animal más. ¿Acaso un científico en su moderno laboratorio de investigación experimental es un animal más? ¿O escribiendo elaboradas teorías sobre el origen de las especies y del Universo? ¿Somos animales cuando compartimos nuestro mundo interior y descubrimos el poder transformador de la comunicación profunda y sincera? ¿O cuando sentimos en carne propia el sufrimiento de millones de moribundos y esclavizados? Los que sostienen que somos animales, ¿se sienten ellos mismos como tales? ¿Acaso viven como los monos o los cerdos? ¿Acaso se cruzan con las hembras en celo en cualquier lugar como los perros, orinan los árboles para marcar su territorio o comen sus propios excrementos como los chimpancés?

Quisiera verlo.

Quisiera que tan solo por un instante sufrieran en carne propia la experiencia animal.

Quisiera verlos encerrados en insalubres jaulas de zoológicos olvidados mientras les arrojan un pedazo de carne sucia y maloliente para después volver a echarse como si estuvieran agónicos.

Quisiera ver su expresión cuando los llevan a la fuerza arrastrándose entre gemidos a laboratorios de experimentación animal para abrirles el vientre e inyectarles un sinnúmero de drogas para publicar prestigiosos estudios científicos.

Quisiera verlos convertidos en hembras que contemplan cómo los depredadores se comen vivas a sus crías a mordiscos con la más absoluta naturalidad, o son comidas por otros individuos de la misma especie.

Quisiera ver sus bocas convertidas nuevamente en hocicos tironeados por correas recibiendo latigazos, verlos nuevamente caminando en cuatro patas y el cuerpo cubierto de pelos, cerdas y lleno de parásitos chupasangre, o pastando en un terreno cubierto con sus propios excrementos.

Quisiera ver cómo los entrenan en los caniles, los castran o los patean en la calle, cómo los recoge la perrera y los envenenan en masa.

También quisiera saber cómo se sentirían al ver a sus familiares en un matadero colgando atravesados por ganchos después de ser electrocutados.

Entonces, si después de experimentar la realidad animal, deciden renunciar voluntariamente a los frutos de la civilización humana, si decidieran renegar de millones de años de evolución donde se sortearon innumerables peripecias para llegar a ser lo que somos, creería en ellos. Me convencería finalmente de que somos animales. Aceptaría que la ética y la filosofía son sutilezas del instinto social y que la construcción de templos es un signo de barbarie.

Pero creo que no lo veré.

Nunca veré a un gran científico dejar su laboratorio con todos sus diseños experimentales, ni al catedrático renegar de su elegante y prestigiosa universidad. Tampoco veré a ningún intelectual despreciar bibliotecas con millones de volúmenes fruto de nuestra inteligencia.

No veré a esos lejanos ermitaños abandonar su senda de búsqueda interior ni a los poetas renunciar a su inspiración.

No veré a un genio rechazar su intuición ni a un héroe escapar al desafío de la muerte.

9

EL DESPERTAR ESPIRITUAL

Hemos planteado el carácter ilusorio del ego animal-racional, pues obedece a una serie de patrones mentales y emocionales inconscientes que nos condicionan e involucran en una lucha eterna por imponer nuestra visión, producto de millones de hologramas disociados que perpetúan el conflicto. Por lo tanto, uno de los aspectos críticos para acceder a una libertad de conciencia genuina será la profundización del ya mencionado quiebre de conductas mecánicas, un verdadero proceso de *descondicionamiento y desprogramación del animal racional,* iniciado gracias a la evolución cultural, que apunta a liberarnos de la rigidez que controla la conciencia. La vía práctica para ese objetivo ya se plantea abiertamente en la metafísica budista, buscando liberar a la mente de toda su programación fruto de nuestra experiencia evolutiva y que nos tiene en un circuito inagotable de sufrimiento e ignorancia debido a la identificación mental, la ilusión del deseo y la búsqueda del sueño material. El Budismo va a aportar, desde una perspectiva científica en relación con los procesos mentales, el descubrimiento del ego disociador y el fin de su hegemonía a través del *despertar interior a una sabiduría natural,* un proceso universal posible para *toda la Humanidad.* El fin del dominio del pequeño ego sediento de sensaciones podría liberar así la Conciencia Profunda. Ese sería uno de los pilares fundamentales de la libertad humana.

Ramiro Calle plantea con toda claridad esta necesidad de liberación de nuestra programación evolutiva:

> La "sed" pervierte el discernimiento, distorsiona la visión. No solo la "sed" de objetos externos, que puede ser la más inocente, sino la avidez y aferramiento a las ideas, a los puntos de vista, al poder, al *ego. Donde hay ego no hay amor.* Hay que renunciar al sentido de posesividad y obtener para la mente una dimensión de claridad donde no deambulen los miedos, las paranoias y las autoafirmaciones narcisistas. [...] La falsa autoestima, la arrogancia y la vanidad, la autoimportancia y soberbia, son modos de la avidez. [...] Esa etiqueta pegada a ninguna parte que es el ego, fantasma sediento e insatisfecho, debe ser desmantelada. Es el sentimiento desarrollado del Yo el que genera tanto aferramiento y afán de posesividad. Solo purificando el ego y liberándose del sentido del yo, puede lograr una persona dar el gran salto hacia la mente iluminada. Para *ver*

lo que está más allá de las apariencias y del ego, se requiere una transformación radical y un giro espectacular de la mente; *tienen que caer los viejos patrones de conducta mental y los ancestrales códigos evolutivos.*[3]

Nuestro mundo psicológico es fruto de millones de años de procesamiento de información y una memoria evolutiva que guarda todo nuestro condicionamiento instintivo y emocional, más una programación mental disociadora que desintegra la unidad de la vida, la conciencia y la naturaleza, un mundo rígido fruto de hologramas saturados de miedo, egoísmo y violencia, la máscara que el ego sostiene frente al mundo. En última instancia, la libertad humana permitiría descubrir que cada ser individual forma parte de una Unidad que solo se podría lograr con un auténtico despertar interior, gracias a la necesaria liberación de esa programación que controla la conciencia.

Si por un segundo visualizáramos la perpetuación de nuestra reactividad psicológica, si tuviéramos un atisbo de conciencia de toda la mecanicidad y violencia del animal racional agazapado como el minotauro en el núcleo más oscuro de nuestra psiquis, un segundo de claridad sobre nuestro condicionamiento de millones de años de evolución animal y disociación mental, entonces comprenderíamos lo que somos y comenzaríamos realmente a liberarnos de ese patrón reactivo que nos esclaviza y somete una y otra vez perpetuando todo nuestro orgullo, dolor, miedo y crueldad. Ese es el impacto de la conciencia profunda en tantos seres humanos que ahora valoramos por su grandeza moral y su despertar al valor espiritual que yace potencialmente en la mente y el corazón de *todo* ser humano.

Entonces, para que pueda aflorar esa nueva conciencia debemos generar un cambio en nuestros propios hábitos y actitudes, empezar a promover modificaciones en todo el conjunto de automatismos y reiteraciones instintivas inconscientes que hemos heredado y paralizan la conciencia. Debemos empezar a *despertar* nuestro potencial interior con trabajo y perseverancia que incluya nuevas opciones de vida para generar un cambio real; reactivar nuestros ideales o intuiciones originales, cuando sentíamos la posibilidad de un Sendero, algo que nos incentivaba como un impulso o fuerza primordial que emanaba de la Naturaleza Viva y de nosotros mismos…

Tenemos que empezar a *movernos*, a salir de la comodidad del sillón, de todas las horas frente al televisor *matando el tiempo* mirando esa pantalla que en el fondo no nos aporta casi nada. Debemos decirle *no* al animal racional interior, que incluso nos está controlando a través de esas imágenes multiplicadas por doquier, reforzando nuestra programación psicológica para que los pensamientos y emociones mecánicos se perpetúen y sigamos *deseando y consumiendo más y más cosas*. El animal racional envía *mantenciones al sistema* para que siga funcionando de la misma manera. Somos *nosotros* los que sostenemos esta gigantesca matriz virtual y los controladores son los mismos de siempre, aplicando infinitas variaciones de un sistema de programación que tiene como único objetivo fortalecer un *statu quo* que ha resultado ser un negocio infinitamente rentable *a través del consumo y la poderosa industria de la entretención*.

Vimos que la conciencia racional pudo contribuir al quiebre del condicionamiento animal, lo que daría origen a nuestra evolución cultural, sentando las bases psico-morales de la condición humana propiamente tal. Este debilitamiento de nuestra memoria evolutiva se profundizó aún más en el ser humano común y se amplió a toda su programación mental. En un proceso sinérgico de alto dinamismo, el poder transformador de la cultura comenzó a desestabilizar toda la estructura de hologramas disociados propios de la mente común, derribando los muros de mecanicidad mental que nos habían transformado en seres racionales, pero con una mente llena de dogmas, creencias y prejuicios que nos tenían anclados a un ego rígido disociado de la naturaleza. La profundización del quiebre de los patrones psicológicos inconscientes fortaleció y expandió aún más esa evolución interior, debilitando esa programación que nos tenían inmersos en un mundo virtual polarizado, confrontacional, lleno de antagonismo, miedo y violencia.

E. Tolle destaca este necesario proceso de liberación psicológica:

> Estamos rompiendo pautas mentales que han dominado la vida humana durante millones de años, pautas mentales que han generado una cantidad de sufrimiento inimaginable. Y no estoy usando la palabra maldad. Es mejor llamarlo inconciencia o locura.[20]

Al producirse la ruptura del cascarón conceptual-intelectual, brotó espontáneamente una percepción muy especial que llamamos *intuición*, facultad universal de la mente despierta que percibe una realidad invisible a la visión física y transmite a la conciencia cierta información ajena a la dualidad racional sujeto-objeto. El despertar de esa nueva sensibilidad llevará a buscar el sentido de la vida, naciendo inquietudes originales que impactan en la mente y el corazón y nos incentivan a investigar nuestra propia naturaleza. Surge así el *Amante y Buscador de la Verdad*, con una Voz Interior que comunica un sentido a la angustia y el vacío existencial. Es el buscador de respuestas a enigmas que no puede precisar en cuanto a su origen, no puede definir una zona específica del cerebro o alguna masa neuronal que siente inquietudes metafísicas, porque se plantea preguntas esenciales no intelectuales sobre el sentido de su propia vida. Ese afán de búsqueda profunda nace de una intuición que nos convierte en caminantes de senderos que siempre convergen en nosotros mismos y será la semilla del *despertar interior como autoconciencia libre*. Este vuelco intuitivo llevará a la conciencia a trascender lo cotidiano, lo evidente, el discurso lógico y formal y la disociación conceptual. Será la posibilidad real, tal vez por primera vez en nuestra evolución cultural, de empezar a superar realmente la violencia mental vinculada al conflicto, el odio y el fanatismo del animal racional, despertando a un nuevo estado de armonía, inspiración y conexión interior.

Se pudo manifestar así una tercera variedad evolutiva de seres humanos totalmente originales gracias a su *conciencia espiritual despierta*, donde el impulso místico e intuitivo ha superado al instinto animal y la mera racionalidad mecánica, además de la inestabilidad y fragilidad emocional de la psiquis humana corriente, despertando a una nueva sensibilidad y experiencia psicológica. La conciencia se libera de todo deseo o programación y se emancipa progresivamente del control instintivo mecánico. El ego lleno de deseo sensorial pierde así su protagonismo y empieza a desactivarse, pues la conciencia se involucra en nuevos procesos totalmente originales.

La conciencia animal ha sido reducida a un nivel ínfimo. Todos los instintos que definen básicamente al comportamiento animal ya no existen o quedan meros vestigios. Brota un ser esencialmente generoso, comprensivo, fraternal, pacífico y lleno de sabiduría natural, cuya presencia no pasa inadvertida. También es poseedor de una fuerte voluntad, un sentido natural de justicia y una gran entereza moral frente a la adversidad. Poseedor de una elevada ética y sentimientos de amor profundos por la Humanidad, se encuentra en condiciones de poder inspirar y entregar un mensaje iluminador a muchas personas.

Al reconocer ese estado de conciencia, no estoy afirmando en absoluto la existencia de un *espíritu* en el sentido teológico tradicional; simplemente estoy abarcando cualidades humanas *naturales* confirmadas por la experiencia. Y dado que esos atributos se vienen manifestando desde hace milenios, es perfectamente razonable sostener que son intrínsecos a la Humanidad *y forman parte de su propia naturaleza*. No creo que sea posible definir al ser humano sin acudir a estas cualidades diferenciales que conforman una conciencia superior inédita en la evolución. ¿Acaso son muy subjetivas e inabordables? Puede ser, aunque en este capítulo intentaremos objetivarlas para sacarlas de su condición *intangible* y poder valorarlas como entidades reales, pues su existencia y evolución histórica son igualmente indudables para creyentes y ateos. Ni el más materialista de los científicos podría negar que tiene principios éticos, sueños e ideales. Ningún escéptico está libre del juicio de la propia conciencia ni del anhelo profundo de verdad y libertad…

Dadas así las cosas, no considero necesario acudir a algún tipo de espíritu supremo, pues de nada han servido las toneladas de escritos teológicos sobre el Alma, ni las complejas doctrinas religiosas de brillantes cerebros que se consideraban iluminados por Dios. Curiosamente, Dios solo los iluminaba a ellos, a nadie más. De tal manera que considero inútil volver a añejas doctrinas que nos mantienen en un laberinto teológico desconcertante y estéril. Prefiero destacar la expresión pura de toda la actividad moral-cultural-espiritual inseparable del quehacer humano, energía que puede ser débil o manifestarse con toda su fuerza. Simplemente me refiero a la *Vida Interior*, al Ser-Conciencia que significa el fin de nuestra disociación existencial.

Por lo tanto, la experiencia metafísica *no guardaría ninguna relación con conceptos, creencias, dogmas y jerarquías eclesiásticas*, ya que estos procesos son simplemente una creación de la mente humana corriente, e incluso son una creación propia del animal racional ideológico-teológico que, en su profunda astucia y oportunismo, instrumentaliza la fe natural buscando manipular la conciencia y poder controlarnos, debido a su mente utilitaria y ambiciosa. Por el contrario, la experiencia mística genera una sabiduría y *libertad interior* que llevaría a la superación definitiva del sufrimiento y la mecanicidad del ego inquisitorial.

Esta sería la clave del descondicionamiento definitivo de la conciencia, el comienzo del fin de todos nuestros programas evolutivos que nos impulsan a conductas rígidas, reactivas, brutales, el fin de nuestros pensamientos circulares, enfermedades mentales y morales, la condena a muerte de nuestra barbarie. Entonces y solo entonces, habría seres verdaderamente libres, dueños de su destino al descubrir la poderosa realidad de la vida interior, con todo su potencial expresado en la conciencia espiritual. Sería la plasmación en este mundo de la verdad, la justicia y la libertad en su estado original.

Se transitaría, en definitiva, desde la realidad virtual de la mente intelectual a la Realidad Vivencial de la Mente Espiritual, *activando* la unidad de la conciencia al superar la ilusión de la separatividad entre un yo autopercibido como distinto a los otros yoes. Comenzamos a liberarnos de ese holograma disociador que había fragmentado la conciencia a grados inverosímiles y nos tenía inmersos en una lucha intelectual propia de una inquisición interna que continuaba censurando, juzgando y condenando el anhelo de libertad legítimo que demanda la conciencia metafísica.

Sería la extinción de la mecanicidad e inconciencia que habían dado origen a un ego contaminante y lleno de soberbia, violencia, agresividad y deseo de control y dominación, el despertar definitivo a una realidad trascendente, una nueva *clave evolutiva* posible de ser experimentada por cualquier ser humano, una nueva conciencia más vasta llena de búsquedas metafísicas, que percibe algo más profundo e invisible a los ojos físicos, una intuición que quiere comprender lo que somos peregrinando por nuevos senderos, percibiendo un *trasfondo común a toda la Humanidad*. Allí mora el ser descondicionado y liberado de su programación evolutiva, el fin de la disociación e ilusión mental, la desintegración de la estructura psíquica rígida que perpetúa el control del ego animal-racional. Nos liberaríamos así del sufrimiento y la angustia existencial, que es un estado de enfermedad interior debido a la repetición mecánica de los mismos actos, dogmas e ideas circulares que actúan como parásitos que van agotando nuestra energía vital, creando enfermedades psicológicas, morales e incluso biológicas. Todos esos círculos viciosos se ven destruidos en su origen, en sus propios cimientos, y empezamos a sentir una liberación interior, el nacimiento de la conciencia metafísica en la evolución humana.

El despertar interior

En síntesis, la autoconciencia se fue fortaleciendo en la evolución y desencadenó una experiencia revolucionaria en nuestra vida: la *autoobservación*, asociada a estados de autopercepción, meditación y *contemplación interior*.

Tal vez por primera vez, o por lo menos de una manera muy impactante y significativa, surgía una entidad viva que, además de observar el mundo externo, comenzaba a explorar y *descubrir* su propio mundo interior gracias al quiebre de sus patrones mentales disociados. Ese cambio de perspectiva le hizo experimentar un nuevo universo de naturaleza metafísica, porque no se estaba contemplando el hígado, el cerebro, las nalgas o los genitales, se estaba observando *a sí mismo*, como unidad de conciencia integrada a todo.

Se consolidaba así una experiencia que sería en definitiva *una nueva clave de evolución de la vida en la Tierra*. Surgía el explorador de su propia naturaleza con la capacidad de poder experimentar la Unidad de la Conciencia, activando la semilla de su mundo interior y descubriendo vínculos profundos con la Naturaleza y la Humanidad. La autoconciencia había generado un ser multidimensional que empezaba a valorar la vida como nunca antes lo había hecho un ser vivo sobre este planeta.

Al debilitar los patrones mecánicos emocionales y mentales, la conciencia comenzó a escanear su propia estructura psíquica y así pudo descubrir toda su reactividad animal inconsciente llena de miedo, ira, prepotencia, orgullo, cobardía y vanidad; todos sus traumas, fobias, egoísmo y crueldad. Siguió buceando y profundizando en ese viaje metafísico y terminó por descubrir al *controlador*, el ego animal-racional lleno de astucia y soberbia con un deseo insaciable de poder y manipulación. Esta autoobservación cada vez más profunda y potente debilitó al ego, como un ladrón que al sentirse observado pierde súbitamente su equilibrio y aparente fortaleza, y así *se hizo finalmente autoconsciente del inquisidor interno*.

La autoobservación activó una poderosa sensibilidad que permitió percibir profundamente nuestra condición tantas veces miserable, destructiva y ciega debido al egoísmo y la ambición de poder. Los hologramas de disociación, dogmatismo y rigidez mental fueron atravesados por los primeros chispazos de discernimiento y comenzaron a desmoronarse, a diluirse, y se llegó a un punto crítico en que la conciencia despertó a un estado intuitivo básico de autoliberación interior de toda la ilusión creada por el animal racional. Así nacía el filósofo, el místico, el buscador de lo esencial. Fue el tránsito evolutivo desde el ego animal-racional, pasando por el yo común, hacia un ser humano que iniciaba su *despertar espiritual*. La mente intuitiva penetró la psiquis como un escáner y comprendiéndose a sí misma percibió su propia naturaleza, el sentido de su vida, su vinculación con el universo y los demás seres humanos. Había nacido el estado de *Meditación espontánea* en nuestra evolución.

La conciencia profunda pudo así develar frente a sí misma toda la bajeza, mediocridad, cobardía y egoísmo del inquisidor interno. Así empezó
a liberarse de una rigidez fruto de millones de años de acumulación de
inconsciencia, conflicto, miedo, frustración y el control de un ego con
sus mil caras de deseo y brutalidad. Ese proceso metafísico es lo que Buda
denomina la *Liberación del Dolor*, fruto de un descondicionamiento auténtico, la mente en un estado primordial sin una sombra de reactividad
mecánica, liberada del egoísmo y la egolatría. Esta liberación interior se
hizo una realidad viva en muchos seres que quisieron comunicar ese estado a la Humanidad y así nacieron diferentes vías para facilitar y "aterrizar"
esa investigación mediante prácticas de ascesis mística que dieron origen
a diversas Escuelas y Movimientos Metafísicos muy valorados por los buscadores del conocimiento trascendente durante milenios en todas partes
del mundo. W. Bodri destaca el carácter universal de este proceso psicológico, clave para comprender la revolucionaria experiencia metafísica de
la Humanidad:

> Tanto si hablamos de la cábala judía como de las prácticas del "recuerdo de
> sí" de Gurdjieff, de la introspección confuciana, de la meditación taoísta, de las
> prácticas del yoga hindú, de las prácticas vipassana budistas o de las prácticas
> contemplativas cristianas, todas ellas incluyen esta técnica de convertirse en el
> observador del propio mundo interno de pensamientos. Este es el único modo
> de aprender a *separarnos del apego que generalmente tenemos a los pensamientos*.
> Esta técnica de observar internamente los pensamientos hasta que se detengan
> es una práctica espiritual básica llamada contemplación-cesación, que puede
> acabar conduciendo al samadhi y la autorrealización.[1]

La cultura oriental siempre ha reconocido una *Ciencia del Despertar
Místico* vinculada íntimamente a la autoconciencia, la meditación y la
intuición. En la India, por ejemplo, esa experiencia siempre ha sido un conocimiento real y práctico sobre la naturaleza humana que los Yoguis denominan *Autoconocimiento*, fruto de un proceso de descubrimiento similar a
lo que Sócrates transmitiría al mundo bajo la máxima *Conócete a tí mismo* y
que en Oriente se identifica con el Despertar o Iluminación. Se basa en una
activación metafísica que destruye el egoísmo, la vanidad y la ignorancia
profunda sobre nuestra realidad trascendente, ignorancia que siempre nos
va a mantener en una red de violencia, fanatismo y dogmatismo inquisito-

rial. Para la cultura oriental, el conocimiento interno es un acto de liberación de la ilusión del encanto material-sensorial y de toda forma de manipulación, miseria, odio y vanidad, de todo aquello que nos mantiene en un eterno ciclo de sufrimiento e ignorancia de nuestra verdadera naturaleza. Es un acto de unión de una conciencia particular con el estado de Conciencia Universal. Es la suprema *Realización*, el fin de toda ilusión ególatra.

Los senderos de la autoconciencia son múltiples y se expresan muchas veces de formas desconcertantes e incomprensibles para la mera lógica de la mente común. Uno de estos senderos clásicos que llevan al despertar interior lo constituye el Yoga y todas las escuelas de meditación y sabiduría que surgieron hace miles de años en la antigua India. Una de las formas más conocidas corresponde al llamado Yoga Devocional. Es la experiencia del Amor puro e incondicional, que despierta en el corazón de seres que viven y expresan con particular fuerza un Amor y respeto por la Vida sin esperar absolutamente nada a cambio.

Uno de los más grandes exponentes de ese sendero, reconocido universalmente en oriente y occidente, fue Ramakrishna, gigante espiritual de la India moderna. Veamos su experiencia directa vivida en un templo, presentada en parte en *Vida de Ramakrishna*, de R. Rolland:

> Un día me hallaba sumido en intolerable angustia. Parecía que me retorcían el corazón como un trapo mojado… El sufrimiento me destrozaba. Ante la idea de que no tendría en vida la bendición de esa visión divina, un terrible frenesí me acosaba. Pensaba: ¡Si ha de ser así, basta ya de esta vida…! La gran espada colgaba en el santuario de Kali. Mi mirada se clavó en ella y un relámpago cruzó mi cerebro: "¡Ella…! ¡Ella me ayudará a poner fin…!" Me precipité. La empuñé como un loco… ¡De repente…! La habitación, con todas sus puertas y sus ventanas, el templo, todo se desvaneció. Me pareció que ya nada existía. Y en su lugar, percibí un océano de espíritu, sin límites, deslumbrante. Dondequiera dirigiese la mirada, tan lejos como mirase, veía llegar enormes olas de ese océano reluciente. Se precipitaban furiosamente sobre mí, con formidable ruido, como para tragarme. En un instante las tuve encima, se derrumbaron, me sepultaron. Arrastrado por ellas, me sofocaba. Perdí el conocimiento y caí… ¡Cómo pasaron ese día y el siguiente, no lo sé!
>
> Dentro de mí corría un océano de dicha inefable. Y hasta lo profundo estaba consciente de la presencia de la Divina Madre.[19]

Este relato se asemeja en parte al citado por Eckhart Tolle en *El Poder del Ahora*, quien nos entrega su propia experiencia del Despertar que dio origen a su gran clásico literario:

Una noche, poco después de cumplir 29 años, me desperté muy temprano con una sensación de pavor absoluto. Me habían asaltado sentimientos similares muchas otras veces, pero esa vez era más intenso que nunca. El silencio de la noche, los vagos contornos de los muebles en la habitación oscura, el ruido distante de un tren que pasaba: todo me parecía tan lejano, tan hostil y tan totalmente carente de significado que suscitaba en mí un profundo rechazo del mundo. Lo más aborrecible de todo, en cualquier caso, era mi propia existencia. ¿Para qué seguir viviendo con esta carga de desdicha? ¿Para qué continuar con esta lucha interminable? Podía sentir un profundo anhelo de aniquilación, de no existir, que superaba enormemente mi deseo instintivo de seguir viviendo.

"No puedo seguir viviendo conmigo". Este era el pensamiento que se repetía en mi mente una y otra vez. Entonces, de repente, me di cuenta de que era un pensamiento muy peculiar. "¿Soy uno o dos? Si no puedo vivir conmigo, debe haber dos yoes: el "yo" y el "conmigo" con el que el "yo" ya no puede vivir". "Quizás", pensé, "solo uno de los dos es real". Esta curiosa reflexión me dejó tan perplejo que *mi mente se paró*. Estaba plenamente consciente, pero no tenía más pensamientos. Entonces me sentí absorbido por lo que parecía ser un vórtice de energía. Era un movimiento lento que después se aceleró. Me sentí atrapado por un intenso miedo y mi cuerpo empezó a temblar. Escuché las palabras: *"No te resistas a nada"*, como si hubieran sido pronunciadas dentro de mi pecho. Podía sentirme absorbido dentro de un vacío. Daba la sensación de que el vacío estaba en mi interior más que fuera. De repente dejé de sentir miedo y me dejé caer en aquel vacío. No recuerdo lo que ocurrió a continuación.

Me despertaron los trinos de un pájaro que estaba junto a mi ventana. Nunca antes había oído un sonido semejante. Seguía teniendo los ojos cerrados y vi la imagen de un precioso diamante. Si un diamante pudiera emitir sonidos, sería algo así. Abrí los ojos. Las primeras luces del alba se filtraban a través de las cortinas. Sin pensar, sentí, supe, que la luz es infinitamente más de lo que solemos percibir superficialmente. Aquella suave luminosidad que se filtraba por las cortinas era el amor mismo. Los ojos se me llenaron de lágrimas. Me puse de pie y caminé por la habitación. Reconocía ese espacio y, sin embargo, sabía que nunca antes lo había visto verdaderamente. Todo era fresco y prístino, como si acabara de venir a la existencia. Tomé algunos objetos, un lápiz, una botella vacía, maravillándome de su belleza, de la viveza de todo lo que me rodeaba.

Aquel día caminé por la ciudad con un sentimiento de absoluto asombro ante el milagro de la vida en la tierra, como si acabara de nacer a este mundo.[20]

Estas experiencias nos llevan a plantear la importancia que podría tener para nuestra evolución los descubrimientos que realizó en este campo el gran Maestro Sidarta Gautama, Buda, quien en su supremo despertar a la realidad de la conciencia profunda, en su gran liberación de toda forma de ilusión, descubre la cadena completa de condicionamientos mentales que generan un profundo apego y que han significado innumerables ciclos de dolor y sufrimiento reiterados al *identificarnos* con todas las formas mentales, conceptos, opiniones y juicios que nos transforman en egos absolutamente disociados inmersos en un eterno ciclo de conflicto, ignorancia y violencia. Buda llama a este proceso *Generación Condicionada*, la cadena de causas y efectos que llevan al hundimiento de la conciencia y un estado de oscuridad interior respecto a su naturaleza prístina, profunda y luminosa.

Leemos en *Buda, Príncipe de la Luz*, parte de la experiencia de su despertar sumido en profunda meditación, dispuesto a liberarse de toda ilusión y con la decisión de no claudicar en su búsqueda por comprender la raíz última del sufrimiento humano:

Tras agotarse la noche de luna llena en mayo, sobrevendrá un amanecer reconfortante y pleno. Desde la inmensa quietud de sus elevadas absorciones mentales, observó en estado de hiperconciencia el surgimiento y desvanecimiento de todos los fenómenos y halló la causa del sufrimiento. Si todo es impermanente, todo es insatisfactorio. Si hay apego, hay dolor. Si nada tiene sustancia, el ego es una ilusión mórbida y esclavizante. Al revelársele la verdadera naturaleza de lo condicionado, Siddharta alcanzó lo incondicionado: el Nirvana. Ponía así término a toda su aflicción, pena, sufrimiento, apego y miedo. Se convirtió en un iluminado, en un buda.

Descubrió, hiperconcientemente, que la enfermedad es el sufrimiento y que el origen del mismo es el anhelo o la "sed", y que el dolor puede ser erradicado si se sigue el sendero adecuado. Había encontrado, pues, la enfermedad, su origen y su curación. A través de la pureza de la mente había llegado a la pureza del corazón. Comprendió la necesidad de cultivar la genuina moralidad, el entrenamiento psicomental y el desarrollo de la Sabiduría para ganar el Nirvana.

Ese amanecer había entrado a formar parte del prolongado linaje de los Budas o *Despiertos*. Perdiendo la mirada en el horizonte, el Buda exclamó:

> Pasé a través de muchos nacimientos,
> buscando en vano al constructor de la casa,
> mas, ¡oh armador de casas!, has sido hallado.
> Nunca más idearás por mí.
> Mi mente ha pasado a la quietud del Nirvana.
> ¡La desaparición del deseo se ha alcanzado por fin![3]

Meditación, Nirvana, Iluminación, Paz, Realización, Felicidad, Liberación… Los relatos anteriores revelan experiencias esenciales comunes: el estado de meditación profunda y la transformación radical de la conciencia, la liberación definitiva de todo nuestro condicionamiento animal, la muerte de la ilusión del ego, el fin del sufrimiento y la violencia interior, una felicidad profunda y la generación de un estado permanente de Paz, Unidad, Amor, Sabiduría y conexión con la Humanidad. Es el fin inevitable del animal racional y todas sus inquisiciones, en Oriente u Occidente, hoy o hace 20.000 años. Es el fruto universal y revolucionario del Despertar Interior, *el mayor y más potente acontecimiento evolutivo, latente en todo ser humano.* W. Bodri comenta:

> ¿Qué despierta en la iluminación? El falso ego se disuelve, y a esto se le llama "despertar". ¿A qué despiertas? A lo que ha estado allí desde el principio y sigue estando allí sin cambio. ¿Se consigue algún otro logro en este proceso? No, porque estuvo allí en todo momento. No puedes conseguir algo que ya tienes. ¿Por qué es posible el despertar espiritual? Porque la naturaleza fundamental del ser tiene un aspecto iluminado y un aspecto de ignorancia primordial carente de verdadera realidad. Cuando la conciencia básica se aleja del aspecto irreal, la iluminación refleja su propia esencia pura y despertamos. En otras palabras, cuando abandonamos las fijaciones mentales engañosas, la iluminación se revela completamente. Cuando las ilusiones son erradicadas y dejan de captar la atención de la conciencia fascinada, la iluminación se revela en su prístina gloria.[1]

Esa conciencia despierta, ¿qué es realmente? ¿acaso el producto de nuestra fantasía o imaginación? ¿un concepto, abstracción o mera especulación intelectual? Sostenemos que es un estado natural de conciencia *potencial*, una dimensión posible de ser vivida en nuestra experiencia cotidiana, pero para eso sería necesario cambiar esa energía en acción, fuerza y trabajo, *encarnarla* y traerla a este mundo concreto donde vivimos nuestro drama humano y tener así la posibilidad real de una transformación profunda de la conciencia. La energía mística podría generar un proceso psico-evolutivo verdaderamente revolucionario que iría acompañado necesariamente de un cambio radical. Esa mutación debería verse reflejada en una conciencia ecológica profunda, un amor sincero por nuestro planeta Tierra, un sentimiento de fraternidad universal que sería indisoluble y nos permitiría establecer poderosos vínculos que permiten concebirnos a veces como una sola y gran Hermandad. Como veremos, la encarnación de ese proceso va a generar al *Maestro o Sabio*, la máxima expresión del despertar de la Humanidad.

Gracias a esa experiencia, se termina por romper la inercia del crecimiento infinito, esa ilusión propia de una mente egoísta proyectada linealmente se diluye junto con el deseo de dominación. Se pone fin así a la ilusión del poder material, el cual va a ser reemplazado por el *poder espiritual* y comienza a brillar la presencia mística como acción pura y desinteresada, libre de cálculo y provecho personal. Es la liberación de toda la ilusión perpetuada por el ego inquisitorial del animal-racional.

La activación de esa conciencia desarrolla el respeto por la Vida, un cambio esencial que ya empieza a descontaminar nuestro planeta, a pesar de todo el esfuerzo que realizan los animales racionales por impedirlo. Es la clave para ir recuperando nuestro equilibrio natural y el respeto al ser integral que somos como entidades en evolución, destruyendo la ilusión del crecimiento lineal ininterrumpido que había generado el ego tóxico animal-racional, lo que permitirá el nacimiento de un nuevo ciclo evolutivo para la Humanidad.

Se descubre así un nuevo estado psicológico de conciencia metafísica, manifestada espontáneamente en seres llenos de amor, sabiduría e intuición, superando la mera lógica y la racionalidad mecánica, *dejando atrás dogmas, fanatismos, ideologías y creencias religiosas*, como una luz que ilumina la existencia con una sabiduría esencial, la misma en oriente y en occidente, hace 50.000 años o una semana atrás, trascendiendo el espacio y el tiempo y siempre fiel a su naturaleza. Es la sabiduría y el amor que siempre han iluminado la senda de la evolución humana y que podemos ver manifestados en todas las civilizaciones.

Es la luz interior del místico en su éxtasis, la ética socrática o la elevada Ciencia Pitagórica. Esa intuición fecunda ha sido transmitida históricamente en todos los nichos culturales, mostrando un mismo principio que permite reconocernos como una sola Humanidad y que es el fin de todos los dogmas e inquisidores con su prepotencia, abuso y crueldad. Es el fin de todos los machos alfa ideológicos y teológicos, dando paso al despertar interior como *fruto natural de la Evolución de la Conciencia.*

Entonces, la conciencia despierta es una experiencia totalmente revolucionaria, porque se destruye la mecanicidad del animal racional y toda su programación emocional. Después de haber pasado por el estado de autoobservación mental, se arriba finalmente al estado de autoconciencia plena, donde descubrimos que *somos* esa conciencia libre; tal vez esa sea la *iluminación*, el supremo despertar de la Vida, la evidencia palpable de esa mutación.

Se pone fin al paradigma materialista que siempre nos ha mirado como animales controlados por estímulos externos y una eterna necesidad de supervivencia. Es la Vida misma la que desafía ese enfoque mostrando al ser liberado de todo automatismo, programación y control del ego. Entonces dejamos de ser el autómata, el robot programable, gracias a ese despertar genuino de la conciencia superior.

Por eso es que el ser humano despierto es el *sujeto más peligroso jamás visto sobre la Tierra* para todos los lobbies controladores y explotadores que quieren fomentar la ignorancia en el mundo, porque saben que no pueden anular ni destruir la propia Vida, porque se reinventará, mutará, encontrará nuevos senderos para poder manifestar su Naturaleza, un impulso que ningún inquisidor jamás podrá doblegar.

Ante la presencia de esta nueva luz evolutiva, el animal racional va a reaccionar como un viejo ser instintivo que se siente acorralado al sentir amenazado su poder y supremacía, y va a reaccionar con energía frente a este nuevo impulso que significa necesariamente su fin. Por ejemplo, el materialismo actual pretende desacreditar este despertar interior, alegando que ciertas drogas producen estados mentales similares a las experiencias relatadas por los místicos, es decir, sería un mero producto de la actividad cerebral. El gran humanista J. Krishnamurti advierte oportunamente:

Los intelectuales han hecho de las drogas un nuevo modo de vida. A través del mundo se ve la discordia, la compulsión neurótica, los conflictos, la miseria afectiva de la vida. Nos damos cuenta de la agresividad del hombre, de su brutalidad, de su completo egoísmo, y de su incapacidad para ser domado por ninguna religión, ley o moralidad social.

Hay tanta anarquía en el hombre -y al mismo tiempo, enormes capacidades científicas. Ese desequilibrio causa estragos en el mundo. La brecha insalvable entre la tecnología avanzada y la crueldad del hombre está produciendo gran caos y miseria. Esto es evidente. Así pues, el intelectual que ha jugado con varias teorías –el Vedanta, el Zen, ideales comunistas, y así sucesivamente- al no encontrar salida a esta situación embarazosa, ahora se vuelve a la droga dorada en busca de la sanidad dinámica y la armonía. Se espera que el científico descubra esta droga dorada -la respuesta completa a todo- y probablemente la producirá. Y los escritores e intelectuales abogarán por ella para detener todas las guerras, como ayer abogaron por el comunismo o el fascismo.

Pero la mente, con sus extraordinarias capacidades para hacer descubrimientos científicos e implantarlos, es todavía mezquina, estrecha y fanática, y continuará seguramente en su pequeñez, ¿no es así? Puede que una de esas drogas lo hagan pasar por una tremenda y explosiva experiencia, ¿pero desaparecerán la agresión, la bestialidad y el dolor tan hondamente arraigados en el hombre? Si estas drogas pueden resolver los intrincados y complejos problemas del hombre, entonces no hay nada más que decir, pues la relación, el requerimiento por la verdad, el fin del dolor son asuntos muy superficiales que desaparecerán, tomando una pequeña porción de la nueva droga dorada.

Ciertamente, esta es una manera falsa de acercarse al problema ¿no es así? Se dice que estas drogas provocan una experiencia que se aproxima a la realidad, por lo tanto, ofrecen esperanza y estímulo. Pero la sombra no es la realidad; el símbolo nunca es el hecho.

Ninguna píldora dinámica y dorada va a resolver nunca nuestros problemas humanos. Solo pueden resolverse por medio de una revolución radical en la mente y el corazón del hombre. Ello exige trabajo arduo y constante, ver y escuchar, llegando a ser así altamente sensible.

La más alta sensibilidad es la más elevada inteligencia, y ninguna droga jamás inventada por el hombre producirá esta inteligencia. Sin esta inteligencia no hay amor; y el amor es relación. Sin este amor no hay equilibrio dinámico en el hombre. Este amor no es un don otorgado por los sacerdotes o sus dioses, por los filósofos, o por la droga dorada.[11]

El movimiento *hippie* había anunciado, tal vez intuido o soñado, un mundo nuevo, un renacer donde nos reencontraríamos en un estado de paz, amor, libertad y fraternidad. Poco después su mística degeneraba, contaminada por el consumo abusivo de drogas como la heroína y el LSD, que transformarían al movimiento original en algo psicodélico, distorsionado, enajenando la conciencia de su impulso de luz original. El materialismo había creado así un nuevo *mercado*, el de las drogas místicas, el lucrativo negocio de la experiencia psíquica adictiva que empezó a llenar el mundo de enfermos psiquiátricos, hedonistas, depresivos, delirantes, narcisistas, seres humanos moralmente estériles.

Sin embargo, vendrían otros movimientos con un potente mensaje de renovación, entre ellos la *New Age* (Nueva Era), que desencadenó la comunicación entre Oriente y Occidente. Gracias a este movimiento cultural se fortaleció esa integración tan necesaria para nuestra evolución entre la cultura occidental y la oriental que seguimos viviendo hasta el día de hoy. Así surgió toda la sabiduría del yoga, el budismo, el taoísmo, las terapias alternativas, la conciencia ecológica, y siguen floreciendo los frutos de esa interacción. Se empieza a conformar así una unidad de conciencia planetaria que no fue sepultada por las drogas hijas del materialismo pseudoespiritual, de la ilusión de la sensación y la experiencia hedonista fácil. En esa maraña psíquica quedaron sepultados los sueños e ideales de miles de seres humanos intoxicados, moralmente destruidos y olvidados por la evolución. La nueva conciencia habrá superado esa prueba y brillará por su propia fuerza interior, despertando en todos aquellos que la quieran vivir. Esa nueva mística será limpia, directa, sencilla, práctica, sin drogas, sin contaminación, sin ilusión, será un despertar universal para la Humanidad.

ÉTICA ESPIRITUAL

La Humanidad, entonces, profundizó su experiencia cultural, reforzando el quiebre de toda la plantilla evolutiva animal-racional y su patrón egocéntrico de conductas automáticas e inconscientes. Este proceso fortaleció el contacto entre el mundo psicológico corriente y una dimensión vivencial profunda, surgiendo la conciencia ética como fruto del despertar interior. Fue la evolución natural de la conciencia moral común, transitando desde un cuerpo de valores relativos hacia la experiencia de valores universales válidos para *toda* la Humanidad, sin importar su condición racial, económica o religiosa. Esta transformación fue realmente notable, descubriendo una verdadera dimensión valórica que identificamos como fuente de nuestra dignidad y *libertad interior*. Más allá de la manifestación de una moral rígida y convencional, inspirada muchas veces en la conveniencia personal, brotó una *ética universal* que sería una revolución psicológica de gran magnitud, abriendo la conciencia a la experiencia de lo sagrado y el *respeto por toda forma de vida*.

El ser despierto siempre va a *aplicar* una ética basada en el compromiso de auxilio al prójimo, constituyéndose en un verdadero puente entre el estado mental común y la conciencia profunda, distinto a la moral convencional, que es relativa, cambiante, inestable, la que puede aparecer o desaparecer, reflejar distintos intereses o cambiar de acuerdo a las circunstancias propias de cada comunidad. En cambio, la ética trascendente no cambia con los vaivenes psicológicos o sociales, es simplemente un estado de nobleza interior que ilumina la mente gracias a la actividad de la energía mística sobre la conciencia común, más allá de las miserias del egoísmo, la violencia y la crueldad, una poderosa revolución de conciencia que logró *integrar* a toda la Humanidad.

Reconocemos así un *campo de conciencia ética universal* como fruto natural del despertar psico-espiritual, su condición basal, su soporte metafísico. Mientras que en el ser humano común prevalecían convenciones morales para poder convivir en sociedades con distintos grados de complejidad cultural y lograr así una cierta armonía y tolerancia, en el ser despierto brota una Ética Universal de principios propios de la mente intuitiva y liberada de toda rigidez. Se vincula a sentimientos permanentes de amor, generosidad, fraternidad, honestidad, respeto inquebrantable por toda forma de vida, sensibilidad por el dolor y el sufrimiento del prójimo y el *compromiso de trabajo en proyectos de evolución cultural que favorezcan a toda la Humanidad*. Dirigida a proteger y enaltecer la dignidad humana, nos integra como una sola Hermandad universal más allá de cualquier moral transitoria vinculada a algún momento evolutivo o algún proceso civilizatorio en particular y que nos comprometemos a respetar y a vivir. Son los principios que nos llevan a valorar derechos humanos fundamentales y a vernos reflejados en todas las alegrías, angustias y sufrimiento del resto de la Humanidad *como parte de nosotros mismos*.

¿Significa eso que los animales no tienen principios éticos? Por lo menos en la forma humana, no. ¿Acaso los monos o chimpancés sufren crisis valóricas y dramas existenciales sobre el *sentido* de su propia vida? Cuando veamos eso entonces podremos decir que los simios sí tienen una conciencia ética propiamente tal. Los seres humanos hemos desarrollado un universo de valores conscientes que inspiran nuestra existencia y que pueden incluso entrar en conflicto con los impulsos instintivos. Surgen así principios universales de respeto, justicia, decencia y libertad, los cuales tienen un componente valórico intrínseco. Es tan potente esa experiencia que le otorgamos un valor evolutivo, porque si no fuese así, ¿qué valor tendría algo tan importante para nuestra existencia? Tan relevante es que tiene la capacidad de generar verdaderas crisis valóricas y existenciales, transformaciones profundas que impactan nuestra conciencia. Ya no nos da lo mismo la crueldad y la manipulación, ya no somos indiferentes a los cínicos, hipócritas y cobardes. ¡Cómo valoramos y respetamos la virtud, la transparencia, la honestidad, la humildad y el valor! Es como una energía que al pasar de la potencia al acto genera una transformación profunda a nivel individual y social.

Por eso sostenemos que los principios éticos constituyen la base de nuestro desarrollo como Humanidad, espíritu que vemos claramente reflejado en las sabias palabras del filósofo griego Sócrates en *Apología*, de Platón, durante el juicio que lo llevaría finalmente a beber la cicuta:

> Tal vez alguien diga: "- ¿Pero no te da vergüenza, Sócrates, haber elegido una forma de vida que ahora te hace correr el riesgo de ser condenado a muerte?"
>
> A lo que yo podría contestar: Estás equivocado, amigo mío, si piensas que un hombre, por pequeño que sea el servicio que pueda prestar a los demás, ha de calcular las posibilidades de vivir o de morir que ello suponga, en lugar de tener solo en cuenta si lo que hace es justo o injusto, si sus actos son dignos de un hombre bueno o de un malvado.
>
> Amigo mío, ¿cómo es que siendo de Atenas, la ciudad mayor y más famosa por su poder y su sabiduría, no te avergüenzas de no pensar sino en acumular riquezas, gloria y honores, sin preocuparte lo más mínimo de la sabiduría, de la verdad y de perfeccionar tu alma?
>
> Pues voy, en efecto, por todas partes sin otra finalidad que convenceros a jóvenes y viejos de que no os ocupéis tanto del cuerpo ni de acumular riquezas, pues lo primero es el cuidado y el perfeccionamiento del alma; diciéndoos que las riquezas no proporcionan la virtud, sino que es esta la que proporciona a los hombres riquezas y todos los demás bienes, privados y públicos.
>
> Y si con estas palabras mías pervierto a los jóvenes, quedará claro que son nocivas. Pero si alguien asegurase que digo otras cosas, mentiría. De cualquier

modo, hagáis caso o no a Anito, me dejéis o no en libertad, estad seguros de que no obraré de otro modo, aunque hubiese de morir cien veces.[15]

Como un ejemplo universal del Sabio comprometido con la virtud y el vínculo pedagógico con las nuevas generaciones, no podíamos dejar de mencionar a ese gran filósofo, sereno frente al tribunal (que termina siendo un tribunal inquisitorial), con su mensaje inmortal sobre la vida y la muerte. Era la ética profunda del Maestro en un mundo en decadencia que comenzaba a cerrar un ciclo para Occidente, el autodenominado *Partero de Almas*.

Esta es la ética inquebrantable que proporciona el despertar de la conciencia mística, tan ajena al animal racional. Es el *compromiso con la Verdad, el Deber y la Virtud* por sobre cualquier otra consideración. Nos recuerda, por ejemplo, a los místicos de la India practicantes de Karma Yoga, la práctica de la Acción Pura, desinteresada, el acto de entrega espontánea que no espera ninguna retribución material o psicológica, simplemente se actúa en el momento por un imperativo ético universal, sin cálculo egoísta o el deseo de recompensas de algún tipo. Ahora se buscarán fines nobles mediante medios nobles. Sería la extinción del animal racional, al desaparecer la contradicción moral entre medios y fines, causante de tanto sufrimiento y conflictos sociales. Es el fin de la mente *maquiavélica* del animal racional que sacrifica a los demás para lograr sus metas siempre egoístas.

Maestros y discípulos

El despertar de la conciencia ha dado origen, en síntesis, a una verdadera *cultura metafísica* que podemos ver claramente reflejada en todos los movimientos humanistas a lo largo de la historia, fundados por místicos, filósofos, científicos, filántropos y líderes sociales que se sintieron llamados a profundizar en la comprensión de nuestra naturaleza y establecer un vínculo con la Humanidad a través de sus obras y su entrega desinteresada. El mensaje de estos grandes seres que siempre han impulsado el despertar interior está contenido en su propia vida, en su *trabajo, sacrificio y ejemplo*. Ese perfil universal indica la acción de fuerzas naturales *transformadoras* absolutamente reales que se han manifestado siempre en la evolución de la Humanidad y han generado un modo de vida completamente ajeno a todo interés egoísta, alejado de la lógica inquisitorial del animal racional.

La única forma de poder explicar esa ruptura o discontinuación radical de los impulsos primitivos es la presencia de una fuerza más poderosa aún, a la cual le hemos dado el nombre de conciencia espiritual y por ende le podemos otorgar el estatus de *fuerza evolutiva*, la cual ha permitido descubrir una realidad trascendente como *testimonio* de nuestra evolución metafísica.

Todos estos seres, que reconocemos como Maestros o Sabios, han entregado un mensaje de profundo amor y respeto por la Vida. Poseedores de una elevada ética, desde hace milenios vienen sembrando semillas de Sabiduría y Fraternidad en medio de la violencia y el odio que ofenden la dignidad humana. ¿De dónde surge esta fuerza mística capaz de transformar en un segundo nuestra vida? No puede tener su origen en las fuerzas que mueven al animal racional, ese superdepredador que se está destruyendo a sí mismo y a la naturaleza. Si la mente tiene su propia estructura y dinámica, podemos plantear lo mismo para la vida interior. El prejuicioso reduccionismo materialista imperante pretende caricaturizar esa experiencia al mostrarla como un mero asunto de "fe" y "creencias", incluso superstición e ignorancia, pero el ejemplo *vivo* dado por mujeres y hombres extraordinarios durante milenios en todas partes del mundo deja en evidencia una poderosa fuerza evolutiva transformadora de la sociedad, la cultura y la conciencia, que traspasa cualquier creencia, dogma o superstición. Ellos tuvieron la fortaleza interior necesaria para elevarse por sobre nuestras bajezas y escepticismo y se transformaron, sin quererlo, en portadores de un mensaje evolutivo que concierne a toda la Humanidad. Visto así, la espiritualidad genera cambios de conciencia absolutamente *naturales* e integrados a nuestra propia evolución como seres humanos.

Fruto de esta poderosa fuerza, comienza una nueva experiencia basada en líneas originales de evolución cultural transmitidas a las nuevas generaciones. Este proceso constituye una verdadera *herencia espiritual,* un legado posible gracias a una transferencia generacional a través de un sistema ancestral basado en el *vínculo entre Maestros y Discípulos.* Toda la sabiduría que surge en la mente y el corazón de seres humanos despiertos, y siguiendo la ley de evolución natural de los seres vivos, incentiva a las nuevas generaciones a través de una relación pedagógica, ética y comprometida, generando un vínculo indisoluble entre el Maestro y todos aquellos que se sienten inspirados por la fuerza de su mensaje y se constituyen así en discípulos dispuestos a recibir esa sabiduría, pero por sobre todas las cosas dispuestos a desarrollar su *propia senda* de evolución cultural, *su propio despertar inte-*

rior, inspirados por un ser humano que por amor a la Humanidad entrega el legado vivo de su propia realización y cataliza el proceso transformador. Este sistema clásico de maestros y discípulos comprometidos con la Verdad y la Libertad Interior se remonta tal vez al origen mismo de la Humanidad, ya que siempre hubo y habrá seres humanos que pueden y desean traspasar a las nuevas generaciones algún legado, experiencia o conocimiento esencial y siempre habrá seres sensibles, receptivos, que también buscarán renovar ese vínculo y crear así un puente de conciencia entre todas las generaciones.

Sostenemos que la figura universal del Maestro es una de las mejores y más potentes expresiones de la realidad del despertar interior. Su presencia es universal, pues se manifiesta en todas las vertientes culturales a través de su amor y sabiduría. No es solamente el místico con sus discípulos dentro de un templo o el ermitaño en alguna lejana gruta en las montañas. Es también el pedagogo y filósofo que transmite con dedicación una enseñanza o conocimiento, siempre comprometido con la Verdad, en un puro acto de amor y generosidad, entregando lo mejor de sí a las nuevas generaciones, sintiéndose partícipe de la herencia espiritual de la Humanidad, siendo un *ejemplo vivo* de fe inquebrantable para otros. Por todo ello, el Maestro inevitablemente será siempre recordado por sus discípulos que fueron testigos privilegiados de esa manifestación cultural viva, real, concreta; es el Visionario, noble e inspirador que anhela un mundo mejor para *todos*.

El Maestro encarna esa energía activa en evolución inmersa en lo cotidiano, transformando el presente con su trabajo, vocación y dedicación sin esperar nada a cambio, ninguna recompensa o cálculo personal, solamente la alegría y la realización de poder experimentar ese vínculo profundo gracias al flujo de la energía cultural humana. Los maestros y los discípulos son esenciales para mantener viva esta gran conexión que nos potencia como una sola Humanidad, la clave para generar un vínculo indisoluble que nutre la conciencia colectiva y el vínculo individual que nos conecta con nuestra propia *Voz Interior*, el corazón mismo de nuestra experiencia metafísica. Ese núcleo es el centro de todos los procesos culturales que la Humanidad ha vivido, vive y vivirá porque comienza desde la semilla, desde lo esencial, y se hace carne y sangre a través de los maestros y los discípulos en todos los nichos de evolución cultural.

Ese acto espontáneo de nobleza y generosidad asegura el fortalecimiento del tejido cultural *vivo* que sostiene nuestra evolución propiamente humana. Vemos el trabajo intenso, la perseverancia, la entrega, el consumo de tiempo y energía, el sacrificio de todos los grandes héroes, científicos, filósofos y artistas que entregaron su vida por un ideal, una inspiración, una intuición. Vemos esa entrega en una mística de trabajo, en una visión revolucionaria, en el anhelo de querer compartir su descubrimiento, su verdad para bien de la Humanidad. Esa es la fuerza fecunda del poder místico que une a Maestros y Discípulos.

Incluso basta la sola presencia física de un auténtico Maestro para experimentar esa fuerza interior y generar un cambio de conciencia. Leemos a Ramiro Calle refiriéndose a otro gigante espiritual de la India moderna, Ramana Maharshi:

> El Maharshi era un hombre extraordinario. Todo el que le veía quedaba impresionado hasta en lo más profundo de su ser. Poseía una poderosa fuerza de atracción, aún cuando generalmente permanecía silencioso. En mi obra "Tres Grandes Místicos de la India: Maharshi, Gandhi, Tagore" explico:
> "Por las razones que fueren (ya psicológicas, de naturaleza sugestiva o esotéricas, y que no entraremos a analizar), lo cierto es que en presencia del Maharshi toda persona se sentía protegida y en paz, así como capaz de descender hasta los más oscuros abismos de su ser; una nueva luz iluminaba los corazones de aquellos que se sentaban a sus pies. Ante él, el autoconocimiento es un hecho, el presente y el ahora una realidad; los pensamientos se paralizan y una grata armonía invade la mente. En esa presencia, en esa sublime emanación que surge de él, reside la fuerza principal del Maestro. ¡La elocuente doctrina del silencio! ¡El amor del Sabio que nunca habla! Una poderosa alquimia se producía en los presentes, que sufrían una extraña metamorfosis, incluso los más escépticos, los más intelectuales, los más exigentes. ¡Un diálogo de corazón a corazón!, en donde las palabras, meros artificios humanos, son trascendidas..."[4]

Amamos al Maestro porque nos ayuda a despertar, a crecer, a convertirnos en algo mejor, a descubrir nuestra propia humanidad. Nos inspira y fortalece, dejando un legado en la mente y el corazón que resulta imborrable porque se incorpora a nuestra *genética cultural* como algo esencial que nos acompaña toda la vida. Es el puente invisible que nos une como una sola Conciencia. En todos esos seres se expresa inequívocamente el mismo Principio Natural, el mismo compromiso, esfuerzo, fe, entrega y vocación de servicio. Es un mensaje que trasciende las distancias desde la noche de los tiempos, portando la antorcha de la Civilización, encendida por todos los Movimientos Culturales desde tiempos inmemoriales.

¿Podríamos permanecer indiferentes frente a esa experiencia transformadora que conmueve por igual a creyentes y ateos? ¿Acaso alguien se ha resistido al ejemplo de amor, trabajo y compromiso de algún líder o visionario con el cual haya compartido? ¿Cuántos seres humanos no llegaron a ser lo que fueron gracias al ejemplo *vivo* que conocieron y que transformó su existencia? Lo que queda es el impulso inspirador y un agradecimiento profundo para toda la vida. Esa es la dinámica evolutiva que va generando vínculos y la integración en una gran Familia Humana que se reconoce como tal en su comportamiento, sueños y principios. Más allá de todas las diferencias genéticas y castas sociales o económicas, el tejido cultural permite descubrir un vínculo esencial y tomar conciencia de que conformamos *una sola Humanidad*.

Este compromiso y vínculo sagrado lo vemos en el mensaje de Buda a sus miles de discípulos poco antes de dejar este mundo:

> Monjes, siempre os he anunciado que todo lo compuesto tiende a descomponerse, que todo decae, que todo envejece. Insistid diligentemente en la práctica. El Buda os abandonará en el plazo de 3 meses. No os sintáis después solos ni desasistidos. La Doctrina es el maestro. Debéis permanecer autovigilantes, lúcidos, ecuánimes. Todo fluye, todo cambia, todo nace y muere, nada permanece, todo se diluye; lo que tiene principio, tiene fin, lo nacido muere y lo compuesto se descompone. Todo es transitorio, insustancial y, por tanto, insatisfactorio. Hay un estado sin dolor, hay una experiencia sin sufrimiento, hay un dominio sin deseo. Hay Nirvana. Id hacia el Nirvana. Hay un camino; recorredlo sin demora. Os exhorto a cultivar la genuina moralidad; os exhorto a ejercitar la mente; os exhorto a hallar la Sabiduría liberadora.[3]

Este impulso permite de vez en cuando la aparición de grandes Seres que han promovido la evolución humana en todas sus formas gracias a su sabiduría y espíritu de servicio, siendo portadores de una energía renovadora que sienta las bases de profundos cambios y de verdaderas revoluciones culturales. No me estoy refiriendo solamente a Buda, Pitágoras o Jesús, que son ejemplos de verdaderos gigantes de la evolución cultural; estoy incluyendo también a miles de seres humanos a lo largo de la historia que han luchado contra la barbarie civilizatoria, contra todos los que intentan esclavizar y someter y que promueven la ignorancia, el odio y el miedo como métodos de control y manipulación de la conciencia. Son aquellos que no retrocedieron ante la adversidad y superaron sus propios temores nacidos de nuestra pretérita conciencia animal.

La unidad esencial

El despertar interior sería entonces un estado de espontaneidad y fluidez total de alta energía, pues la mente se libera de su condicionamiento, ignorancia y memoria evolutiva, viviendo plenamente inmersa en el Ahora, la Presencia Sagrada de la Vida, como un océano de paz y armonía ajeno a todo conflicto, violencia y crueldad. Esa profunda percepción *no dual* es la que súbitamente se activa en el estado de meditación real, una transformación espontánea, impensable e impredecible para la mente analítica conceptual, porque *desaparece la dualidad sujeto-objeto*, brotando así una nueva sensibilidad.

La educación, la conciencia moral y la dinámica cultural potenciaron la ruptura de ese poderoso armazón intelectual disociado eternamente entre un sujeto y un objeto y una idea enfrentada a otra. En el corazón de nuestra mente, esa estructura colapsó, siendo el origen de un acto trascendental en nuestra evolución como Humanidad, el germen de una transformación radical de la conciencia común. Sería el comienzo del fin del aislamiento existencial que nos mantenía prisioneros dentro de hologramas intelectuales identificados con una concepción atomizada del universo, la vida, la evolución y de nosotros mismos, empezando a vislumbrar momentos fugaces de una unión sagrada con la Naturaleza.

El monje tibetano Sogyal Rinpoché destaca las bondades de esta experiencia psicológica:

> La verdadera gloria de la meditación no está en un método determinado sino en la experiencia viva continua de presencia que produce, en la dicha, la claridad, la paz y sobre todo, en la falta total de aferramiento que proporciona. Esto es un signo de que te estás liberando de ti mismo. Y cuanto más experimentes esa libertad, más evidente es que se están disolviendo el ego y las esperanzas y temores que lo mantienen vivo y más cerca estarás de esa "sabiduría de la negación del yo" infinitamente generosa. Cuando habites en esa morada de la sabiduría, ya no verás barreras entre "tu" y "yo", "esto" y "aquello", "interior" y

"exterior"; habrás llegado al fin a tu morada verdadera, al estado de no dualidad.[17]

Se supera el conocimiento analítico que exigía el paradigma científico entre sujeto y objeto, entre la naturaleza y el ser, la disociación de la realidad entre un mundo interno y uno externo, una experiencia subjetiva y una objetiva, que en última instancia tenía como raíz a un ego inmerso en un enfrentamiento inevitable entre amigos y enemigos, entre su especie y las otras especies, saturado de un perpetuo conflicto existencial.

Las fuentes básicas de la evolución cultural fueron descubiertas parcialmente por el ser humano común, fruto de una mente aún disociada que generó innumerables senderos hasta formar un gran árbol del conocimiento, pero en esa praxis había olvidado el eje central que les daba un sentido de unidad, generando una gran atomización que se transformó al final en múltiples experiencias divergentes entre sí que desintegraron la unidad esencial del Conocimiento y llevaron a la competencia, el conflicto y el orgullo intelectual de múltiples sectas que hasta el día de hoy intentan imponer su particular cosmovisión, condicionadas por un patrón disociador sujeto-objeto. Ese proceso será desplazado definitivamente por la evolución cultural gracias al despertar de la conciencia unificada. La mente despierta ingresa así a una dimensión que supera toda forma de conflicto, violencia, fanatismo y segregación ideológica, comenzando a vivir en unidad y armonía con la naturaleza. Esa integración es fruto de la experiencia mística de lo *sagrado* en la mente despierta, la fluidez sin obstáculos de la conciencia iluminada en su estado natural de Meditación.

Ese estado interno solo puede nacer al desprendernos de los apegos e identificaciones y poder visualizar el escenario completo, el campo de lucha entre una visión y otra, comprender cómo hemos arribado en la evolución a este gran holograma mental disociador que fragmenta la conciencia y nos obliga a tomar partido y potenciar una mente violenta llena de resentimiento. La cultura holística puede despertar una nueva sensibilidad que nos permita superar el conflicto y tensión de los opuestos y en vez de seguir combatiendo a nuestros eternos enemigos, descubrir que se pueden reconciliar para alcanzar un estado superior de unidad, *el tránsito de la competencia a la cooperación.* Desde esa conciencia ya no deseamos destruir, imponer, manipular ni mentir; ya no queremos odiar, rechazar, perseguir, condenar o vengar, pues transitamos desde la desintegración hacia un nuevo estado de integración. Ahí despierta realmente en nuestro espíritu esa experiencia evolutiva que denominamos conciencia o vida interior.

La superación de la dualidad también sería el fin del sufrimiento porque muere la raíz del conflicto, siempre sustentado en un intenso antagonismo y fragmentación *conceptual* de la naturaleza y de nosotros mismos. La percepción de la unidad disuelve todas las fronteras intelectuales, muros ideológicos, etiquetas y clasificaciones sociales que la mente analítica ha construido como imagen virtual de la vida y de nosotros mismos. Es el fin de la gran simulación mental, la ilusión de un ego narcisista y un universo imaginario disociado. Solo así ocurriría la inmersión total en la Realidad.

Esa unidad interior ya no es una percepción meramente *intelectual* de la naturaleza o del ser humano; al ser vivencia profunda, integra física y metafísica, materia y espíritu. La unidad de la conciencia inunda la mente de sabiduría y paz y potencia el *poder de* liberar, inspirar, el poder de dar, amar y *vivir* en forma total nuestro potencial evolutivo humano, permitiendo una experiencia metafísica radical. Es un estado que libera a la mente completamente de los patrones instintivos y mecánicos y nos lleva a experimentar cambios radicales de *unión mística* compartidos por muchos seres humanos a lo largo de la historia.

F. Torralba cita el relato de un filósofo *ateo* sobre una experiencia muy particular:

> Esa noche, después de cenar, salí a pasear con algunos amigos por ese bosque al que amábamos. Estaba oscuro. Caminábamos. Poco a poco, las risas se apagaron; las palabras escaseaban. Quedaba la amistad, la confianza, la presencia compartida, la dulzura de esa noche y de todo… No pensaba en nada. Miraba. Escuchaba. Rodeado por la oscuridad del sotobosque. La asombrosa luminosidad del cielo. El silencio ruidoso del bosque: algunos crujidos de las ramas, algunos gritos de animales, el ruido más sordo de nuestros pasos… Todo eso hacía que el silencio fuera más audible. Y de pronto… ¿Qué? ¡Nada! Es decir, ¡todo! Ningún discurso. Ningún sentido. Ninguna interrogación. Solo una sorpresa. Solo una evidencia. Solo una felicidad que parecía infinita. Solo una paz que parecía eterna. El cielo estrellado sobre mi cabeza, inmenso, insondable, luminoso, y ninguna otra cosa en mí que ese cielo, *del que yo formaba parte*, ninguna otra cosa en mí que ese silencio, que esa luz, como una vibración feliz,

como una alegría *sin sujeto, sin objeto* (sin otro objeto que todo, sin otro sujeto que ella misma), ¡ninguna otra cosa en mí, en la noche oscura, que la presencia deslumbrante de todo! Paz. Una paz inmensa. Simplicidad. Serenidad. Alegría.[22]

Esta experiencia, muy propia de la mente mística en meditación profunda, es similar en parte a la vivida por los dos autores del maravilloso libro ilustrado *Los Gnomos*, fruto de una investigación de campo que les llevó varios años y que contó, al parecer, ¡con la valiosa ayuda de uno de estos seres!:

> *"Bueno, se acabó. Ya he dicho lo que tenía que decir. Ahora, nos vamos a dar un paseo los tres; quiero recompensaros por los muchos años de trabajo".*
>
> Fuera, la luna llena asomaba un poco por el horizonte. Las copas de los árboles destacaban rígidas sobre el cielo sin nubes. La noche yacía en un silencio profundo, salvo el débil traqueteo de un tren en la lejanía.
>
> Tomamos un sendero que se dirigía al suroeste. Aunque los dos conocíamos muy bien aquella zona, a los cinco minutos ya no sabíamos dónde estábamos. Pero Tomte nos guiaba con paso seguro y le seguimos.
>
> ¿Llevábamos una hora andando? ¿Dos? ¿Veinticuatro? Imposible recordarlo. Aquello no parecía un paseo previsto sino un vagar predestinado.
>
> Se había parado el tiempo y la naturaleza nos abrazaba y nos rodeaba como un cálido mar. No teníamos ni peso ni edad; sabíamos todo aquello que había quedado olvidado. Tomte nos había dotado esa noche de las cualidades del gnomo.
>
> Nos encontramos con un zorro, que se acercó a olisquearnos sin signo alguno de temor. Una gama preñada nos permitió que le rascásemos entre las orejas y alzó su espeso pelaje de invierno. Una liebre nos enseñó orgullosa su primera camada del año. Los conejos prosiguieron sus juegos en nuestra presencia. Les hablamos a los jabalíes y a una marta.
>
> Un búho nos hizo preguntas. Contemplamos dos tejones retozando sin cesar. Oímos respirar a los árboles, cuchillear a los matorrales y mascullar al musgo; escuchamos las leyendas secretas de los pasados siglos; *nos fundimos en toda célula viva existente sobre la tierra*, reconocimos todas las dimensiones y nuestras almas se hallaban en equilibrio y en paz.
>
> Cuando la luna comenzaba a palidecer, terminábamos un viaje insondable a través de una dimensión desconocida.[16]

La Naturaleza, en su belleza, simpleza y vastedad, nos transmite esa unidad esencial de la vida más allá de todo conflicto e ideación conceptual; es el vínculo ancestral con un Estado Original, la Luz Interior de lo Sagrado… A veces lo experimentamos frente a la inmensidad del mar, al contemplar absortos el fuego, el cielo estrellado, el amanecer o el vuelo y el canto de las aves. Percibimos una voz primordial como el origen de la Vida, nuestra propia esencia, la suprema Paz y Libertad Interior.

Esta es la experiencia mística raíz que aflora en la conciencia de todos los seres espirituales auténticos que la Humanidad ha generado y es la semilla de toda forma de amor, voluntad, sabiduría e inteligencia manifestados en nuestra evolución cultural y que permite reconocernos como Seres Humanos integrantes de una gran familia, un estado de unidad subyacente a la Conciencia Ecológica Planetaria.

El núcleo espiritual

Basándonos en los testimonios presentados, todos los seres que han vivido de acuerdo a ese estado de conciencia han descubierto y comunicado más o menos las mismas experiencias esenciales, las cuales han variado de una cultura a otra, se han expresado en distintos lenguajes o enfatizado diversos aspectos, pero en algún momento se encuentran y se puede reconocer una misma inspiración o esencia, lo cual ha sido demostrado por el *testimonio viviente* de muchos seres humanos desde tiempos remotos. Algunos estudios comparados muestran grandes paralelos entre el mensaje de Buda y Cristo, por poner uno de los ejemplos más conocidos. Al parecer, la conciencia metafísica siempre se expresa sobre una base común que logra integrar todas las manifestaciones culturales que la Humanidad ha vivido desde siempre. Estas vías que muestran la coincidencia universal de la vida interior, transforman a la experiencia metafísica en una parte esencial de la evolución humana, como una fuente de sabiduría que no reconoce fronteras.

No sería raro descubrir un *núcleo esencial común* en todos los seres que han manifestado esta experiencia a lo largo de la historia de Oriente y Occidente. No nos debería extrañar en absoluto constatar una modalidad de comportamiento altamente coincidente que obedece a un *estado de conciencia universal*, al revés del animal racional, que vive enfrascado en su acotado conflicto personal y su eterna lucha por la supremacía en un mundo oscuro lleno de cálculo egoísta.

Con el fin de poder objetivar este estado de conciencia iluminada y reconocer su presencia sin mayores ambigüedades ni relativismos intelectuales, vamos a distinguir *tres atributos esenciales* manifestados por todo ser humano con su conciencia espiritual despierta:

➢ *Voluntad*: es el impulso profundo de *Ser,* de expresar nuestra Naturaleza interior. Nos brinda fuerza y determinación, capacidad de acción, de iniciativa frente a la duda y la adversidad. Es la decisión interior de ser fieles a nuestros ideales, de manifestar nuestro *Poder Interior.* Es una fuerza impulsora que nos orienta, motiva y nutre de fortaleza, de visión inspiradora para poder ser perseverantes en este mundo y tener una disciplina en relación al cumplimiento de nuestros objetivos, sueños e ideales. Es la voz de la Conciencia que nos llama a cumplir nuestro destino, sin importar la resistencia, amenazas, dolor o peligros que encontremos en el camino. No es el deseo personal, es el Impulso Primordial Espontáneo de Realización, el Sentido Primero y Último de nuestra existencia.

➢ *Amor*: es determinante en todo ser humano con conciencia metafísica, pero no es simplemente el amor romántico de la pareja, el amor por un hijo o por el núcleo familiar personal, no es un amor puntual limitado a un ser en particular. Esta energía profundiza la entrega y el servicio al prójimo con una ética de verdadero respeto por la dignidad humana más allá de nuestra condición física, racial, cultural, económica o social. Es un acto de comunión con la Humanidad, un poder interno que abre el corazón al sufrimiento de *todos los seres.* Nos impulsa a entregar lo mejor de nosotros a todos aquellos que puedan necesitar una luz orientadora en el sendero de la evolución. Es una fuerza unificadora que genera fuertes vínculos más allá de nuestras limitaciones y pequeñeces, como una luz liberadora llena de sabiduría que nos torna sensibles a la necesidad y el sufrimiento del género humano. Esta liberación es la gran emancipación de las ataduras del ego y toda su pequeñez y cálculo personal. Es la gran Mutación Evolutiva de la Conciencia, focalizada en la *vivencia del Amor Incondicional* con su entrega generosa a toda la Humanidad. Ningún dolor, humillación o crueldad pueden eclipsar el corazón noble y generoso de ese estado de conciencia, que es la joya más preciada de nuestra evolución, al activar un *vínculo sagrado* que lo lleva a sacrificar su vida en beneficio de otros, rechazando todo cálculo, ventaja o afán competitivo.

➢ *Inteligencia*: es la tercera cualidad esencial que vamos a poder reconocer en un ser humano despierto, que no es simplemente la capacidad racional y lógica propia del investigador que desarrolla su comprensión de la naturaleza exclusivamente a través del llamado método científico, el cual es una expresión o faceta *concreta* de la creatividad humana. Esta otra inteligencia une lo físico con lo metafísico, despertando una clara intuición de principios que no requieren, inicialmente, un modelo experimental material para su demostración. Eso no significa que *a posteriori* la mente racional pueda, de una forma u otra, descubrir relaciones o demostrar principios universales que comunican todas las vertientes de conocimiento. Estos principios afloran en una inteligencia intuitiva altamente sensible que puede abrir nuevos senderos de exploración. La intuición es un componente esencial del genio artístico, científico y filosófico y nos lleva a desarrollar una conciencia sensible en plena armonía con las Leyes de la Naturaleza, libre de dogmas y censura cultural.

Cuando prevalece la Voluntad, surgen seres dispuestos a liderar grandes procesos de evolución social que pueden abarcar a pueblos enteros, como el caso de Moisés y Mahoma, con la capacidad de asumir grandes desafíos y liderar e inspirar a diversas comunidades bajo un proyecto común, con una tenacidad y fuerza interior inquebrantables y una visión de largo alcance. Cuando predomina el Amor, entonces surgen todos los grandes Maestros fundadores de movimientos religiosos o místicos. Los reconocemos en las figuras de Cristo, Buda y Krishna, más cientos o miles a lo largo de la evolución humana. Y cuando predomina la Inteligencia, entonces surge el sabio, el genio inspirado y visionario con una elevada intuición de principios universales, una inteligencia sencilla y profunda que conecta con los misterios de la naturaleza y sus leyes, como el caso de Pitágoras. Es la inteligencia puesta al servicio de la Humanidad para su evolución mental.

Estos grandes atributos son inseparables de nuestro ser y definen lo que somos en esencia. Corresponden a un verdadero enigma en cuanto a su origen, y en mi opinión forman el más poderoso *motor evolutivo* que ilumina desde siempre a la Humanidad. Cuando estas 3 fuerzas decantan, surge el arquetipo del *Maestro o Sabio* como figura esencial reconocible en nuestra evolución cultural, que ahora portará un *núcleo activo* de voluntad, amor e inteligencia puestos al servicio de la Humanidad. Ninguno de los tres se manifiesta por separado; lo hacen simultáneamente porque son aspectos de una misma realidad, de un mismo Principio Natural.

Forman el núcleo creativo de nuestra conciencia superior y permiten la manifestación de un universo crítico para nuestra evolución cultural, encarnado en todos los genios, líderes, inspiradores y visionarios que nos han iluminado desde siempre. Le dan un nuevo sentido a nuestra existencia, permitiendo una experiencia metafísica llena de Verdad, Justicia y Libertad, poderosos focos de Conciencia que nos inspiran dentro de nuestra senda evolutiva, como estrellas guías de este nuevo ser humano que ha ido dejando atrás el instinto animal y que ha ido descubriendo y desarrollando gradualmente a lo largo de la evolución una cultura profundamente humana y que comienza a expandir su conciencia al universo entero. Para un ser humano que ha despertado a estos principios universales ya no hay marcha atrás en su evolución, pues ha descubierto un polo de gran energía para debilitar inexorablemente al ego animal y la disociación mental, extirpando así las raíces de nuestra miseria moral.

Estos atributos esenciales propios de la conciencia despierta significan necesariamente la extinción evolutiva del animal racional con toda su crueldad. Esta *disolución* del ego tribal en el seno de la conciencia va a permitir la encarnación de un principio universal, dando lugar a una nueva dinámica psico-evolutiva sin cabida para el egoísmo, la manipulación y la violencia. Reconocemos así un *comportamiento espiritual común* en la evolución de la Humanidad, el sello característico de un tipo de ser humano muy especial que expresa un conjunto particular de actitudes, facultades, sentimientos y sabiduría universales, una *variedad por derecho propio* en la evolución de la vida y de la conciencia en este planeta.

Todos nos preguntamos a veces por qué estamos sumidos en toda esta miseria y dolor, la crueldad aparentemente sin sentido que tendría el drama de la vida, por qué estamos inmersos en la pobreza, el abuso, la violencia y la frustración. Tal vez porque aún no activamos esa conciencia mística. Si despertáramos a ese estado, se generaría un cambio radical en nuestra evolución como Humanidad, pues accederíamos a una Sabiduría Natural, liberándonos del miedo, la violencia y la ignorancia. Ese es el mensaje que nos transmiten de una forma u otra todos los seres despiertos a través de la historia, y no es casualidad que entreguen ese mismo mensaje de unidad en un lenguaje u otro, pero siempre estará presente la renuncia absoluta a toda forma de egoísmo y manipulación, una invitación a descubrir ese tesoro oculto en nuestro propio Ser. Lo dijo Buda: *"Enciende tu propia Lámpara Interior"*.

Entonces, los seres espirituales son la superación definitiva de los animales racionales, favoreciendo el despertar de la conciencia, la libertad y la fraternidad, como verdaderos catalizadores culturales. De una forma u otra están presentes en todo acto de inspiración, grandeza y esfuerzo que hacemos por salir de nuestra pequeñez moral. Inspiran a innumerables organizaciones que han traído belleza, conocimiento, comprensión, paz y fraternidad. Son aquellos que no dudaron en sacrificar su integridad, incluso física, en beneficio de un proyecto inspirador para millones de seres humanos. Son los fundadores de los grandes movimientos humanistas a lo largo de la historia.

La conclusión inevitable es que la manifestación de ese poder significa necesariamente el fin del dominio del controlador interno, el ser egoísta presente en nosotros como herencia animal-racional, *la muerte definitiva del inquisidor como figura evolutiva humana* y todas las manifestaciones de ese dictador, presente en todas las inquisiciones concretas que ha ido creando a través de la evolución cultural. Irá desapareciendo así toda forma de fanatismo, manipulación e intolerancia. Eso es precisamente lo que está comenzando a descubrir la Humanidad actual. Sentimos con mayor convicción que tenemos la *posibilidad* de salir de nuestro pequeño mundo ideológico y teológico, liberarnos de todo dogma que la mente animal ha creado para perpetuarse. Entonces lo veremos como un espejismo, un sueño insustancial creado por la ilusión del deseo, por nuestra percepción mental concreta que había dejado fuera de su campo de acción a la experiencia metafísica. Sería el fin de nuestra *ignorancia espiritual*. Tal vez solo entonces seremos realmente libres.

La mente despierta

Gracias a la profundización de la conciencia, la psiquis común, con sus emociones y racionalidad cotidiana, se abre entonces a una dimensión original fruto de una verdadera mutación psicológica, creando un campo de actividad psico-espiritual complementaria a la experiencia psico-física corriente. De esa interacción nacerá una mente nueva, despierta y libre que transforma la vida cotidiana con una creatividad e inspiración inagotables. Surge así el *genio creador*, el visionario con su inteligencia intuitiva inspirada por la belleza, la verdad y la libertad, permitiendo una evolución mental traducida en una inmensa riqueza cultural. El ser humano que ha plasmado ese potencial posee una *conciencia holística*, que es una experiencia esencialmente unificadora y la clave de nuestra Realización.

A diferencia de la mente instintiva que siempre anda detrás de alguna conquista o recompensa material, despierta una mente liberada de todo deseo egoísta, que no se guía por el provecho personal, y en vez de estar centrada solo en lo concreto e inmediato, se encuentra abierta al universo y está constantemente ensanchando sus fronteras y conocimiento. No enfrenta lo físico y lo metafísico, ya que los experimenta en forma integrada y natural. No solamente analiza, sino que además sintetiza, pues ha superado la dualidad sujeto-objeto y descubre la riqueza y unidad esencial de la Naturaleza. Es una mente muy atenta que ha desterrado el miedo, la ambición y la crueldad y vive en armonía y en paz consigo misma, libre del deseo de posesión y control.

El impacto metafísico sobre la mente común activó líneas de desarrollo cultural con un sentido innato de profundidad y trascendencia, liberando la mente de su programación de subsistencia mecánica, creencias, prejuicios, dogmas, conflictos y rigidez conceptual, para llevarla a un nuevo estado de experiencia psicológica. El desarrollo mental del hombre común había sentado las bases de la evolución cultural a través de la ciencia, el arte, la filosofía y la religión, pero con el despertar de la conciencia profunda, estas vertientes van a evolucionar hasta convertirse en verdaderos Senderos de Sabiduría Integral, descubriendo vínculos entre todas las expresiones culturales gracias a una poderosa intuición que tiende naturalmente a *visualizar* una unidad esencial de todos los caminos que el ser humano ha podido recorrer en su evolución. Es una experiencia que supera la atomización del intelecto con su visión concreta y analítica y se logra la suprema síntesis propia de una mente ecológica.

Gracias a esta unidad esencial, la ciencia descubre sus raíces filosóficas y la belleza de las leyes de la naturaleza; el arte se llena de ciencia e inteligencia, aplicando armonía y equilibrio propios de la geometría y las matemáticas; la filosofía descubre el valor de las leyes universales de la naturaleza y la mística despierta a la comprensión científica en la forma de conocimiento espiritual. Es el campo de conciencia unificado de la mente despierta después de haber derribado todos los muros de intolerancia, conflicto, competencia, agresividad y tribalismo inquisitorial. Superados todos esos frutos de la mente mecánica, surge una gran Mente Universal que integra en su seno todas las dimensiones de evolución cultural, liberada de dogmas e inquisiciones. Es la mente del Sabio, Humanista, Maestro y Visionario que reconoce la Unidad de la vida y de la conciencia.

Más allá del despertar filosófico y ético y la genialidad de las grandes mentes científicas, ¿qué hay detrás de todos estos productos culturales de la conciencia iluminada? Lo que brota en la mente fecundada por el impulso místico es un estado de profunda Paz, Sabiduría y Libertad interior, junto a un sentido de Justicia Natural basada en la Verdad. La mente espiritual es esencialmente libre, ha destruido todas las ataduras nacidas del instinto animal y el ego disociado que generaron un ser cruel y ambicioso. Todo el perfil psicológico del animal racional queda muy debilitado, agónico. Las amarras conceptuales se cortan frente a esta potente energía de liberación y la mente experimenta el despertar interior o Iluminación, un proceso *no intelectual* que genera una Conciencia clara y profunda sin dualidad, miedo ni egoísmo, llena de una Sabiduría que ya no necesita conceptualizar la Realidad, donde muere el deseo y la búsqueda de provecho personal, la ambición y el apego por la riqueza material. Se destruyen así los hologramas disociados y queda simplemente el Ser Real, la Conciencia Despierta, que en Oriente reconocen como la *Mente Búdica* liberada de toda ilusión.

Si esta mente despierta es auténtica, va a permear toda actividad creativa y va a llevar la experiencia cultural a un grado de gran armonía y belleza, con un sello inconfundible de libertad para investigar, descubrir y experimentar la plena unidad de la conciencia en cualquier ámbito cultural. Por ejemplo, dará lugar en el campo científico a personas con un verdadero *amor y compromiso por la verdad*, sin dogmas ni descalificaciones, una mente abierta a *todas* las vertientes de conocimiento que no va a descartar ni ridiculizar nada a priori, liberada de la soberbia, el dogma y el orgullo intelectual, acercándose a una visión holística con una actitud humilde y de profundo respeto por la Vida y sus misterios.

Leemos en *Inteligencia Espiritual*:

> El padre de la teoría de la relatividad, Albert Einstein, tenía un sentido muy acusado del misterio. "La experiencia más bella –dice– que podemos tener es la de lo misterioso. Se trata de un sentimiento fundamental que es, como si dijéramos, *la cuna del arte y de la ciencia verdadera*. Quien no lo conoce y ya

no puede maravillarse ni admirarse de nada, ya está muerto, podríamos decir, y su ojo está debilitado [...] Pero saber que existe algo impenetrable, algo que se manifiesta en la razón más profunda y la belleza más resplandeciente hasta tal extremo que nuestra razón solo puede acceder toscamente, este saber y este sentimiento constituyen la verdadera religiosidad."[22]

Esa mente que rechaza la ignorancia y la superstición, libre para investigar, comprender e integrar diversas vertientes es una mente holística auténtica y se refleja precisamente en su compromiso con la Verdad. Emana una sabiduría que decide poner su conocimiento al *servicio de la Humanidad y su evolución, jamás para dañarla o someterla.* El científico con percepción metafísica cultiva esa mente libre de los grandes genios de la ciencia. La mente que verdaderamente vive por la ciencia ama la Verdad y genera un sentimiento y un compromiso con ella. La pureza de ese sentimiento es manifestación también de la fuerza espiritual presente en la mente humana.

Ya no habría lugar para el científico financiado por intereses económicos, políticos, ideológicos y militares que diseña en las sombras armas biológicas o de destrucción masiva... El científico con esa mente original está comprometido no solamente con la verdad sino además con principios éticos y no le haría daño, por lo menos conscientemente, a ningún ser vivo en este planeta, pues nunca sacrificaría sus Principios por consideraciones "patrióticas" o de "seguridad del Estado". No se ofrecería a los poderes fácticos ni vendería su inteligencia a cambio de dinero, prestigio o poder, porque eso sería la prostitución de la ciencia y del conocimiento. Siempre colocaría su ideal de servicio, honradez y ética al servicio de la Humanidad y jamás caería en la tentación de lucrar u obtener favores personales o de estatus social, político o económico *sacrificando esos principios.*

Entonces, uno de los procesos más potentes y dinámicos que mueven a la mente despierta dentro de su evolución es la *Búsqueda de la Verdad*, esté donde esté y cualquiera sea su naturaleza, principio que se encuentra como fundamento del quehacer ético, científico y filosófico, aunque en realidad lo podríamos situar en la base de *toda* actividad cultural, pues la Verdad es el eje orientador de nuestra vida, el corazón de toda búsqueda, esperanza y anhelo. Y para poder tener una posibilidad de acceso a esa dimensión necesitamos libertad interior, abrir nuestra conciencia a nuevas fuentes de conocimiento y experiencia. *"Solo la Verdad os Hará Libres"* expresa una máxima *universal* con una clara comprensión de la naturaleza humana, pues nos invita a desarrollar una clave fundamental para despertar nuestra dormida Conciencia Espiritual.

Teniendo presente esto, no resulta tan extraño, por ejemplo, que la motivación por la búsqueda del conocimiento a través de la ciencia tenga un vínculo con la inspiración, la experiencia y la realización a través de un sendero místico, ya que en ambas vertientes *evolutivas* el auténtico Buscador de la Verdad se encuentra inspirado por los mismos principios de amor, libertad y sabiduría que son en última instancia los frutos de la realización de nuestro potencial evolutivo como seres humanos. A aquellos que *siempre* anteponen la Verdad como el eje principal de su comportamiento, ya sea en apariencia buena o mala, favorable o desfavorable, y que siempre la van a rescatar, honrar y cultivar, les podemos llamar *Seres Espirituales*.

La diferencia con la ciencia convencional es que el laboratorio de experimentación metafísica es la *propia conciencia* que sufre una transformación radical no medible en términos materiales, pero que se traduce en una sabiduría *coincidente* manifestada en diversas culturas durante milenios, encarnada en seres dotados de una elevada ética y una comprensión profunda de la naturaleza humana. En todo lugar y momento histórico reconocemos a seres que cumplieron con este mismo perfil de realización, sintetizado en una Sabiduría Universal y el compromiso con la Verdad, la Justicia y la Libertad, valores que siempre unieron a la Humanidad.

Esta verdadera *praxis* metafísica se constituye en un sendero que lleva al conocimiento trascendente. Cuando la ciencia occidental de alguna forma se vaya liberando de sus dogmas materialistas, descubrirá la Vida en otras dimensiones y que *todas* las experiencias culturales pueden ser integradas entre sí gracias a una actitud no discriminadora ni censuradora y abierta a la investigación en diversas disciplinas, pudiendo reconocer la Verdad en toda expresión natural. Es por eso que están surgiendo fuertes tendencias que promueven la integración del conocimiento a través de equipos multidisciplinarios. A pesar que la ciencia aún quiere abordar el mundo metafísico exclusivamente desde una perspectiva materialista, centrada, por ejemplo, en el estudio del cerebro mediante el uso de drogas, electrodos, mediciones de voltajes y resonancias magnéticas, de algún modo el investigador intuye la existencia de vínculos naturales entre la distintas dimensiones de conocimiento y la posibilidad de que en el mediano plazo se pueda acelerar este proceso de integración.

Sostenemos que en el origen de todo se manifestó un Universo *multidimensional*, coincidiendo con ciertos planteamientos de la Física actual. Así como el ojo solamente capta un rango limitado de frecuencias energéticas que llamamos espectro de luz visible, el ser humano común solamente estaría captando un pequeño rango de estados de conciencia que lo limitan a su mundo de experiencias sensoriales, o bien aquellas propias de la mente mecánica, pero el Universo en sí sería mucho más profundo que el limitado rango de experiencias concretas, favoreciendo el despertar de estados de conciencia originales propios de la mente intuitiva. Esas experiencias de Despertar Interior adquieren múltiples expresiones, pero ya podemos comenzar a reconocer elementos comunes que muestran el lado oculto de la Vida.

El siguiente es un relato testimonial del físico Fritjof Capra en su célebre ensayo de divulgación científica *El Tao de la Física*:

> Una hermosa experiencia que tuve hace cinco años me situó en el camino que más adelante me llevaría a escribir este libro. Estaba una tarde de verano sentado frente al océano, con el sol ya declinando. Observaba el movimiento de las olas y sentía al mismo tiempo el ritmo de mi respiración, cuando de pronto fui consciente de que todo lo que me rodeaba parecía estar enzarzado en una gigantesca danza cósmica. Como físico, sabía que la arena, las rocas, el agua y el aire que había a mi alrededor estaban formados por vibrantes moléculas y átomos y que éstos, a su vez, se componían de partículas que interactúan unas con otras creando y destruyendo otras partículas. También sabía que la atmósfera de la Tierra es bombardeada continuamente por una lluvia de "rayos cósmicos", partículas de alta energía que sufren múltiples colisiones al penetrar en la atmósfera. Todo esto me resultaba conocido por mis investigaciones físicas en el campo de la alta energía, pero hasta aquel momento solo lo había experimentado a través de gráficos, diagramas y teorías matemáticas. Sin embargo, sentado en aquella playa, mis anteriores experiencias *cobraron vida*; "vi" cascadas de energía que llegaban del espacio exterior, en las que las partículas eran creadas y destruidas siguiendo una pulsación rítmica; "vi" los átomos de los elementos y los de mi cuerpo participando en aquella danza cósmica de energía; sentí su ritmo y "oí" su sonido, y en ese momento supe que aquella era la Danza de Shiva, el Señor de los Danzantes adorado por los hindúes.[5]

La Humanidad no ha *creado* absolutamente nada, lo que ha hecho simplemente es *descubrir* principios y leyes universales que permanecían en un estado potencial, logrando profundizar la naturaleza y descubrir sus múltiples dimensiones. En última instancia, esta gran cultura que hemos desarrollado ya se encontraba presente en la propia Naturaleza desde el origen mismo del Universo, que va desde lo más físico y concreto hasta lo más profundo, abstracto y metafísico, un libro abierto que nos inspira y permite descubrir una dimensión *viva* en nuestra propia existencia. Es el Microcosmos inmerso en el Macrocosmos, la *clave holística de la Evolución Mental Humana*. Frente a una ciencia materialista, también se podría desarrollar una ciencia no sectaria, dogmática ni destructiva, integrando diversas dimensiones de experiencia. Ese espíritu científico no excluyente, sino *renacentista*, estaría expresando un enfoque ecológico-espiritual propio de una conciencia holística.

Al observar otra dimensión del conocimiento como es la *Bioenergética*, relacionada con diversas disciplinas clásicas como Acupuntura, Tai-Chi, Reiki, Chi-Kung, Biomagnetismo, Shiatsu, Radiestesia y varias otras disciplinas que están surgiendo con mucha fuerza en la actualidad, vemos que existen otros campos de experiencia *científica* donde también se encuentra presente el conocimiento, pero se expresa una inteligencia integradora que aplica principios y relaciones más profundas y universales y *que respetan la vida en todas sus formas*. Ya no es una inteligencia analítica y destructiva o llena de arrogancia intelectual de aquellos supuestos poseedores de la verdad absoluta. El científico con inteligencia holística es siempre humilde y respetuoso, apunta a lo universal, hacia la *integración* de las distintas vertientes de conocimiento, pero sin matar, destruir ni dogmatizar; es una mente simple y lúcida que gracias a su intuición puede penetrar en la Realidad y descubrir principios de carácter más universal. De esa forma vamos a poder reconocer siempre en la evolución de la Humanidad la presencia de una inteligencia *libre de inquisiciones*, propia de los grandes Genios y Visionarios que dejaron un legado imperecedero para beneficio de toda la Humanidad. Todo esto podrá parecer muy utópico o ajeno a la realidad material y concreta, pero si *profundizáramos* el mensaje de los grandes seres que han surgido en la evolución cultural, podríamos encontrar un estado mental de esa naturaleza *en nosotros mismos*.

La pirámide de luz

Esta original dinámica evolutiva va a crear necesariamente nuevos tipos de organizaciones sociales y culturales lideradas por seres espirituales reales. Sería un líder libre de esa patológica adicción al poder tan propia de los machos alfa corruptos, arribistas y ambiciosos. Se constituiría en un líder absolutamente natural, no impuesto, sin ningún deseo de manipulación, dogmatismo o control inquisitorial. Estaría ahí exclusivamente para guiar e inspirar, en un acto de real comunión con la Humanidad. Toda su sabiduría estaría al servicio de la evolución humana, generando una pirámide virtuosa y provocando así un gran *impulso civilizatorio*. Sería una revolución de conciencia que debilitaría todas las *jerarquías oscuras* controladas por animales racionales. Podría surgir así una organización alternativa que sería una verdadera *pirámide de luz*, integrada dentro de un sistema de *tiraje evolutivo*, basado en el despertar de la conciencia y el desarrollo moral y cultural, abriendo nuevas sendas de evolución individual y social.

El renacer de la experiencia metafísica en el mundo va a integrar los diversos senderos de evolución cultural, donde aquellos con mayores aptitudes, ética y sabiduría podrían acceder a funciones de gobierno y la dirección de organizaciones privadas y públicas como un servicio a la comunidad basado en la educación integral del ser humano, sin la imposición de clases o castas artificiales, discriminaciones raciales, económicas o de cualquier tipo, una estructura social que favorezca la evolución cultural de *toda* la Humanidad y por ende, el despertar interior de cada uno de sus integrantes a través de una educación integral desarrollada por un gobierno con una verdadera vocación de servicio.

Dentro de comunidades con un vínculo espiritual auténtico, las categorías sociales se derrumban como castillos de naipes, el fin inexorable de todo tipo de castas y jerarquías artificiales, porque lo único que va a importar realmente será la evolución psicológica integral. Por eso es que en las comunidades fundadas por grandes Maestros siempre son abolidas automáticamente las categorías socioeconómicas o raciales. Es el caso típico de la comunidad budista, la *sangha*, donde siempre han compartido parias y brahmanes uno al lado del otro como verdaderos hermanos. De hecho, esa es una de las condiciones para ingresar a la comunidad. No importa el origen social, el prestigio o el dinero, porque el único referente válido es el despertar interior, la *praxis* ética y el compromiso real con *toda* la Humanidad. Es el fin de las castas impuestas por el ego y los poderes fácticos, el fin de las valoraciones en base al prestigio, el origen social, el poder económico, la autoridad, el nivel educacional y las influencias y manipulaciones políticas, prevaleciendo el mérito y una valoración ética de nuestros actos.

Tal vez podríamos vislumbrar en algún momento la posibilidad de que gobiernen aquellos que encarnan los mejores atributos de la Humanidad, tienen un sentido de justicia natural y un profundo respeto por nuestra dignidad. Esos seres, que los podríamos llamar simplemente Sabios, ocuparían los cargos públicos de administración de justicia o presidirían o apoyarían todo tipo de organizaciones científicas, filosóficas, económicas o cualquier otra producto de la evolución cultural. Ese sería el lugar de aquellos que encarnarían el poder y el principio de autoridad, solo que en este caso la autoridad sería espiritual y su sabiduría estaría al servicio de la comunidad para favorecer su despertar integral.

Desaparecería toda forma de control represivo y dominación jerárquica, estableciendo una forma muy evolucionada de organización, por ejemplo, en la forma de un Concejo de Sabios, donde ya no existe ninguna actitud inquisitorial basada en la violencia, el anhelo de poder o la egoísta defensa de intereses materiales, un Núcleo con objetivos eminentemente humanitarios que va a ser depositario de los valores más elevados de esa comunidad, encarnando una vocación natural de servicio. Nos encontraríamos entonces con una organización donde aquellos que asumen el liderazgo son los mejores para ejercer el poder, transformados en líderes inspiradores que proyectan su sabiduría, amor e inteligencia naturalmente hacia una comunidad que siempre será beneficiada.

Así se va a transitar desde un sistema jerárquico rígido, basado prácticamente en la imposición de una moral obligada para todos, como en las jerarquías ideológicas y teológicas, a un sistema dinámico basado en la conciencia, la verdad y la libertad, retomando una máxima oriental que sostiene que la evolución de la vida es realmente la evolución de la conciencia. El poder objetivo y concreto ostentado por el animal racional es transmutado y se transforma en poder espiritual que, al igual que un campo magnético, logra anular la fuerza gravitatoria material y permite la expansión de la conciencia hacia otras dimensiones de experiencia, generando una verdadera pirámide evolutiva libre de toda forma de inquisición.

Los machos alfa históricos negaron o aplastaron la conciencia superior, la deformaron miserablemente al estrellarla contra la tierra dura y estéril del fanatismo y la brutalidad humana. La nueva pirámide de luz guiada por seres despiertos irá liberando la conciencia hacia una realización cada vez más plena. En su ascenso, la conciencia irá integrando más y más claves de evolución cultural, liberándose así de la miseria moral, la angustia existencial y toda la programación del animal racional, dejando atrás la barbarie y crueldad de las inquisiciones. Se activarán así códigos evolutivos que llevarán al renacimiento de la Humanidad en este mundo, potenciando el despertar de la conciencia a dimensiones que alguna vez hemos intuido *dentro de nosotros mismos*.

CULTURA Y CIVILIZACIÓN

Si este estado de conciencia tiene un asidero real en la vida misma, debería haberse manifestado en distintos momentos de la historia y en cualquier lugar geográfico o contexto social por los cuales ha atravesado la Humanidad, como una luz inspiradora en la evolución. En todas las civilizaciones ancestrales (mucho más antiguas al parecer de lo que la ciencia convencional había establecido en forma absolutamente arbitraria) descubrimos una gran riqueza cultural, y no sería extraño que este impulso se haya manifestado también desde el alba de la civilización, encarnada en la figura de aquellos *Sabios legendarios* que mencionan todas las leyendas y tradiciones de las antiguas civilizaciones, vinculados a una Sabiduría Ancestral que acompañaría a la Humanidad desde sus orígenes.

Hace unos 6000 años habría ocurrido una gran revolución cultural: el tránsito desde la vida en aldeas y caseríos al surgimiento de las grandes Culturas y Civilizaciones históricas y la vida social en grandes urbes, donde encontramos varios patrones de la vida moderna y su complejidad cultural. Lo interesante es que este fue un fenómeno simultáneo en todo el mundo. De la noche a la mañana, Oriente y Occidente ven florecer las grandes civilizaciones de Egipto, China, India, Mesopotamia y Mesoamérica, y lo que se observa detrás de todos estos impulsos civilizatorios es la presencia de Núcleos Humanos altamente desarrollados que sembraron la semilla del Conocimiento y generaron un nuevo salto cualitativo en nuestra evolución. Transformados en legendarias figuras protohistóricas, lograron con su sabiduría producir una poderosa mutación mental y moral en la Humanidad y se constituyeron en los núcleos alrededor de los cuales se agruparon seres portadores de una renovada cosmovisión e interacción con el Universo, proceso no material ni explicable en términos genéticos, y que sigue siendo el gran dolor de cabeza de la ciencia materialista actual.

Lo apasionante de nuestra evolución cultural es que las tres variedades evolutivas humanas se han venido dando simultáneamente a lo largo de la historia. En efecto, los registros muestran una mezcla bastante heterogénea de comunidades con fuertes contrastes entre sí. Observamos que junto a pueblos bárbaros surgieron culturas absolutamente originales, seres humanos que dejaron de luchar por una mera supervivencia física. No es casualidad que en el origen de estos grandes procesos siempre se encuentren núcleos civilizatorios encarnados en figuras legendarias que sembraron la simiente de nuevas cosmovisiones y relaciones entre el hombre y la naturaleza. Así surgió la leyenda de los llamados *Héroes Civilizatorios*, como Manú en la India, Hermes en Egipto, Viracocha en Perú y Bolivia y Quetzalcoatl entre los mayas y toltecas del antiguo Méjico.

A continuación, una selección de párrafos de una gran investigación de Graham Hancock, contenida en *Las Huellas de los Dioses*:[9]

> En todas las antiguas leyendas de los pueblos de los Andes aparece un individuo alto, barbudo, de tez pálida, envuelto en un halo de misterio. Aunque era conocido por distintos nombres en diversos lugares, se trata siempre de la misma figura: Viracocha, Espuma del Mar, maestro de la ciencia y la magia, el cual esgrimía terribles armas mortíferas y llegó en los tiempos del caos para restaurar la paz en el mundo.
>
> El primitivo cronista que refirió esta tradición explicó que le había sido relatada por los indios que lo habían acompañado en sus viajes por los Andes:
>
>> Y ellos la habían escuchado de labios de sus padres, quienes a su vez la conocían a través de las viejas canciones que habían sido transmitidas de generación en generación desde tiempos remotos… Según dicen, este hombre recorrió la ruta de la altiplanicie hacia el norte, obrando milagros a su paso, y jamás volvieron a verlo. Dicen que en muchos lugares explicó a los hombres cómo debían vivir, hablándoles con gran amor y ternura y exhortándolos a ser buenos y a no hacer daño ni perjudicarse unos a otros, sino que debían amarse y mostrar caridad hacia todos sus semejantes. En la mayoría de los lugares lo llamaban Ticci Viracocha.
>
> Se trataba de un científico, un arquitecto de extraordinaria habilidad, escultor e ingeniero. "Hizo que se formaran terraplenes y campos en escarpados

barrancos y muros de contención para sostenerlos. También creó canales de regadío… y recorrió diversos caminos, arreglando muchas cosas".

Las diversas leyendas coinciden en la descripción física de Viracocha. En su *Suma y narración de los incas*, por ejemplo, Juan de Betanzos, un cronista español del siglo XVI, declaraba que, según los indios, se trataba de un "individuo barbudo de elevada estatura, vestido con una túnica blanca que le llegaba a los pies y que sujetaba a la cintura con un cinturón". Otras narraciones, recogidas de numerosos pueblos andinos que se hallan separados en el tiempo por miles de años, identificaban al mismo enigmático individuo. Según una de ellas, era:

> un hombre barbudo de estatura mediana que lucía una larga capa… Era de mediana edad, con el pelo canoso, y delgado. Caminaba apoyado en un bastón y se dirigía a los nativos con amor, llamándolos hijos e hijas. Mientras recorría el país obraba grandes milagros. Curaba a los enfermos solo con tocarlos. Hablaba todas las lenguas mejor que los nativos.

Por encima de todo, Viracocha es recordado en las leyendas como un Maestro. Antes de que apareciera, según dicen, "los hombres vivían sumidos en el desorden, y muchos andaban desnudos como salvajes; no tenían casas y sus únicas moradas eran cuevas, las cuales abandonaban para ir a los campos en busca de algo que comer".

Viracocha, según afirman, transformó esta situación e inició una época dorada que las generaciones posteriores recordarían con nostalgia. Todas las leyendas coinciden en afirmar que Viracocha cumplió su misión civilizadora con gran bondad, abjurando, en la medida de lo posible, del uso de la fuerza, y utilizando como métodos de instrucción el ejemplo personal y sus enseñanzas para dotar a las gentes de las técnicas y conocimientos necesarios que les proporcionarían una vida culta y productiva. Sobre todo, era recordado por haber llevado a Perú los conocimientos de la medicina, la metalurgia, el cultivo de los campos, el apareo de los animales, el arte de la escritura (que, según los incas, fue introducida por Viracocha y después olvidada), así como sólidos principios de ingeniería y arquitectura.

No obstante, entretanto decidí seguir otra línea de investigación, que guardaba relación con el tema. Esta se refería a la deidad barbuda, de piel blanca, llamada Quetzalcoatl, de quien se dice que viajó por mar hasta México en la remota antigüedad. A Quetzalcoatl se le atribuye el invento de las matemáticas avanzadas y las fórmulas de datación que después utilizaron los mayas para calcular la fecha del fin del mundo. Por otra parte, Quetzalcoatl ofrecía un insólito parecido con Viracocha, el pálido dios de los Andes que llegó a Tiahuanaco "en una época de tinieblas" portando los dones de la luz y la civilización.

Por ejemplo, uno de los mitos precolombinos recogidos en México por el cronista español del siglo XVI Juan de Torquemada, afirmaba que Quetzalcoatl era un "hombre rubio de complexión robusta y una larga barba". Algunos se referían a él como "el hombre blanco"; un hombre corpulento, de frente ancha, con los ojos enormes, el pelo largo y "la barba espesa y redonda". Otros lo describían como:

> una persona misteriosa… un hombre blanco de cuerpo robusto, la frente ancha, ojos grandes y una barba larga. Vestía una larga túnica blanca que le llegaba a los pies. Condenaba los sacrificios, excepto las ofrendas de frutas y flores, y era conocido como el dios de la paz… Cuando oía hablar de la guerra, se tapaba los oídos con las manos.

Según una curiosa tradición centroamericana, este "sabio maestro":

> llegó de allende los mares a bordo de un barco que se movía sin remos. Era un hombre blanco, alto y con barba, que enseñó a la gente a utilizar el fuego para cocinar. Asimismo, construyó casas y dijo a las parejas que podían cohabitar como marido y mujer, y puesto que las personas solían pelearse con frecuencia en aquellos tiempos, él les enseñó a vivir en paz.

En opinión de Sylvanus Griswold Morley, el decano de los estudiosos sobre la civilización maya:

> El gran dios Kukulkán, o la Serpiente Emplumada, era el homólogo maya del azteca Quetzalcoatl, el dios de la luz, la sabiduría y la cultura. En el panteón maya se le consideraba un gran organizador, fundador de ciudades, legislador y maestro de la ciencia del calendario. Sus atributos y biografía son tan humanos que no es improbable que fuera un personaje histórico real, gran legislador y organizador, cuyas buenas obras permanecieron vivas mucho después de su muerte, y cuya personalidad fue con posterioridad divinizada.

Al igual que un hermano gemelo de Viracocha, la divinidad pálida y barbuda, se decía que Quetzalcoatl había llevado a México las artes y ciencias necesarias para crear una vida civilizada, inaugurando así una época dorada. Según afirma la tradición, había introducido los conocimientos de la escritura en Centroamérica, había inventado el calendario y había sido un maestro constructor que enseñaba a la gente los secretos de la albañilería y la arquitectura. Era el padre de las matemáticas, la metalurgia y la astronomía y afirmaba haber "medido la Tierra".

Como cabe esperar de un individuo tan refinado y culto, Quetzalcoatl prohibió la macabra práctica del sacrificio humano durante el período de su ascendencia en México. Después de su partida se reanudaron los rituales cruentos, pero los aztecas, el pueblo más aficionado a la práctica de los sacrificios humanos en la larga historia de Centroamérica, recordaban la "época de Quetzalcoatl" con cierta nostalgia…

Podríamos seguir agregando varias páginas con relatos antiquísimos sobre diversas figuras legendarias como Osiris o Hermes, vinculadas al nacimiento de grandes culturas y civilizaciones en todo el planeta. Estos Sabios o Maestros son el gran enigma evolutivo de la Humanidad, incluso para el más materialista de los científicos, simplemente porque no son abordables por la lógica común. Su energía es la misma que se viene manifestando desde hace milenios y que se encuentra en el origen de todos los movimientos culturales de oriente y occidente, mostrando el mismo impulso de Amor y Sabiduría de todos los grandes místicos a lo largo de la historia. Esta fuerza interior escapa a nuestra comprensión *intelectual*, y sin embargo resulta tan evidente que sería imposible negar su presencia y aporte a la evolución de la Humanidad. Sería absurdo negar la poderosa influencia de la auténtica espiritualidad en el devenir de la cultura y la civilización, pues el contacto con seres humanos con una ética profunda constituye una experiencia enriquecedora y transformadora; es por eso que no hemos podido olvidar a Pitágoras o Lao-Tse, pues su sabiduría es *atemporal*.

Tampoco podríamos suponer que estos grandes procesos civilizatorios fueron la resultante del *ciego azar*, pues se observa claramente un *plan inteligente* de un núcleo original de seres humanos altamente evolucionados que serían la clave para comprender este impresionante desarrollo de culturas milenarias. Sería igualmente absurdo plantear que esta fuerza arrolladora de creatividad haya surgido por generación espontánea en los circuitos eléctricos del cerebro físico a partir de la nada. Nuestra historia deja en evidencia una innegable *evolución metafísica*, que es el motor que dio origen a todas las grandes civilizaciones que aún hoy no dejan de asombrarnos con los nuevos descubrimientos. Estos antiquísimos seres humanos tenían potencialmente dentro de su mente todos los contenidos artísticos, científicos, místicos y filosóficos que hemos heredado, estudiado, profundizado y modificado en grado superlativo.

Todos aquellos que dejaron su testimonio de vida como herencia para la Humanidad son un ejemplo innegable de conciencia universal que nos integra como una gran familia sin distinciones raciales ni sociales. El mensaje de estos grandes Maestros es un tesoro invaluable que surgió hace milenios, y que se ha venido renovando desde entonces en todos los rincones del planeta. Sin recurrir a esta dimensión superior, no podríamos comprender la génesis de todos los auténticos Seres Iluminados que en el mundo han sido, de todos los mártires y cultivadores de la fraternidad universal que entregaron su vida por un ideal inegoísta y que conforman un patrimonio ético invaluable para creyentes y ateos. No comprenderíamos al místico en su sendero de autorrealización ni a todos los grandes visionarios impulsores de corrientes culturales. Esta fuerza que puede anular todo acto egoísta es el gran enigma para un auténtico buscador de la Verdad, para un auténtico científico, y es la clave de la autorrealización, el fin del sufrimiento y la violencia.

Somos los descendientes de esos seres que se autodescubrieron y comenzaron a percibir el Universo como nunca antes lo había hecho un homínido. Somos herederos de aquellos poderosos núcleos humanos que construyeron los cimientos de toda Cultura y Civilización, desarrollando la *clave espiritual* de la evolución de la Humanidad al sembrar las semillas del Autoconocimiento, la Conciencia y la Libertad Interior.

COMENTARIO FINAL

El ya mencionado F. Torralba cita la siguiente reflexión del pintor Wassily Kandinsky, contenida en su clásica obra *De lo Espiritual en el Arte*, publicada en 1911, pocos años antes de estallar la Primera Guerra Mundial:

> Nuestro espíritu, que después de una larga etapa materialista se halla aún en los inicios de su despertar, posee gérmenes de desesperación, carente de fe, falto de meta y de sentido. Pero aún no ha terminado completamente la pesadilla de las tendencias materialistas que hicieron de la vida en el mundo un penoso y absurdo juego. El espíritu que empieza a despertar se encuentra todavía bajo el influjo de esa pesadilla. Solo una débil luz aparece como un diminuto punto en un gran círculo negro...[22]

Nuestro horizonte humano muestra signos inquietantes, sumido aún en esa pesadilla material y concreta. Estos son tiempos oscuros, cada vez con más violencia, anarquía, fanatismo, esclavitud y barbarie, pero ahora masificados. Parece que hubiésemos ingresado realmente a un nuevo ciclo de *oscurantismo feudal a escala planetaria* que ya ha comenzado y está comprometiendo dramáticamente a gran parte de la Humanidad, pero tal vez sea algo necesario e inevitable por lo cual tendremos que pasar. ¿Lo superaremos? No está garantizado, pero sí hay algo crítico: todos aquellos que tengan alguna intuición, sensibilidad o visión alternativa, ojalá la pongan al servicio de algún Proyecto de Desarrollo Humano y trabajen de acuerdo a sus posibilidades por dejar algo a esta generación.

Mientras tanto, el animal racional seguirá obsesionado con el poder material, con su imperio político, económico y militar, su narcisismo, odio y control psicológico; lo disfruta porque se siente vivo, seguro y poderoso. Esa es su ilusión mental y lo más probable es que haga todo lo posible para evitar el surgimiento de una nueva conciencia para la Humanidad, porque sabe que ese es un peligro real para su supervivencia que se podría manifestar en cualquier momento. Sin embargo, lo más importante no es lo que haga el animal racional, sino lo que hagamos *cada uno de nosotros* para ayudar a generar un nuevo impulso cultural para la Humanidad.

Este es el momento preciso, cuando la civilización tambalea y amenaza con colapsar, en que todo aquel con una convicción ética y una vocación de servicio decida hacer su aporte a nuestra evolución sacrificando parte de su tiempo y su energía puestos al servicio de una visión renovadora, de un nuevo proyecto que profundice nuestra humanidad. Ese trabajo resultará esencial para ayudar a sembrar las semillas de un proceso que abrirá nuevos senderos de evolución cultural. E. Tolle lo vislumbra con toda claridad:

> A medida que vaya aflorando la nueva conciencia, algunas personas sentirán la necesidad de formar grupos para reflejar la conciencia iluminada. Esos grupos no serán egos colectivos porque sus integrantes no sentirán la necesidad de definir su identidad a través de ellos. Ya no buscarán la forma para definir lo que son. Aunque los integrantes de estos grupos no se hayan liberado completamente del ego, habrá suficiente conciencia en ellos para reconocer el ego en sí mismos y los demás, tan pronto como este trate de aflorar. Sin embargo, es preciso mantener un estado de alerta porque el ego *intentará* asumir el control y entronizarse a como dé lugar. Uno de los principales propósitos de estos grupos, trátese de empresas iluminadas, organizaciones de caridad, escuelas o comunidades, será disolver el ego humano exponiéndolo a la luz de la conciencia. Así como las colectividades egotistas nos empujan hacia la inconciencia y el sufrimiento, la colectividad iluminada podrá ser un manantial de conciencia destinado a acelerar el cambio planetario.[21]

F. Capra plantea un proceso similar:

> Cuando hace ya más de veinte años decidí escribir *El Tao de la Física*, inicié un camino que entrañaba considerables riesgos profesionales, emocionales y económicos. Inicié este camino solo, al igual que muchos de mis amigos y colegas que hicieron lo mismo en sus respectivos campos. Hoy todos nos sentimos mucho más fuertes. Estamos inmersos en múltiples movimientos alternativos que forman parte de lo que llamo la *"cultura emergente"*, multitud de grupos que representan diferentes facetas de la misma nueva visión de la realidad y que gradualmente se van uniendo para formar una poderosa fuerza de transformación social.[5]

Podría ser el fin de nuestra ignorancia gracias al nacimiento de una nueva conciencia individual, y tal vez en algún momento surgiría un nuevo movimiento colectivo, una nueva *oportunidad* inspirada por esta sabiduría universal. Nos podríamos liberar así de nuestra programación mental, egoísmo, miedo, crueldad, miseria moral y el control inquisitorial del ego animal-racional. Sería el despertar de la Luz en medio de la oscuridad, una verdadera Revolución de la Conciencia que el materialismo ni siquiera ha podido vislumbrar.

Si lográramos esa emancipación definitiva de toda la identificación y apego por nuestros hologramas personales, ¿qué quedaría entonces de nosotros? ¿A dónde iría esa personalidad supuestamente tan bien delineada y proyectada en el mundo con todo su orgullo, deseo, estatus social, bienes materiales, dogmas, prejuicios, ideologías y ambiciones? Si todo eso desapareciera, si se extirparan las raíces más profundas de nuestra disociación existencial, ¿en qué nos convertiríamos? La respuesta solo la podremos encontrar en nuestro propio fuero interno, el recinto sagrado que ningún inquisidor ha podido violentar.

Ahora es nuestro momento. En medio de esta nueva era feudal que amenaza ser cada día más oscura, tal vez este sea el instante preciso para *probar* si la luz de la conciencia espiritual es una mera especulación o una poderosa *realidad evolutiva...*

Amigo lector, ¿sientes la *necesidad de descubrirlo?*

ÍNDICE

LITERATURA CITADA

1. BODRI, WILLIAM: *Sócrates y el Camino hacia la Iluminación*. GAIA Ediciones, Madrid, 2010

2. BRION, MARCEL: *Vida de Atila*. Ediciones B (Javier Vergara Editor), Barcelona, 2006

3. CALLE, RAMIRO: *Buda, El Príncipe de la Luz*. Ediciones Temas de Hoy, Madrid, 1994

4. CALLE, RAMIRO: *La Espiritualidad India*. Ediciones Cedel, Barcelona, 1973

5. CAPRA, FRITJOF: *El Tao de la Física*. Editorial Sirio, Málaga, 2005

6. CARTA DEL JEFE SEATTLE al Presidente de Estados Unidos. Ed. Renacimiento, Santiago de Chile, 1997

7. CHEN-CHI, CHANG: *La Práctica del Zen*. Editorial La Pléyade, Buenos Aires, 1976

8. GAYRAUD, JEAN-FRANCOIS: *El G-9 de las Mafias en el Mundo*. Ediciones Urano, Barcelona, 2007

9. HANCOCK, GRAHAM: *Las Huellas de los Dioses*. Ediciones B, Barcelona, 1999

10. HOWARTH, PATRICK: *Atila*. Editorial Ariel, Barcelona, 2001

11. KRISHNAMURTI, J.: *La Verdadera Revolución*. Editorial Orión, México, 1984

12. LAMB, HAROLD: *La Marcha de los Bárbaros*. Editorial Sudamericana, Buenos Aires, 1963

13. LEAKEY, RICHARD: *El Origen de la Humanidad*. Editorial Debate, Madrid, 2000

14. LEAKEY, RICHARD Y LEWIN, ROGER: *Nuestros Orígenes*. Editorial Crítica, Barcelona, 1999

15. PLATON: *Apología de Sócrates*. Ed. Espasa Calpe, Madrid, 2003

16. POORTVLIET & HUYGEN: *Los Gnomos*. Ed. Montena (Grijalbo), 1999

17. RINPOCHE, SOGYAL: *Meditación*. José J. de Olañeta, editor, Barcelona, 1998

18. ROLLAND, ROMAIN: *Vida de Ramakrishna*. Librería Hachette, Buenos Aires, 1953

19. SUZUKI, DAISETZ T.: *Budismo Zen*. Ed. Troquel, Argentina, 1993

20. TOLLE, ECKHART: *El Poder del Ahora*. GAIA Ediciones, Madrid, 2009

21. TOLLE, ECKHART: *Una Nueva Tierra*. Editorial Norma, Bogotá, 2005

22. TORRALBA, FRANCESC: *Inteligencia Espiritual*. Editorial Plataforma, Barcelona, 2010